D0315478

Une légende de Bangkok

Jean-Marc Moura

Une légende de Bangkok

ROMAN

Albin Michel

22, rue Huyghens, 75014 Paris

ISBN 2-226-02801-3

A Joy, Leng, Nijaporn, Saowalak, Suni, Tom et Tum

Première partie

LA GRANDE CAPITALE DU MONDE

I

Nuit. La nuit lie-de-vin de Bangkok. Au loin, l'énorme rumeur des voitures délabrées, des bus déglingués, klaxons assourdissants bloqués par des conducteurs impassibles. La Chao Praya roule dans son lit rondins, végétaux et carcasses de chiens crevés ; « la mère des eaux », comme l'appellent les Thaïs, glisse sous la lumière pâle de la lune, berçant la ville des anges de ses clapotis. Parfois, un bateau à l'hélice immense fend les eaux dans un bruit étourdissant ; tumulte vite apaisé, il disparaît bientôt à l'horizon, laissant derrière lui une odeur d'essence et un goût de cendre.

Un jeune homme approche du fleuve, s'enfonçant jusqu'aux genoux dans la boue du rivage. Il enjambe deux poutres abandonnées là, titube dans la fange et va s'asseoir sur un vieux tonneau, épuisé. L'eau file sous son regard, ruban d'argent sale, il la contemple en essayant de rassembler ses souvenirs.

Trois jours, voilà trois jours qu'il a commencé à marcher dans Bangkok. Trois jours et autant de nuits passés à parcourir des centaines de rues, de places, de galeries commerciales et de temples ; il a sillonné sans s'arrêter cette ville où il est né, le cœur de la Thaïlande. Cité au ciel coincé entre les tôles, les fils électriques et les poutrelles rongées. Les oiseaux y sont collés de poussière et le jour assombri par les vapeurs d'essence. Bangkok s'enivre de progrès et de rêves « modernes ». Il y a marché pour la dernière fois ; rien de ce qu'il a vu ne l'attache à cette ville.

Les Chinois l'observaient du fond de leurs maisons-boutiques, leurs petits yeux encore rétrécis par la méfiance. Ils s'abritaient derrière des comptoirs crasseux où étaient empilés des centaines d'objets couverts de toiles d'araignée, des boîtes difformes au contenu douteux qu'ils étaient censés vendre à d'improbables clients. Si parfois il s'approchait, les hommes se levaient et toisaient nonchalamment ce Thaï longiligne, vêtu à l'occidentale, dissimulé par ses lunettes imitation Ray-ban. Il s'éloignait alors après avoir vu briller au fond de leurs yeux comme une esquisse de colère. « Les Chinois n'aiment pas qu'on s'habille comme les falangs[1] », lui avait dit son frère, Udom. Mais comment faire autrement pour cacher sa plaie ?

A Silom Road, le quartier des affaires, les touristes en short arpentaient les trottoirs avec des allures de seigneur. Ils toisaient les vendeurs à la sauvette, s'en amusaient, les photographiaient. Il s'était longuement attardé devant les vitrines de ces boutiques où le moindre article atteint des prix extraordinaires et où les vendeuses, choisies pour leur beauté, guettent en souriant la venue des conquérants en chemise à fleurs. Là, tout appartient aux falangs : photos de mode, mannequins blonds, sourires stéréotypés de la publicité illustrent le seul rêve occidental. Il avait contemplé son reflet dans la glace puis il était reparti découragé ; derrière ses lunettes dépolies, il était sans aucun doute possible thaï. Pas de rêve pour lui.

Au détour des ruelles surgissaient les gueux de Bangkok, jambes coupées, bras atrophiés ou mutilés, une sébille en étain posée devant eux. La pièce qu'on leur donnait claquait contre le fond, elle les tirait de leur torpeur et ils se lançaient dans une longue litanie de remerciements qui vous poursuivait tout au long de ces quartiers au sol glissant et aux murs moisis. C'était là l'envers des luxueux magasins pour étrangers, les climatiseurs y rejetaient l'air tiède à travers leur gueule d'acier pailleté ; leur eau, comme une

1. *Falang : l'Occidental, en thaï.*

transpiration, coulait le long des murs en traçant de longs sillons verdâtres qui allaient s'élargissant à mesure qu'ils se rapprochaient du trottoir. C'était gluant, puant, ses vêtements neufs s'y salissaient comme dans ces arrière-mondes de cauchemar où le moindre contact est la promesse d'une lèpre impossible à dissiper.

Parfois, au bord des klongs [1], il apercevait des femmes qui se baignaient dans les eaux noires. Les cheveux dénoués, elles s'aspergeaient à l'aide d'un bol en étain, côtoyant des barques étroites où reposaient des noix de coco, des ramboutans, des mangues, des bananes, des longanes, des ananas et des noix d'arec. Plus loin passaient des bateaux à fond plat où s'entassaient glaïeuls et tubéreuses, « champas » et jasmins. Auprès de chaque maison sur pilotis était disposé un minuscule sanctuaire destiné à l'Esprit du sol.

La nature tropicale n'était jamais longue à reprendre ses droits. Près des klongs, les arbres penchaient sous le poids de leurs fruits, les feuillages trempaient dans l'eau, tout ce qui appartenait au béton était oublié à l'ombre de ces géants croulant de leur exubérance. La femme qui pagayait lentement détournait son visage ridé lorsque, au détour d'un canal, surgissait un bateau de falangs armés d'appareils photo. La pirogue glissait sur l'eau noire et les intrus étaient vite oubliés, leur monde de pacotille se refermait sur eux, comme un couvercle.

Une fois ou deux, il lui sembla qu'il pourrait continuer de vivre à Bangkok. A Ratchadamnoen Nok, des pelouses bordaient l'avenue et les arbres élégamment disposés ombrageaient les somptueux bâtiments construits sous le règne de Rama V. Il s'assit près de la statue du roi bien-aimé et attendit. L'air avait la pureté du midi tropical, une légèreté lumineuse ; les maisons blanches resplendissaient avec un orgueil qui, en dépit de leur style colonial, était profondément thaï. Mais il attendit en vain. La majestueuse avenue

1. *Klong : le canal, en thaï.*

était vide, les hommes l'avaient fuie, et leur absence lui donnait le sentiment poignant de se trouver sous la voûte d'un magnifique palais déserté. La Thaïlande était ailleurs.

Il était passé dans la foule dense comme un écorché vif. A Siam Square, le moindre frôlement lui faisait mal. Lorsqu'il levait la tête, d'immenses affiches de cinéma dessinaient les images de surhommes à la conquête de terres ou de femmes fabuleuses. Mais, oublié du ciel, il progressait à travers le flux continu des badauds, ballotté de corps en corps, repoussé par les gens, jeté de-ci de-là comme un bout de bois au milieu d'une mer sale. C'était au troisième jour.

Le sol glissant, le bruit de la foule, la main meurtrière de la chaleur, le rideau de poussière qui se colle au visage de l'imprudent qui marche dans Bangkok... Le pire avait été le regard de ces Thaïs mal rasés, déguenillés. Ils succombaient à l'angoisse, à la folie urbaine. Bientôt ils joueraient leur vie pour un désir trop longtemps contenu. Il voulut les fuir en entrant dans Siam Center, énorme cube vert et orange où s'alignent les boutiques « à la mode » de la ville. Tout y était désespérément étranger. Il avait cherché à reconnaître les signes, mais une distance infinie l'en séparait. Il était né thaï et il s'avisait qu'il y avait dans ce fait plus de douleur et de frustration que personne n'osait le dire. Bangkok crevait et il étouffait sous elle.

Alors, comment vivre dans cette ville où ses congénères se frôlent et pullulent comme des rats tandis que partout, sur les affiches, dans les magasins, dans les cinémas et même à contre-ciel, se dessine l'image de dieux vivants superbement isolés dans des paradis dont Bangkok n'est que la caricature ? Les mendiants tendaient leurs mains atrophiées vers ces divinités blanches aux grands yeux, les enfants perdaient la santé dans le tumulte d'enfer de la circulation et même les Chinois préféraient se recroqueviller au fond de leur antre, crevant de ne pouvoir gagner plus d'argent (« Ah ! ce serait différent dans un autre pays »), les femmes se vendaient pour une poignée de riz et ce peuple, le peuple le plus souriant du monde selon les falangs, il lui appartenait, irrémédiablement !

Certes, il y avait les klongs, l'eau vert sombre qui entraînait la pirogue des vieilles à la peau plus ridée que l'éternité, les regards des gueux lorsque la pièce tombait au fond de leur écuelle, les cris de joie des enfants entre deux sirènes, cela ne pouvait compter pour rien. Pas plus qu'il ne pouvait oublier le courage du Chinois travaillant vingt heures chaque jour pour gagner un maigre repas, ou celui de l'ouvrière qui se crève les yeux à monter des circuits imprimés aux picots plus fins que des fourmis. L'orgueil d'être thaï, d'appartenir à ce peuple dont l'histoire est une prodigieuse épopée, existait en lui, il n'aurait pas voulu naître ailleurs. Mais il fallait céder, et peut-être, dans le choix qu'il avait fait de sa mort, entrait-il un peu de la grandeur qu'il reconnaissait à son peuple.

Il lève les yeux. Sur la berge d'en face dort Thonburi, capitale du Siam avant Bangkok. Ses néons clignotent comme ceux de sa cadette, dérisoires sous la clarté lunaire. Dans son dos, le bruit s'est un peu apaisé, il perçoit encore quelques klaxons et des rugissements de moteurs qui couvrent les voix ou les rires. Le tonneau sur lequel il est assis grince dès qu'il fait un mouvement un peu brusque. Il se lève doucement et prend le paquet qu'il a amené et posé à ses pieds. Il l'ouvre sans hâte. L'eau du fleuve vient lui lécher les pieds, tiède et grasse. Il extrait du papier kraft un costume de danse traditionnelle thaïlandaise : gilet rouge, pantalon noir orné de perles et de broderies d'argent auxquels s'ajoutent un pagne jaune brodé, des lanières d'or et d'argent figurant l'ancien carquois des héros de l'épopée nationale, et un chapeau de métal doré en forme de cône très effilé au bout et cerclé d'or. Après avoir soigneusement posé ces vêtements sur le tonneau, il commence à se déshabiller.

Tout en se dévêtant, le sentiment d'immensité qu'il a toujours éprouvé dans cette ville lui revient. A cette heure dernière, il comprend que la vie est plus grande ou plus misérable ici, Bangkok proscrit la médiocrité. On y agonise ou on y triomphe sans compromis possible. Le ciel est plus vaste au-dessus de ses maisons lépreuses et les rêves plus forts. On parvient au bout des chemins que les dieux ont tracés.

Il est entièrement nu à présent. Un long corps mince et musclé, aux attaches fines de Thaïlandais. L'air de la nuit est frais, bienfaisant sur sa peau. Il ôte ses lunettes et les lance dans la boue du rivage. Puis il revêt le costume de héros légendaire. Il accomplit sa tâche avec lenteur en regardant Thonburi clignoter dans la nuit rosâtre et grondante. Sans lunettes, les lumières sont plus vives et plus dures les promesses que la ville n'a pas tenues.

Au loin, les colonnes du temple de l'Aurore scintillent sous la lune, ces « prangs », comme on les appelle, constituent autant d'hommages au Bouddha, elles lui semblent des géants morts détachant la masse de leurs cadavres sur un ciel vide. Il achève de s'habiller en aspirant avidement l'air nocturne, il pose le long chapeau sur sa tête. Il a fini.

Il avance d'un pas. Les pieds dans l'eau, il tourne le dos à Bangkok tandis que Thonburi et l'extraordinaire aventure du peuple thaï depuis Sukhotaï alignent sous ses yeux leurs confus vestiges, bien légers désormais en regard des conquérants pacifiques de l'Occident. Les paupières mi-closes, il tente en vain de retrouver cette fierté qui fit des Thaïs un peuple souffrant mais toujours prêt à ressusciter.

Où sont les dieux à Bangkok ? Il revoit les nuques décharnées des mendiants, les mains tendues des gosses hâves, les cuisses offertes des filles, les yeux fiévreux des vagabonds qui arpentent des rues sans asile, il faudrait croire qu'il y a des dieux derrière ce carnaval de la misère ? Bangkok, cité des anges ?

Peut-être la ville n'était-elle pas tout à fait désertée, il devait y avoir d'autre salut pour les Thaïs que le chemin de l'Occident. Les sauveurs n'étaient pas venus soudain de l'Ouest, avec les yeux bleus, la taille haute et la peau couleur de lune. L'aventure thaïlandaise se poursuivrait ailleurs, sans lui.

Le guerrier somptueux s'avança vers le fleuve, chacun de ses mouvements lançait des paillettes de lumière reflétées par les moires qui couraient sur l'eau sombre. Il marcha en direction du temple de l'Aurore sur l'autre rive. Lorsqu'il eut de l'eau jusqu'aux épaules, il bascula dans le flot silencieux. Les étoiles et la lune roulèrent dans son regard, il eut le temps d'apercevoir la grande ombre de Bangkok comme un volcan plein de ténèbres prêtes à se répandre, puis les eaux se refermèrent, couvrant son corps de plantes grasses et d'huile. Sa dernière sensation fut le baiser amer et tiède du fleuve qui lui emplissait la bouche et l'étouffait.

La mère des eaux, la Chao Praya, continue sa descente vers la mer, porteuse de tous les rêves usés de Bangkok.

II

— Sawatdi klap, Nong.
— Sawatdi ka, master Santerre.

Après avoir échangé le traditionnel salut thaï avec la femme de ménage de l'ambassade, Christian Santerre franchit l'immense portail surmonté d'un drapeau français et, comme chaque matin avant de commencer son travail — pas bien absorbant — d'attaché d'ambassade, prend la direction des jardins. A son habitude, Nong l'a dévisagé lorsqu'elle lui a dit bonjour. Ce n'est pas la taille de Santerre, moyenne pour un falang, qui l'impressionne, elle en a vu des falangs, Nong, et des plus grands que celui-là. Non, ce qui la stupéfie, ce sont les yeux du jeune homme, des yeux vert clair absolument exotiques dans cette région du monde. « Un regard de sorcier. » Elle s'en méfie, Nong, et ne manque jamais de toucher la médaille de Bouddha qu'elle porte autour du cou quand elle croise Santerre.

L'attaché d'ambassade a remarqué depuis bien longtemps le manège de la Thaïe. Il ne s'en formalise pas car cette relation biaisée appartient à un ensemble plus vaste qu'on pourrait appeler « le problème » de Santerre. Tous les contacts, toutes les relations qu'il a noués ont achoppé au départ sur un obstacle : il est trop beau. Il a le parfait visage d'une star de cinéma des années trente, une beauté si classique qu'elle est devenue la source de multiples quiproquos. Les intellectuels estiment généralement qu'un homme aussi séduisant ne peut être qu'un imbécile, les bellâtres le jalousent férocement, les femmes le fuient si elles sont « sérieuses » ou s'accrochent s'il s'agit seulement de coucher. Bref, cet homme dont n'importe qui envierait la plastique, échangerait avec plaisir son visage contre celui de monsieur Tout-le-Monde. Il a espéré qu'en Thaïlande, où les falangs, avec leur bizarre nez droit et leurs pommettes rien moins qu'évidentes, sont regardés comme des animaux un peu monstrueux, il aurait plus de chance dans ses contacts, mais ses yeux trop verts ont tout gâché. Il intimide les Thaïs comme tous les autres.

Il passe devant le poste de garde où personne n'est encore entré, contourne la résidence de l'ambassadeur et s'engage sur la pelouse détrempée par la mousson. Au bout du jardin, une grande dalle de béton, où les invités ont coutume de danser lors des réceptions, surplombe la Chao Praya. Il est peut-être huit heures du matin, les pluies de la nuit ont lavé l'air de la ville. Le manteau de poussière qui se colle à la peau moite des hommes n'a pas encore réapparu.

Santerre s'accoude à la balustrade de ciment et contemple le fleuve où progressent d'énormes péniches aux flancs arrondis. Elles se fraient un difficile chemin parmi les débris végétaux et les solives pourries. Les flots sont d'un immuable vert sale mais il aime sentir leur fraîcheur monter jusqu'à son visage. Sur l'autre rive, la masse des entrepôts et des maisons sur pilotis de Thonburi étale son bois suintant au soleil déjà ardent ; les piliers sur lesquels elles reposent moisissent au gré de la succion lente du fleuve.

Un bateau à longue queue passe devant l'ambassade dans un bruit d'enfer. Santerre se raidit, quelques gouttes de sueur perlent dans son dos, glissent le long de sa colonne vertébrale avant de se perdre au creux des reins. Il observe distraitement les vagues qui viennent lécher la base de la dalle sur laquelle il se tient. Soudain, un clapotement plus fort que les autres lui fait dresser l'oreille. Machinalement, il se penche pour apercevoir l'objet qui l'a provoqué, il ne parvient à distinguer que des piliers de bois mouillé. Il se penche davantage. De loin, Nong l'aperçoit, son buste disparaît complètement derrière la rambarde ; sur la pointe des pieds, on dirait qu'il cherche à attraper quelque chose dans l'eau. Il se redresse brutalement, se retourne, l'air bouleversé, et lui fait de grands signes affolés. Elle lâche son balai et court vers lui.

Elle arrive sur la dalle de béton à bout de souffle. Il s'approche d'elle, pâle comme la mort, et lui crie des mots français qu'elle ne comprend pas : « Un cadavre, Nong, un cadavre... en costume de théâtre ! »

Voyant qu'elle ne saisit pas, il la prend par les épaules et la guide jusqu'à la rambarde pour lui montrer ce qui le trouble tellement. Mais elle est trop petite, même en se penchant jusqu'à la limite de la chute, elle n'aperçoit que des piliers de bois. Il l'arrache alors à la rambarde, lui hurle une phrase incompréhensible et part en courant vers la résidence de l'ambassadeur. Perplexe, elle s'assied sur le béton et attend en adressant une prière au Bouddha pour qu'il la protège des esprits du fleuve.

Une heure plus tard, la police appelée par Santerre a dégagé le corps du jeune Thaïlandais. Les jardins de l'ambassade grouillent de policiers et de curieux.

Dans le tumulte environnant, Santerre essaie de se faire une idée. Meurtre ? Suicide ? Le civil qui supervise les opérations semble pencher pour la seconde hypothèse. Dans son mauvais anglais, il explique à l'attaché d'ambassade que le corps ne paraît porter aucune trace de coups ou de blessure. Ce qui le laisse perplexe — et qui stupéfie Santerre — est la tenue du jeune homme, un costume du *Ramayana,* chamarré, reflétant la lumière agressive du soleil. Il donne au cadavre l'aspect d'un mort de comédie, l'un de ces androgynes du théâtre thaï qui, dans leur combat contre les forces du mal, se sacrifient pour que survive la possibilité du triomphe de Rama.

Lorsque Santerre a fini sa déposition, sorte de conversation mi-badine, mi-professionnelle avec l'inspecteur, il va voir le corps qu'on a posé sur une civière et recouvert d'une bâche kaki. Il est gêné par l'attitude du policier, plus intéressé par l'éclat de son regard ou les poils de ses avant-bras (les Thaïs, très glabres, sont fascinés par le système pileux des falangs) que par son enquête. Combien de morts violentes chaque jour à Bangkok pour avoir fait naître une telle indifférence chez cet homme ?

Deux jeunes policiers entourent la civière ; dès que Santerre le leur demande, ils le laissent soulever la bâche, mais, d'instinct, ils détournent la tête quand apparaît le visage du mort ; le Français, lui, l'examine avec une attention passionnée. Les yeux sont encore ouverts, ternis certes mais beaux, sans paupières pour couper le cercle parfait de la prunelle, sans cernes isolant l'œil du reste du visage, de ces yeux de porcelaine que les Occidentaux, par un impardonnable ethnocentrisme, appellent « bridés ». Le nez est courtaud, épaté, mais dans le visage, qui est de trois quarts, il offre le spectacle d'une courbe élégante qui prolonge celle du front ; la bouche, petite et pleine, s'entrouvre sur des dents d'une blancheur inattaquable. L'ovale pur du visage s'achève sur un menton court et harmonieux. L'ensemble donne à Santerre une impression de beauté parfaite encore rehaussée par l'éclat de la peau qui a pris la teinte de l'ivoire. Le chapeau conique qu'ont laissé les policiers ferait croire à la réincarnation de quelque créature de légende tombée dans un sommeil dont les mages viendront un jour la tirer. « Je suis en train de réinventer l'histoire de la Belle au bois dormant devant le cadavre d'un jeune Thaï », songe le Français amusé. Les policiers, qui ont vu son demi-sourire, se renfrognent et lui font signe qu'ils doivent emmener le corps.

Il se relève lentement. Les deux hommes emportent la civière avec précaution en glissant à chaque pas sur le gazon détrempé. Il retourne vers le fleuve.

Les maisons de Thonburi ont toujours cet aspect de délabrement qui prélude à la pourriture sous les tropiques, les eaux montent dangereusement jusqu'au seuil de leur porte. On est au début de novembre, le mois des pires inondations, les demeures devraient souffrir encore quelques semaines. Il évoque le trajet du corps dans la Chao Praya. Grâce aux courants, combien de rondins, de piquets ou de planches a-t-il esquivés pour conserver son incroyable beauté ? Il est troublé d'avoir songé à une princesse en voyant le visage de cet homme mort, étaient-ce ses vêtements ? Pourtant, il éprouve une étrange certitude : « Une femme à la beauté de mort, une princesse sans aucun doute, je n'ai pas rêvé ! »

Le rideau de chaleur et de poussière du jour vient de s'abattre sur la ville, les maisons de Thonburi saluent la caresse des eaux tandis que les tôles de leur toiture se dilatent en craquant. Il prend le chemin de l'ambassade.

III

Le lendemain, dans son minuscule bureau — l'ambassade date du début du siècle, à un moment où le personnel était beaucoup moins important —, Santerre relit pour la dixième fois la traduction d'un article paru le jour même dans le *Thai Rath,* le quotidien le plus populaire du pays, et qui semble avoir un retentissement extraordinaire. Furieux et inquiet, il parcourt les feuillets dactylographiés qui content une histoire à dormir debout :

NANG LOY RÉINCARNÉE

Tous nos lecteurs connaissent la légende de Nang Loy, la « dame flottante » ; l'un de nos anciens souverains en a fait un poème que chaque Thaïlandais apprend à l'école, dès son plus jeune âge. Cette œuvre justement célèbre est inspirée du *Ramakien,* notre épopée nationale, tirée du *Ramayana* indien. Rappelons-en le thème :

Totsakan, le roi des géants, veut convaincre son ennemi Rama que Sita (la bien-aimée de Rama, qu'il a enlevée) est morte. Rama renoncerait ainsi aux hostilités et mettrait fin à une guerre dont tous sont las. Totsakan ordonne donc à sa nièce, la magicienne Benjakaï, de prendre l'apparence de Sita et d'être trouvée morte près du camp de Rama. Terrifiée par son oncle, elle obéit. Elle va trouver Sita, réussit à gagner sa confiance et en profite pour l'observer avec attention.

Puis elle se retire et se métamorphose. Ensuite, afin de vérifier que sa transformation est parfaite, elle va trouver Totsakan. En la voyant, il croit que Sita vient enfin répondre à son amour et il l'enlace avec passion en lui promettant la moitié de son royaume. Mais Benjakaï parvient à se libérer et reprend son apparence. Lorsqu'il comprend qu'il a été abusé, le roi des géants devient fou furieux, il parle de faire mettre sa nièce à mort. Puis il voit le parti qu'il peut tirer de la situation et il envoie la magicienne au camp de son ennemi.

Benjakaï quitte donc Longka (Sri Lanka) pour le royaume de Siam. Le matin suivant, en se rendant à la rivière, Rama aperçoit un corps sur la berge. Intrigué, il s'approche ; à mesure qu'il avance, son cœur bat plus fort, il lui semble avoir déjà vu cette femme. Arrivé à quelques mètres du cadavre, il reconnaît Sita. Il tombe alors à genoux et pleure à fendre les cieux. Ses cris alertent son armée, et des soldats arrivent, guidés par Hanuman, le singe blanc, général en chef des troupes de Rama. Tous identifient le corps allongé sur la berge et grande est la désolation de ces hommes qui combattaient pour délivrer une femme à présent morte.

Seul Hanuman le subtil observe deux choses : le courant va vers Longka, il ne peut donc avoir amené la dépouille jusqu'ici ; en outre, le cadavre ne porte aucun signe de décomposition alors qu'un si long trajet dans l'eau aurait dû le marquer. Il ordonne alors de brûler le corps. Sur le bûcher, Benjakaï ne peut supporter les flammes, elle se métamorphose soudain et tente de fuir en s'envolant. Mais Hanuman, plus vif, la rattrape et la saisit par la chevelure. Il la ramène ainsi au camp de Rama à qui elle avoue le stratagème de Totsakan.

Rama, clément, la renvoie à Longka sans lui faire de mal...

Il y a de ces légendes qui ne meurent jamais, la réalité semble s'y accorder mystérieusement et ces moments d'accord entre le réel et l'illusion sont comme les présages de graves événements à venir.

Hier, sur la berge de la Chao Praya, juste en face de l'ambassade de France, on a trouvé le corps d'un jeune homme vêtu comme un héros du *Ramakien,* ainsi que le montre la photo ci-dessus. C'est un falang qui l'a vu le premier, l'un de ceux qui travaillent dans ce pays mais non pour ce pays. Et si j'ai songé à Nang Loy en voyant ce jeune Thaï, c'est que ses vêtements sont ceux d'une femme aussi bien que d'un homme, ceux de Benjakaï ou ceux de Rama.

La police parle de suicide, mais l'explication est un peu courte, pourquoi ces vêtements dans ce cas ? On compte chaque jour des dizaines de morts à Bangkok, mais aucun n'a jamais porté un tel habit. Pour comprendre, il faut revenir à ce qu'il y a de plus profondément thaï, le *Ramakien.* Regardez la photo, ce jeune être paraît dormir, d'un sommeil profond certes, semblable à la mort, mais qui n'est pas la mort, le sommeil de Benjakaï. La légende est revenue et il faut en chercher la vérité.

Personne ne peut croire que le cadavre a échoué par hasard chez les falangs. Et ce que j'ai appris sur l'identité de celui qui l'a vu le premier m'a convaincu qu'il n'y avait pas là de simple coïncidence. M. S. n'est autre que la personne chargée à l'ambassade de France de superviser la construction du Bangkok Intercontinental, ce futur hôtel au luxe jamais atteint destiné à attirer de plus en plus de touristes qui viendront pervertir et coloniser notre pays. Ce palace sera le digne fleuron du Bangkok de la prostitution et de la drogue. Peut-on encore imaginer après cela que le corps soit venu échouer « par hasard » sous les yeux de M. S. ?

Hier, sur la berge de la Chao Praya, juste en face de l'ambassade de France, on a trouvé un jeune homme vêtu comme un héros du *Ramakien*. C'est un falang qui l'a vu le premier, l'un de ceux qui travaillent dans ce pays mais non pour ce pays. Ce falang peut ricaner avec ses pareils au-dessus du cadavre, leurs entreprises de perversion et de conquête ne dureront plus longtemps comme l'avertissement vient de leur en être solennellement donné. Il y a encore des dieux pour protéger cette cité et un monarque qui veille sur son peuple du fond de son palais, je crois que nous assistons aux derniers moments de la Thaïlande colonisée. Comme celui de Nang Loy, le sommeil de la jeunesse thaïe est trompeur et cessera bientôt. Ce mort est en réalité un signe d'espoir.

Somchaï.

Santerre repose les feuilles sur son bureau et se prend la tête entre les mains, accablé. Non seulement cet article est le plus virulent que le *Thai Rath* se soit permis depuis des années (« il faut remonter aux pires moments de la guerre du Viêt-nam pour trouver de tels pamphlets anti-falangs ») mais il a eu un impact extraordinaire. Même Nong en parlait ce matin !

Il est moins surpris par le ton du journaliste — « ce Somchaï est un nationaliste étroit, une plume utile au moment du Viêt-nam qu'on avait un peu calmée depuis » — que par le succès inouï de cette prose. En trois ans à Bangkok, il a eu le temps bien sûr de constater la familiarité des Thaïs avec le monde des esprits, cette façon bien à eux d'inclure le spirituel dans leur vie quotidienne. Pourtant, cela ne suffit pas à expliquer l'intérêt passionné suscité par l'article de Somchaï. La comparaison avec la dame flottante du *Ramakien* n'est pas seulement un artifice, plutôt un coup de sonde chanceux ou génial vers une vérité gardée en sommeil jusqu'alors.

« Cet imbécile me nomme presque ! » Santerre est furieux de se voir ainsi mis en cause, « le symbole des falangs qui pourrissent Bangkok ! moi ! pour un peu, il m'inclerait dans le *Ramakien* ! » Mais son souci majeur est la mention du Bangkok Intercontinental.

Cet hôtel, dont il est en effet chargé de superviser la construction, n'a cessé d'être une source d'embêtements. Il y a eu ces accidents au début, une série incroyable de malchances qui a convaincu les Thaïs que le chantier est maudit. Difficile de recruter des ouvriers dans ces conditions. Et puis est arrivé Fournier...

L'origine du projet était un accord multilatéral entre la France, le Japon et la Thaïlande. Le gouvernement thaï, soucieux de relancer le tourisme qui périclitait à Bangkok, avait souhaité la construction d'un immense hôtel capable de succéder au fameux Oriental (considéré comme le meilleur du monde dans les années quatre-vingt mais qui a pris un sérieux coup de vieux depuis). Un consortium de banques françaises associé à un homologue japonais s'était donc proposé pour le financement. Outre une aide du ministère français de la Coopération, ils avaient reçu toutes facilités de la part de l'administration locale. Quant à Santerre, il s'était vu confier la tâche prioritaire de veiller à la bonne marche du projet.

Un travail impossible ! Outre qu'il n'est absolument pas convaincu de la nécessité de l'entreprise — Bangkok n'a plus rien pour attirer les touristes —, il est effrayé du coût énorme de la construction. Visiblement, toutes les parties intéressées ont rêvé du plus grandiose hôtel jamais conçu. On est ainsi arrivé à la somme de plusieurs millions de dollars sans savoir si cela rapportera un seul bath.

Ces répugnances, Santerre pourrait « les mettre dans sa poche », comme dit Anders, mais elles sont le moindre mal. En raison de la double source de financement, la direction des travaux a été confiée à deux responsables, un Français, Fournier, et un Japonais, Nippon. Les conflits qui s'en sont ensuivis ont maintenant atteint des dimensions épiques. Fournier surtout semble y prendre plaisir. La moindre brique, la tige la plus fine doivent provenir d'une entreprise française, il est là pour faire vendre du matériel français et il entend bien le faire sur le dos du « Jap », comme il a étiqueté Nippon. Celui-ci agit de même pour les produits de son pays, mais avec une subtilité tout asiatique. Santerre passe son temps à arbitrer ce duel de carnassiers de l'industrie.

De plus, Fournier, originaire de Savoie et qui a vécu plusieurs années en Afrique, dirige les Thaïs avec les coups de gueule propres au patron français s'adressant à ses employés ; attitude pour le moins déplacée dans un pays où le sourire et la courtoisie sont la règle, y compris, et même surtout, au moment où les relations sont les plus tendues. Nippon, élevé dans la tradition japonaise, a de bien meilleurs rapports avec eux. Santerre n'a qu'une peur, retrouver Fournier un couteau planté dans le dos ; d'autant qu'il s'avise de courtiser les femmes des ouvriers.

« Il ne s'en rend pas compte », lui a dit Anders, le consul, en souriant malicieusement, un jour qu'il lui rapportait une nouvelle frasque de Fournier, « à vous de veiller à sa bonne moralité ! » Mais le jeune homme a haussé les épaules sans répondre. Etrangement, il aime l'attitude sereine et un peu distante des Thaïs et déteste les manières françaises de Fournier.

L'article du *Thai Rath* rouvre cette plaie. Un nouveau problème s'ajoute à une liste déjà fort longue. L'hôtel jusqu'alors ne bénéficiait pas de la bienveillance de l'opinion publique mais au moins n'était-il pas en butte à son hostilité ; désormais, ce sera le cas.

Abandonner ? « Trop d'argent a été dépensé ! », l'ambassadeur avait été cinglant lorsqu'il lui avait confié ses réticences après une année de construction. On arrive à la fin de la deuxième, inutile de tenter une nouvelle démarche. En soupirant, il referme le dossier et tend la main vers le téléphone. C'est à ce moment que Nathalie Anders se faufile dans son bureau.

Quarante ans — bien portés ! —, femme du consul de France à Bangkok et amoureuse (folle ?) du petit attaché d'ambassade, voilà comment elle se présenterait au Seigneur (ou doit-on l'appeler Bouddha dans ce pays ?) si Celui-ci avait la cruauté de la rappeler si tôt en son paradis. Elle a même songé à ajouter : être de chair (ô combien !) et de sang rêvant du destin d'une héroïne de roman rose, mais elle n'est pas trop sûre de ça.

A sa vue, Santerre raccroche le téléphone et sourit. Ses yeux verts pétillent de cette gentillesse qui lui est particulière et dont elle raffole. Elle n'y peut tenir, elle se précipite et l'embrasse passionnément. Il bascule dans le fauteuil, s'accorde une minute d'oubli puis se dégage :

— Tu es folle ! si on nous voyait...

— Garde tes répliques de vaudeville pour toi. Tes yeux sont trop verts, répond-elle en lui mordant doucement la joue.

— Ton mari travaille quand même à dix mètres de là !

Elle le lâche, l'air ennuyé, et va s'asseoir sur la chaise qui fait face au bureau. Tandis qu'elle prend une cigarette, il note avec ennui la trop grande finesse de son corps. « Cette maigreur des femmes qui ont la quarantaine svelte. L'os commence à remplacer la chair, laissant pressentir le lent travail qui aboutira à ces squelettes recouverts de peau que sont les grands vieillards. Elle n'en est encore qu'à la sécheresse mais on devine le resserrement de tous les tissus. » Nathalie Anders est grande et un peu trop mince, « rien à voir avec la finesse voluptueuse des petites Thaïlandaises ». Souvent, quand leurs corps s'étreignent, cette minceur lui fait presque peur. Il ne s'est jamais demandé s'il l'aime vraiment, la crainte de répondre par la négative et de créer une situation pénible... Il n'ignore pas qu'elle a beaucoup de temps, trop de temps, pour s'attacher à lui.

— Tu t'amuses à repêcher les Thaïs qui se noient ?

— Un nouveau problème... Tu sais que le *Thai Rath* a publié un article qui s'en prend à l'hôtel et à ma modeste personne ?

— René dit que tu es devenu un héros de légende.

— Hélas ! ils m'ont donné le rôle du méchant ! Ça aurait mieux convenu à ton cher mari qui sait si bien rire de tous ceux qui l'entourent... C'est égal, ajoute-t-il rêveusement, ce cadavre avait je ne sais quoi de troublant, l'analogie avec Nang Loy n'est pas si bête. Il avait une beauté d'androgyne, de personnage fabuleux...

D'un ton plus sec :

— Sérieusement, c'est un nouveau coup dur pour le Bangkok Intercontinental.

— Une nouvelle tuile, Fournier ne suffisait pas... Où en est la construction ?

— Au point mort. Avec ces inondations, les ouvriers ne peuvent presque plus travailler...

Il extrait une cigarette du paquet de Dunhill qu'elle a laissé sur le coin du bureau et demande soudain :

— Tu te souviens de la cérémonie pour le premier pilier de l'hôtel, le « sao ek » ?

Elle lui tend son briquet. Tous deux revoient le terrain vague grouillant d'ouvriers ; à l'aube, il y a deux ans... Pas de peuple plus bouddhiste que les Thaïs et cependant pas de peuple qui vive davantage en harmonie avec Brahma et les esprits, toutes divinités niées par l'Illuminé. La contradiction n'est qu'apparente comme l'avait un jour expliqué Anders à Santerre : « Par tous ces cultes, ils cherchent à se concilier le surnaturel, aussi réel à leurs yeux que le royaume de Dieu pour le chrétien. Ils ont cette foi naïve qui soulève les montagnes. » La construction de l'hôtel n'avait pas échappé à cette relation avec l'obscur que les Fournier nomment superstition... C'était sur le chantier, Ratchadamri Road, le lundi d'un mois impair. Le trou qui devait contenir le sao ek avait été creusé par un ouvrier au surnom propice : Yeun (longue vie, en thaï), se rappelle Santerre, n'avait pas ménagé sa peine pour ne pas faire attendre les officiels.

Quand il avait eu fini, on avait apporté quatre piliers droits, sans nœuds et coupés lors d'un mois favorable. Les bonzes les avaient observés afin de vérifier leur conformité puis s'étaient retirés en silence, ils devaient présider à la cérémonie du haut de la plate-forme montée pour l'occasion et qui dominait l'énorme trou creusé pour les fondations. Ils étaient neuf, chiffre parfait ; Santerre se souvient encore de la façon dont Fournier leur avait offert la nourriture rituelle. Jusqu'au troisième bonze, le Français avait accompli le rite avec patience, puis il avait commencé à se lasser et la lenteur cérémonieuse des religieux avait dû se plier à sa brusquerie. Le neuvième bonze avait tendu son bol à offrandes, reçu la nourriture et le salut de Fournier en moins de quinze secondes. Santerre avait soupiré, résigné.

On avait disposé les quatre piliers sur le sol. Un peu plus loin, sur un plateau d'argent, se trouvaient quatre paquets ornés de perles et de fleurs de papier multicolores. Ils contenaient du coton, de l'argent ou de l'or. Un seul renfermait un coquillage. La cérémonie du choix commença : quatre jeunes filles vierges choisies parmi les enfants des ouvriers s'avancèrent et prirent chacune un paquet. Avec la grâce propre aux Thaïlandaises, elles allèrent se placer auprès d'un pilier. Le sao ek serait le pilier près duquel se tiendrait la jeune fille qui avait le coquillage. Elles ouvrirent les paquets avec des gestes de fée. Santerre était sous le charme de ces mains fines, précises, « Malraux disait que ces femmes ont toujours l'air de préparer des bouquets ». Leurs lourdes chevelures de jais retombaient sur leurs nuques et leurs épaules délicatement courbées, « quel pays au monde produit de plus belles femmes ? ».

La première qui défit son paquet n'y trouva que du coton, la seconde eut plus de chance, c'était de l'or. Restaient les deux autres, elles ouvrirent leur paquet en même temps. Ce fut la fille qui se trouvait à droite, au bout de la rangée qu'elles formaient, qui eut le coquillage. Elle l'éleva au-dessus de sa tête en souriant fièrement ; d'instinct, tous les regards convergèrent sur le pilier posé à côté d'elle. C'est alors que Fournier éclata de rire.

Santerre en fut ébahi. Il regarda les ambassadeurs de France et du Japon, les bonzes, qui gardaient « un noble silence », Nippon, qui se tenait à côté de Fournier et qui rougissait autant qu'il est possible à un Japonais. Tous étaient gênés, on ne rit pas de ce qui est tenu pour sacré.

Quelle mouche avait piqué Fournier ? Puis il dirigea son regard vers la petite ouvrière, elle avait baissé les yeux et rougissait comme les autres, et même plus que les autres, lui sembla-t-il. Soudain, il la reconnut. L'hilarité du chef des travaux s'expliquait, cette prétendue vierge était une gamine que Fournier avait culbutée quelques jours plus tôt ! Santerre en aurait souri si un vieux fonds de superstition, commun à plus d'un homme « moderne », ne lui avait soufflé qu'il s'agissait là d'un mauvais présage.

— Fournier agit comme en pays conquis, dit Nathalie Anders, ça ne lui portera pas chance.

Elle se lève. Toujours cette silhouette trop sèche. Elle s'approche, l'embrasse prestement ; ses cheveux blonds balaient la joue du jeune homme lorsqu'elle se redresse :

— Tu n'oublies pas, nous allons à Sukhotaï ce week-end. René est à Djakarta.

Avant de refermer la porte, elle lui adresse un baiser. Il lui répond d'un sourire et d'un clin d'œil pétillant de verdeur. « J'avais oublié », pense-t-il lorsqu'elle est sortie. Il avait promis ce week-end à Nathalie depuis longtemps, pas question de le remettre. « Puisque le mari est absent ! » Il évoque avec regret la petite Chinoise rencontrée la veille et qui avait accepté avec si peu de manières et un divin sourire une invitation à dîner. Pour une fois qu'une Thaïlandaise se laissait convaincre par ses yeux de sorcier...

Soudain la traduction de l'article lui tombe sous les yeux. Il se renfrogne : « Au travail ! » Il décroche le téléphone et compose le numéro de la rédaction du *Thai Rath* :

— Allô ! je voudrais parler à khun Somchaï, s'il vous plaît... de la part de..., dites-lui que c'est monsieur S. !

— Hé, petit frère, viens ici !

Le conducteur vient de baisser la vitre teintée de sa voiture climatisée pour faire signe à Nit. Celui-ci s'approche avec sous le bras un paquet de *Thai Rath*.

— Ha bath, klap [1].

L'homme tend une pièce à l'enfant et prend le journal aux gros titres imprimés en vert. Déjà Nit court vers un chauffeur qui lui fait signe, et derrière celui-là, dix autres attendent leur tour. Que se passe-t-il donc aujourd'hui ? D'habitude, les feux rouges de Bangkok — les plus longs du monde à coup sûr — lui laissent le temps de vendre ses journaux à qui les demande. Or, voici qu'ils veulent tous en acheter ! il a à peine le temps de satisfaire le dixième de ceux qui l'appellent avant de se précipiter sur le trottoir pour éviter d'être écrasé par les voitures qui démarrent en trombe.

Pour une fois, il regrette que ses parents ne l'aient pas envoyé à l'école. Il pourrait lire ce qui les intéresse tant. Il n'a pas osé demander à Vitoon car celui-ci se serait moqué de son ignorance. Tout au plus a-t-il entendu dire qu'il est question d'un conte de fées, l'histoire d'une jeune femme tenue pour morte. Vitoon a même fait allusion à un mystérieux guerrier retrouvé chez les falangs et qu'un journaliste désigne du nom de Nang Loy. De quoi peut-il donc s'agir ? Comme chaque fois qu'on parle de danger, Nit pense à l'air grave que prennent ses parents quand ils prononcent le mot « communiste ». Nang Loy contre les communistes ? On jurerait une série de la télé !

Feu rouge. Il s'amuse à regarder les vitres des voitures se baisser en même temps, certaines automatiquement — ce qui l'éblouit toujours. Tous se penchent pour lui intimer l'ordre de venir en roulant de gros yeux impatients. Il se précipite : « Ha bath », « Ha bath ». C'est le triomphe des petits vendeurs de journaux ! D'habitude, il faut presque les supplier d'acheter le *Thai Rath,* certains attendent même parfois plusieurs minutes avant de daigner répondre aux sollicitations des gamins qui se morfondent en plein soleil.

---

1. Ha bath : cinq baths. Le bath est la monnaie thaï (1 bath = 0,35 F).

Nit a le plaisir de les faire languir à leur tour. Et il en profite !

Vert. Il court vers le trottoir au milieu des énormes berlines qui démarrent en klaxonnant. Il avise Vitoon un peu plus loin :

— Nang Loy me porte chance, grand frère, je vends dix fois plus que d'habitude. Papa sera content !

L'adolescent auquel il s'adresse le regarde d'un air piteux :

— Moi, je vais dérouiller, un seul de vendu !

Il lui montre les magazines porno qu'il propose aux conducteurs, soigneusement dissimulés entre quelques exemplaires du *Thai Rath* de la veille.

— Fais voir !

Nit s'empare de l'un des magazines et commence à le feuilleter sans rien comprendre aux contorsions, fellations et autres accouplements avec divers animaux accomplis par des adultes aux bouches grandes ouvertes. Vitoon, lui, essaie de déchiffrer l'article qui intéresse tellement les clients : « Nang Loy — les falangs avertis — le projet d'un hôtel maudit, le Bangkok Intercontinental », charabia ! Au-dessus de l'article se trouve la photo d'un jeune Thaï très beau en costume du *Ramakien,* il semble dormir au milieu des policiers. Et ça suffit à faire baisser les ventes !

Rouge ! il arrache le magazine à Nit qui essayait d'imiter la position d'un des protagonistes, et se précipite. Il faut qu'il choisisse ses clients avec discernement, si jamais il tombait sur un policier en civil, son père devrait dépenser beaucoup. Il remarque un coupé bleu, un Thaï bien gras à l'air nonchalant, sans doute un fonctionnaire. En s'approchant, il aperçoit un sigle officiel sur le coin du pare-brise, mieux vaut laisser tomber ! Il s'apprête à passer au suivant quand il voit que Nit est resté assis sur le trottoir.

— Nit, qu'est-ce qu'il y a ?

L'enfant lui sourit.

— Je me repose, je peux me le permettre aujourd'hui.

Vitoon hausse les épaules et continue son démarchage.

— Un peu de sexe, monsieur ?

Rien à faire. Tous les conducteurs appellent Nit qui s'en fiche. Il les regarde en riant, sans bouger d'un pouce. En désespoir de cause, ils tentent d'obtenir quelques informations sur cet article du *Thai Rath* qui fait l'objet de toutes les conversations depuis le matin. Ils ne prêtent pas la moindre attention à Vitoon et à ses magazines érotiques. Furieux, il retourne près de Nit.

— Regarde, lui dit celui-ci, son éternel sourire aux lèvres, cette voiture là-bas ressemble à un poisson, un poisson-chat.

L'adolescent se tourne vers lui, un peu étonné, Nit poursuit sans même s'en rendre compte :

— Et ce bus est une baleine qui a avalé un tas de gens.

— Une baleine, hein ! répond Vitoon qui oublie un peu la correction qu'il va recevoir à la maison ce soir, et cette bagnole rouge, là-bas, c'est un poisson rouge ?

— Mais non ! c'est un poisson-serpent ! regarde comme elle est longue et fine !

— Alors, cette moto, là, c'est une anguille, tu as vu comme elle se faufile entre les voitures !

— Et celle qui cherche à doubler, à droite ? demande Nit, heureux que Vitoon se prenne au jeu.

— Mmmm, un requin !

— Pas mal ! et cette grosse climatisée ?

— Tu vois le type à l'intérieur ? C'est un poisson-lune dans un bocal.

Et les deux enfants continuent longtemps à contempler l'aquarium en délire où l'on entend, parmi la pétarade des moteurs et la stridence des klaxons, des voix anxieuses de glaner quelques renseignements sur le mystérieux guerrier venu mourir (mais est-il vraiment mort ?) chez les falangs, comme pour les avertir.

IV

— A genoux !

Le tueur lance un violent coup de pied dans les jambes de Udom, puis lui frappe la tête — suprême injure en Thaïlande — pour l'obliger à baisser les yeux devant Khun Cheen. Udom ne songe même pas à se rebeller ; tout à l'heure, lorsqu'ils sont venus l'arracher à son samlo [1], il a vu briller leurs rasoirs. Un seul d'entre eux l'a accompagné jusqu'ici mais les deux autres sont derrière la porte, prêts à intervenir. Le Chinois est trop puissant.

Que peut-il lui vouloir ? Sûrement une erreur de ses hommes de main, un caïd tel que Khun Cheen ne peut s'intéresser à un simple conducteur de samlo. Mais leurs erreurs se paient souvent de la mort du témoin. Udom attend, la nuque courbée. Il a peur.

En entrant, il a eu le temps d'apercevoir un petit homme sec aux cheveux rasés et au nez camus. Environ la cinquantaine. Khun Cheen est assis sur une sorte de trône de pacotille rouge et doré comme les Chinois les aiment. Il est vêtu simplement, pas du tout comme Udom l'aurait cru ; c'est pourtant l'un des hommes les plus riches de Thaïlande. Le jeune homme a croisé son regard au début, oh ! très vite ! mais cela a suffi à lui faire froid dans le dos. Les yeux du Chinois sont comme découpés dans son visage, émergeant de la chair d'ivoire comme s'ils avaient été pro-

---

1. Samlo : taxi à trois roues de Bangkok.

duits par le passage d'une lame de rasoir sous les sourcils. « Le regard d'un homme sans ami. »

La pièce où il se tient est semblable à toutes celles de la ville chinoise où les Chinois entassent leur famille, leurs meubles et les objets dont ils font le négoce. Rien ne la distingue, à l'exception du vaste bureau et du trône, de celle d'un humble commerçant qui travaille sans relâche pour récolter quelques baths et le mépris des Thaïs. Udom y a aperçu de vieux fers rouillés, des clous bruns dans des boîtes graisseuses, des bobines de rubans multicolores ternis par l'âge, de vénérables cartons déformés par l'humidité, une quantité d'objets misérables et couverts de poussière. Sous leur crasse dort la jeunesse du Chinois.

Udom a contemplé cela avec l'impression de monotonie éprouvée lorsqu'on regarde des choses trop connues, il y retrouve la misère qui entoure sa vie depuis l'enfance. Une odeur de moisissure, d'âcre poussière et d'encens. Des objets hétéroclites, vieillis dans la maison « parce que ça peut servir ». Cette petite pièce sans fenêtres, repaire du plus gros caïd de la drogue et de la prostitution à Bangkok, lui rappelle la demeure de ses amis chinois. Mais il y a l'homme au rasoir debout dans son dos et, posé sur sa nuque, le regard souterrain de Khun Cheen.

La tête vide et les genoux endoloris par le ciment froid, il attend que le Chinois se décide à lui expliquer, que le malentendu se dissipe. Qu'arrivera-t-il alors ? Sa vie sera jouée en un éclair, selon l'humeur de Khun Cheen. Il suffit d'une digestion difficile, d'une pensée inopportune, il ira rejoindre son frère au fond de la Chao Praya. Que faire pour prévenir ce destin ? Le cerveau emballé, il examine quantité de solutions, aucune ne convient. Tout est entre les mains crochues de Khun Cheen.

Enfin, celui-ci se décide à parler, lentement, sans hausser la voix, « le ton de ceux qui ont l'habitude, la certitude d'être obéis ». Udom sent la présence mauvaise saturer l'atmosphère de la pièce, comme la moiteur oppressante d'une serre.

— Duang s'est suicidé... tu as dû voir sa photo dans le journal, avant-hier.

Udom se tait, le silence est de règle en Asie devant un supérieur, à moins que celui-ci ne vous invite expressément à parler. Spontanément, il a poussé un soupir de soulagement : ainsi, c'est pour l'entretenir de son frère que Khun Cheen l'a convoqué. Mais que veut-il apprendre ? Lui n'en sait pas plus que l'homme de la rue, on a retrouvé son frère Duang noyé dans la Chao Praya, vêtu de cet étrange costume du *Ramakien* qui a fait délirer un journaliste du *Thai Rath* hier. Devant le flot de curiosité soulevé par cet article, il n'avait pas osé se rendre à la police pour dire qu'il était le seul parent proche de Duang. Khun Cheen en sait même un peu plus que lui puisqu'il prétend qu'il s'agit d'un suicide.

— Regarde-moi !

Il lève la tête, effrayé que le Chinois l'invite à le dévisager, c'est un geste de provocation de la part d'un inférieur en Thaïlande. Il ne peut soutenir longtemps le regard de pierre, il courbe à nouveau la nuque. Il a eu le temps de constater que, derrière l'espèce de trône du Chinois, se trouve un autel sur lequel repose une urne, les cendres de quelque ancêtre. Des caractères chinois dorés sur fond rouge y sont ciselés. Aussi hérissés que les cheveux en brosse de Khun Cheen, ils évoquent le bonheur, la prospérité, la longévité, comme si les cendres que l'urne renferme avaient eu le moindre besoin de ces rêves de vivants.

— Regarde-moi ! ! !

Cette fois, il s'efforce de ne pas baisser les yeux. Il sent qu'une part de son trouble est due au sentiment diffus de se trouver face à un monument plutôt qu'à un homme. Khun Cheen n'a pas besoin de manifester son pouvoir, il émane de sa personne. Conscient de ses effets, il foudroie un bon moment Udom du regard avant de parler :

— Tu ne le savais peut-être pas, mais ton frère travaillait pour moi. En se suicidant, ou en se faisant tuer, il me fait perdre un travailleur... de force.

Udom ne comprend pas : il est sûr d'avoir entendu l'homme de main pouffer dans son dos. Quoi de comique ? Et pourquoi son frère était-il mêlé aux trafics du Chinois ?

— J'ignorais qu'il travaillait pour vous, vénérable, sa mort m'afflige doublement.

— Là n'est pas la question ! Veux-tu le remplacer ?

— Je ne suis qu'un conducteur de samlo, vénérable.

Il sait qu'on ne refuse pas une offre du Chinois, il cherche seulement à gagner du temps. « Milieu de gangsters, très peu pour moi ! »

Khun Cheen observe ce Sino-Thaï trapu qui a le même visage d'ange que Duang. La ressemblance est forte bien qu'un énorme grain de beauté sur la joue droite d'Udom permette de le reconnaître sans conteste. La similitude vaudra-t-elle pour la partie qui l'intéresse ? Il fait un signe. Deux hommes entrent et saisissent Udom. Ils le maintiennent solidement tandis que le troisième, celui qui était dans son dos pendant l'entretien, le déculotte vivement.

Abasourdi, Udom se laisse faire. Il est de toute façon si fermement tenu qu'il n'a aucune chance de se libérer. Il songe à toutes les tortures que la rumeur publique attribue au Chinois, il est soudain prêt à effectuer n'importe quelle besogne, mais le Chinois, en s'approchant, lui fait signe de se taire. Dans sa mémoire affolée défilent les anecdotes incroyables qui illustrent la cruauté légendaire de Khun Cheen, il se rappelle notamment l'épisode des bébés de Hat Yai, quelques années auparavant, un vrai cauchemar...

Pour faire passer de la drogue de Thaïlande en Malaisie, des contrebandiers à la solde du Chinois avaient trouvé un stratagème diabolique : après avoir tué des bébés, ils enlevaient leurs organes, les vidaient comme des poulets puis bourraient leurs corps d'héroïne pure. Les bébés devaient avoir moins de deux ans pour que leur sommeil prolongé paraisse normal et ne pas être morts depuis plus de douze heures afin qu'ils conservent leur couleur naturelle. Le trafic avait duré plusieurs mois avant que la police ne se rende compte de la supercherie...

Khun Cheen se penche à présent sur le sexe de Udom. Celui-ci sent la nausée l'envahir, il ne peut plus bouger, pas même les jambes que le troisième homme a saisies. « Qu'est-ce que Duang leur a fait avant de mourir ? » Il de sueur, il lui semble sentir l'haleine pourrie sur son frère, qu'ils ne se voyaient plus depuis quelque temps, il faudrait... mais on n'explique rien au Chinois. Il est trempé de sueur, il lui semble sentir son haleine pourrie sur son sexe rétracté. Il pense intensément à ses parents morts, que leurs esprits le protègent maintenant ! Khun Cheen se penche davantage, le tâte de ses doigts griffus ; Udom est pris de vertige, il tomberait si les tueurs ne le maintenaient si solidement.

Soudain, sans un mot, le Chinois se redresse et sourit. Un sourire en or massif, son seul luxe. Les autres Chinois riches ont des femmes, des maisons, des chevaux, que sait-il encore ; à tout cela, il préfère cette étonnante dentition dont il vérifie l'effet sur les gens chaque fois qu'il ouvre la bouche.

Udom, lui, est écœuré, malade de frousse. Le sourire du Chinois, même doré, ne lui dit rien qui vaille, une grimace de sadique qui ferme encore davantage ses yeux en meurtrières et amincit des lèvres qui ne sont plus que des traits sur son visage de momie. Le regard de Khun Cheen sur son sexe fait presque mal à Udom, il sent la peau se recroqueviller, les vaisseaux se rétrécir, le sang n'y court plus qu'à grand-peine, pour combien de temps encore ?

— La nature vous a bien servis dans la famille, Udom. Elle a été généreuse.

Le jeune homme se mord les lèvres, l'odeur de sa transpiration, aigre, rance, le fait grimacer. Il craint que le Chinois ne fasse un geste décisif et que la douleur s'impose soudain, l'écartèle. Il repense aux bébés de Hat Yai, à ces cadavres vidés et bourrés de drogue. « Le bruit de la peau déchirée par les ciseaux ! »

— Es-tu prêt à travailler pour moi, Udom ?

Il ne peut répondre, trop faible, il hoche lentement la tête.

— Tu abandonnerais ton travail de conducteur de samlo ?

Pourquoi toutes ces questions ? Il sait bien qu'il est prêt à tout accepter plutôt que... les bébés de Hat Yai, la chair martyrisée... Il hoche à nouveau la tête, tente de parler mais il ne peut émettre qu'une sorte de croassement. Sa langue est collée à son palais.

— Narong, montre-lui ton outil !

Udom tressaille. Le tueur lui a lâché les jambes. Il se place en face de lui et sort son rasoir. Udom ferme les yeux, sur le point de s'évanouir.

Le Chinois lui donne alors une gifle qui le fait sursauter, les deux hommes le serrent davantage encore. Il rouvre les yeux avec horreur, la lame du rasoir est juste au-dessus de sa joue droite, près de son grain de beauté, à quelques centimètres de l'œil ! Il suffirait d'un faux mouvement, le tranchant s'écraserait contre sa pupille. Terrifié, il referme vivement les yeux.

— Tu peux regarder à nouveau, Udom, dit le Chinois égayé... Narong, range ton rasoir !... Tu as compris, Udom ? Pas de pitié si tu me trahis. Maintenant, tu seras grassement payé pour le travail de Duang si tu l'accomplis avec ardeur. Nous sommes d'accord, Udom ?

Cette fois, il trouve la force d'articuler un oui qui rappelle les dernières paroles des agonisants.

— Tu fais bien, Udom, d'ailleurs, tu n'as jamais eu le choix. Tu dois t'incliner ; Confucius dit que l'herbe se courbe selon le souffle du vent. Tu as agi sagement... Narong, accompagne-le à sa nouvelle chambre... Tu commenceras demain.

Arrivé à la chambre, une pièce cubique et crasseuse située au troisième étage d'un immeuble de Patpong, Narong laisse entrer Udom puis s'en va sans refermer la porte. « Ils sont tellement sûrs que je ne m'enfuirai pas. » Il revient quelques minutes plus tard avec un verre d'eau et divers aphrodisiaques. Pendant qu'il dépose le tout sur la table de nuit, l'unique meuble de la chambre, Udom le regarde, stupéfait :

— Qu'est-ce que je vais devoir faire ?

L'autre éclate de rire.

— La même chose que ton frère ! C'est pour ça que tu ferais bien de prendre ça (il désigne les aphrodisiaques), tu vas être le partenaire masculin dans un live-show. Autrement dit, tu vas baiser une fille toutes les heures sous les yeux des falangs. Beau métier, mais épuisant ! Regarde où ça a mené ton frère... Enfin, remercie la nature de t'avoir bien pourvu, ça t'a sauvé la vie aujourd'hui. Ah, ah, ah ! Allez, salut l'artiste !

V

Santerre quitte l'ambassade en début d'après-midi. Il a deux heures devant lui avant de se rendre chez Somchaï, à Lardprao. Dans un ciel sans nuage, d'un bleu intense lavé par les pluies du matin, le soleil écrase les rues de la ville. Les rares Thaïs qui se promènent en cette heure de sieste rasent les murs afin d'avoir un peu d'ombre, ils marchent lentement, accablés par la chaleur, gênés par l'eau grasse, lourde et comme plantureuse qui a envahi les rues de Bangkok à la faveur des inondations.

Il décide d'aller vers la place Sanam Luang. Il n'y sera importuné par personne à cette heure torride. Seuls quelques touristes consciencieux seront assez déraisonnables pour braver le soleil du midi tropical.

Arrivé devant le palais et le temple du Bouddha d'émeraude, il a la déception de voir qu'ils sont fermés. Le roi, malade, a en effet quitté son palais de Chitralada pour venir en ces lieux où il n'avait résidé qu'une fois, la première nuit de son règne. Mécontent, Santerre tourne autour des hautes murailles blanches. Elles renvoient la lumière avec une intensité qui l'oblige à fermer les yeux. Il ne peut même pas les approcher car on a bâti de petites digues autour afin d'empêcher les inondations d'atteindre l'enceinte du palais. L'eau arrive par endroits jusqu'aux genoux des promeneurs qui, tel Santerre, arpentent les environs des bâtiments royaux.

A l'abri des arbres de l'immense place, il observe les toitures prodigieuses du temple : « Un ensemble extraordinaire, il remplit exactement la mission assignée à l'architecture : découper une singularité dans l'espace. Aucun art ne ressemble à celui-là. » Les toits laqués rouges et verts flamboient sous la lumière lourde des tropiques ; à leurs extrémités, ils sont prolongés par des « chofas », serpents de bois légèrement courbés qui paraissent égratigner le ciel de leurs becs fins. Au centre, sur un toit cruciforme, se dresse un prang majestueux, colonne incrustée de céramique multicolore qui réfléchit comme une buée lumineuse. A droite de celui-ci, un chedi doré en forme de bouton de lotus symbolise la pureté bouddhiste. A gauche, une rangée de prangs plus petits émerge de cette masse dorée et semble défendre l'ensemble contre toute agression impie, à l'image de ces « yaks » que Santerre a pu voir à l'intérieur du temple, lors de ses précédentes visites, et qui sont des statues immenses de démons vêtus de costumes du *Ramakien,* découvrant férocement leurs dents courbées comme des défenses de sangliers.

« Tout temple est une image de l'idée que les hommes se font du monde divin. » Le domaine des dieux se déploie sous les yeux de Santerre avec son extrême symétrie qui, en dépit de la profusion des éclats de céramique et de verre coloré recouvrant chaque pouce de surface, suggère une hiérarchie à laquelle il est impossible de déroger. Il évoque le marbre des sols, les mosaïques sans fin, les éclats de verre, de céramique, de miroir, les garudas dorés combattant des nagas aux replis multiples, les clochettes tintant au moindre vent, les effigies des personnages légendaires et les contorsions étranges des colonnes qui se dressent partout dans l'enceinte du temple, une infinie diversité répondant à la vision thaïe des forces qui dépassent l'homme. Le monde divin est pour les Thaïlandais parfaitement ordonné et c'est la lumière qui le distingue du nôtre. A l'architecture occidentale, qui joue des ombres de la pierre, ils opposent la couleur et la lumière.

Santerre ferme un instant les yeux pour revoir la majesté des cathédrales d'Europe lorsqu'il les rouvre, le temple du

Bouddha d'émeraude, le Wat Pra Keo, n'est plus composé que de clarté, ses contours se sont dilués en rayons lancés de tous côtés par sa surface miroitante. Il a sous les yeux l'apogée de l'art thaï : la conjonction du midi tropical, l'heure la plus intense sous ces latitudes, et d'un bâtiment construit pour cette lumière. Une vision merveilleuse matérialisée par un architecte qui savait que le soleil ôterait à son œuvre ce qu'elle a de trop humain : « La lumière ne met pas ce temple en valeur, elle efface ce qu'il pourrait avoir de terrestre... L'éclat du Buisson ardent... » Il n'y a plus en cet instant, à la place du temple, qu'une buée lumineuse, le moment d'hésitation d'une énorme masse entre la terre et le ciel. Santerre ferme à nouveau les yeux, comme brûlé par cette beauté : « Et qu'y a-t-il au centre de tout ceci ? Impossible de rien distinguer dans cette incandescence... Est-ce ce Brahma dont le Bouddha n'a jamais vraiment récusé l'existence ? Ce dieu qui existe dans les forces latentes de la nature, dont le seul attribut est la bienveillance et qui contient dans l'espace de son esprit les myriades de mondes à venir, ce principe sans forme ni voix ni odeur ni couleur ni puissance active créatrice, cet indicible pénétrant toute chose, influençant toute chose ?... Sans doute cette masse chatoyante est-elle un hommage à Brahma... »

A force de regarder sans ciller le temple, Santerre voit le monde en gris, un voile de larmes s'épaissit devant ses yeux mais il parvient à distinguer quelques formes parmi l'océan de brillances qui clignote au soleil. Au-dessus du palais, il aperçoit le drapeau thaïlandais, « le roi est malade là, dedans ».

Les yeux brûlés, les genoux baignés par l'eau grise, Santerre avance vers les murailles immaculées en trébuchant sur les aspérités du sol que l'onde lui dissimule. « Le roi est malade. » Il est fasciné par le phénomène de la royauté en Thaïlande. Rama IX, dernier monarque bouddhiste du monde, dont on voit la photo dans chaque bâtiment, dans chaque foyer thaï. Il n'a aucun pouvoir constitutionnel mais pas une activité du pays qui ne se réclame de lui, sa puissance est étrangère à tout code, à toute loi, mais lui seul peut prétendre commander aux Thaïs qui lui accordent leur confiance et un extraordinaire respect. Il incarne ce qu'ils partagent tous, une manière d'être, un esprit, la possibilité d'exister en tant que Thaïs ; en d'autres termes, il est la victime désignée par des siècles pour assurer la pérennité de la Thaïlande.

Santerre sent cette proximité du pouvoir, il la respire pour ainsi dire et y succombe comme au vertige qui nous précipite dans le vide. Arrivé devant la petite digue qui entoure le temple, il s'arrête un instant. Un soldat qui monte la garde devant une porte un peu plus loin lui fait signe de reculer. Le Français n'y prête pas attention. Il escalade le remblai de terre boueuse et de bois en fixant la muraille éblouissante. Puis, emporté par un désir dont il ne comprend rien, il descend de l'autre côté de la digue. Le soldat court vers lui en hurlant. Santerre n'en a cure, il pose le pied en territoire sacré, dans ce temple près duquel le roi se repose.

Au moment où le soldat arrive à sa hauteur, il tente de marcher vers le palais, mais l'eau est plus profonde qu'il ne s'y attendait. Surpris par l'absence de sol ferme, il bascule ; lorsque son pied rencontre enfin la terre, il est trop tard. Il tombe dans l'eau grise alors que, derrière lui, le soldat monté sur la digue hurle de manière incompréhensible. Il n'a pas le temps de fermer la bouche, un goût de cendre et d'essence lui emplit la gorge, puis il se sent saisi par les cheveux, on le repêche avec vigueur.

Il est emmené de l'autre côté, en territoire profane, sans ménagement. Là, on lui demande ses papiers et on le relâche après avoir constaté qu'il est diplomate, non sans l'avoir rudoyé. Il repart à pas lents sous le regard offensé du soldat, inquiet, un peu énervé par la bizarrerie de son acte. Qu'avait-il l'intention de faire ? Il tourne à l'angle de la muraille afin d'être dissimulé aux yeux des gardes. Le mur est toujours là, blanc, obsédant de lumière et de secret.

Il repense au roi, à cet homme dont chaque geste est un symbole, dont chaque parole n'est pas parole pour lui mais signe pour les autres, cet homme qui n'existe que dans le regard de son peuple, et il comprend qu'il tient là sa réponse. Ce qu'il voulait en enjambant cette digue, c'était s'approcher, entr'apercevoir le mystère de ce pays.

Arrivé à l'extrémité de la muraille, il s'arrête devant un petit pavillon de style thaï dans lequel des gens se recueillent. Intrigué par ce bâtiment qu'il n'a jamais remarqué, il y pénètre à la suite d'un vieil homme. A l'intérieur, cinq statuettes, en or massif à ce qu'il lui semble, entourent un tronc d'arbre recouvert de feuilles d'or devant lequel sont disposés de nombreux bâtonnets d'encens consumés et des colliers de jasmin. Dans un coin, des danseuses en habit du *Ramakien* sont assises et paraissent attendre le moment propice pour commencer leur danse d'adoration.

Après avoir savouré quelques instants la fraîcheur de la pénombre, il s'enquiert à voix basse, et dans son maigre thaï, de la nature exacte de ce tronc d'arbre auquel on accorde visiblement un caractère sacré. Une vieille marchande de bougies lui répond de sa bouche édentée : « Lak Muang. »

Comme il ne comprend pas, elle insiste : « Lak Muang, Lak Muang. » Le Français, gêné de troubler les prières, n'insiste pas et se dirige vers la sortie sans toutefois repartir dans la chaleur torride du midi. Lak Muang ?... Un orchestre de piphat dissimulé par l'autel commence à jouer un air classique, les danseuses se préparent. Elles s'avancent gracieusement et déplient leurs longs doigts en signe d'imploration. Santerre les observe d'un œil distrait : Lak Muang ?

— C'est le pilier de la ville, sir, lui dit une voix juvénile qui parle un mauvais anglais.

Il se retourne, un Thaï d'une vingtaine d'années lui sourit timidement.

— Lak Muang est l'arbre que le roi Rama Ier ramena d'Ayuttayah à Bangkok lorsque celle-ci devint la capitale du royaume. On dit qu'il a pour fonction de maintenir le ciel au-dessus de la ville et de la protéger ainsi des mauvais esprits.

Santerre remercie doucement et sort, « les dieux sont donc partout dans cette ville ! ». La découverte du Lak Muang l'aide à esquisser au fil de ses déambulations une géographie imaginaire de la cité. A un premier niveau, il place la terre, le sol, que les Thaïs honorent par les milliers de sanctuaires minuscules qu'on trouve dans le jardin de chaque demeure de Bangkok ; au niveau suprême se tient Bouddha, Celui qui a montré le chemin de la vérité, avec, juste en dessous, les dieux et esprits qui aident ou perdent les humains. On s'en prémunit ou on se les concilie à l'aide de multiples amulettes. Enfin, entre le monde terrestre et le monde céleste se tient le roi, dépositaire de l'alliance de son peuple avec le sol et les dieux. Il a pour symbole l'arbre sacré, le Lak Muang, né de la terre pour protéger la ville de la colère du Ciel.

Quinze heures pile. Le taxi brinquebalant dépose Santerre devant la maison de Somchaï, au fond d'un soï [1] du quartier de Lardprao. Il s'agit d'un des endroits les plus inondés en raison de sa position, le sol y est plus bas qu'ailleurs à Bangkok. En s'extrayant de la banquette de plastique qui colle à la peau, le Français fait la grimace : l'eau arrive jusqu'au plancher du véhicule, environ cinquante centimètres d'eau à rats, crapauds et autres serpents aquatiques dans laquelle il lui faut tremper les mollets. Le chauffeur lui fait signe de se dépêcher, il a peur que son moteur ne finisse par être noyé. Santerre plonge.

Dans le jardin de Somchaï, un homme d'une cinquantaine d'années s'avance ; il fend lentement les eaux grisâtres en prenant garde de ne pas faire d'éclaboussures. Il a l'air de pester contre les inondations. Santerre imagine l'état de

---

1. *Soï : la rue.*

son rez-de-chaussée, au moins vingt centimètres d'eau partout et un bain de pieds nécessaire chaque fois qu'on veut sortir ou rentrer. « Pas étonnant qu'il écrive des articles aussi méchants ! »

L'homme ouvre la porte de la grille délabrée et sort au-devant de Santerre. Ils échangent une poignée de mains.

— Somchaï Rattanakul. Monsieur Santerre, je présume.

— Vous présumez bien, répond le Français en souriant du ton un peu « stanleyen » et de la sévérité du journaliste.

— Si vous le permettez, nous irons dans un restaurant proche d'ici. Vous comprendrez qu'après mon article de l'autre jour, je ne peux recevoir un falang chez moi.

— Montrez-moi le chemin, monsieur Somchaï ! acquiesce Santerre.

Le restaurant est enfumé, d'innombrables joueurs de mah-jong se répartissent dans la salle immense et très sombre. Santerre distingue quelques visages patibulaires, faces creusées de fatigue ou de convoitise, hommes aux tatouages proliférants, descendants des coolies chinois aux muscles secs et aux tendons saillants. Aucun ne semble faire attention au falang qui vient d'entrer, pourtant il sent que son arrivée modifie insensiblement l'atmosphère. Il ne croise aucun regard mais il sait que tous lui sont hostiles. Qu'espère Somchaï en le faisant venir ici ?

Ils s'installent à une table au fond de la salle, près d'un groupe de joueurs aux maillots rapiécés. Ceux-ci font mine de ne pas les remarquer, leur jeu paraît continuer au même rythme lent mais Santerre devine qu'ils ne s'intéressent plus vraiment aux jetons posés devant eux. Par calcul ou simple distraction, Somchaï le fait asseoir en face d'eux. Il peut ainsi observer tout à loisir leurs faces graves, presque menaçantes, penchées sur un jeu qu'ils ne suivent plus.

— Qu'attendez-vous de moi, monsieur Santerre ?

Le journaliste s'exprime dans un anglais correct quoiqu'un peu gâché par l'incapacité thaïe à prononcer le son « r ». Santerre se raidit, la conversation s'engage sèchement.

Il le regarde droit dans les yeux en regrettant que, dans la pénombre, le vert de ses prunelles ne puisse impressionner son interlocuteur.

— A vrai dire, c'est de vous que j'attendais quelques explications. Après tout, c'est vous qui avez engagé les hostilités...

Le Thaï sourit d'un air un peu méprisant.

— Vous autres falangs croyez toujours qu'une attaque dirigée contre vous signifie autre chose qu'elle-même. Vous ne pouvez donc pas imaginer qu'on vous attaque, simplement, qu'on ne veut plus de vous ?

Santerre rougit sous l'affront, il écraserait avec plaisir son poing sur la bouche de cet imbécile, juste entre le nez et la lèvre supérieure, sur cette fine moustache qui donne à son sourire un aspect si narquois.

— Beaucoup de gens dans ce pays préfèrent attaquer les falangs plutôt que de s'interroger sur les causes réelles des problèmes nationaux. Sans nous...

— Sans vous, coupe Somchaï d'un ton sifflant, sans vous, savez-vous bien ce que serait la Thaïlande ?

Santerre attend une bonne minute avant de répondre, une minute passée à prendre l'air le plus moqueur qui lui soit possible. Œil pour œil... Puis il avise les joueurs derrière le journaliste, ils ont les yeux fixés sur lui à présent, pas du tout amusés. « Très mauvais ça, de rire tout seul ! » En face, Somchaï continue de se taire, la conversation est vraiment mal partie. Le silence qui s'est fait dans le restaurant depuis quelques minutes frappe soudain le Français. Il choisit de reprendre l'initiative :

— Ecoutez, dit-il, conscient d'être en danger, je ne vois pas en quoi ce projet d'hôtel nuit à votre pays.

— Mon pays ! le plus fort taux de criminalité du monde, l'un des plus forts pourcentages de travail clandestin des enfants, des gosses de huit à neuf ans qui travaillent plus de soixante heures par semaine pour engraisser des milliardaires, une différence record entre les classes sociales supérieures et les miséreux, des ruisseaux de champagne pour les uns et le caniveau pour les autres. Mon pays !

— Ce n'est tout de même pas la faute des falangs !

— Et de qui donc alors ? Tout ce que nos riches consomment vient d'Occident — sauf les filles peut-être —, ils sont tellement avides d'imiter le luxe des falangs, de faire mieux encore si possible. Vous êtes un modèle pour les pires d'entre nous, tous nos malheurs viennent de là. Même notre jeunesse est pervertie par vous !

— Je ne suis qu'un diplomate représentant mon pays, khun Somchaï, répond Santerre, aussitôt furieux que ses propos ressemblent à une dérobade.

— Vous vous trompez, monsieur Santerre, répond le Thaï en souriant finement, vous valez beaucoup moins que cela. L'hôtel que vous construisez est le symbole même de ce que je combats, le luxe pourri des touristes qui viennent jouer aux riches, la prostitution qui, paraît-il, est une spécialité thaïlandaise, ce modèle de société qui tourne la tête à tant de gens ici...

Santerre l'interrompt sans ménagement :

— Cet hôtel a été réclamé par votre gouvernement !

D'un revers de main, il balaie l'objection.

— Mon gouvernement ? Il a livré le pays aux financiers de tous bords, il a transformé Bangkok en un juteux marché pour Occidentaux et, maintenant que les falangs sont écœurés par cette ville qu'ils ont ravagée, à présent qu'ils la délaissent, effrayés par leur pourriture, ce gouvernement fait tout ce qu'il peut pour les attirer à nouveau... mais c'est trop tard, on n'attire pas les carnassiers avec des charognes, et Bangkok est devenue un cadavre.

— Je respecte vos opinions, mais...

— Monsieur Santerre ! épargnez-moi vos gémissements de diplomate ! il n'y a rien à répondre à ce que je viens de dire. Regardez autour de vous...

D'instinct, Santerre parcourt la salle du regard, tous les visages — et il en est de peu chaleureux — sont tournés vers leur table. « James Bond renverserait la table et se fraierait un chemin vers la sortie à coups de revolver » ; mais son ironie angoissée ne le libère absolument pas. En face, Somchaï a recommencé de sourire, ses petits yeux se rétrécissent encore.

— Tous ces gens sont des malheureux, victimes de la Bangkok des capitalistes occidentaux — son ton se fait plus dur, comme s'il s'adressait à un subalterne —, vous ne sortirez d'ici, j'entends en vie, que si je le veux bien. Quel effet cela fait-il, monsieur Santerre, d'être sous la menace d'une de ces « faces jaunes » qu'hier encore on méprisait ?

— Jamais je n'ai... !

Il n'achève pas, il n'a pas d'explications à donner au journaliste. De plus, il sent confusément qu'il ne faut pas lui montrer qu'il est effrayé. Somchaï lève un index bouffi en un geste grotesque de prédication.

— Je ne suis pas ici pour vous parler des ravages que vous, les falangs, infligez à mon pays. D'ailleurs, malgré vos dénégations, vous savez toutes ces choses aussi bien que moi. Je suis venu par curiosité : voir la personne qui supervise la construction de ce monstre qu'est le Bangkok Intercontinental m'a tenté... et puis je voudrais vous « donner une leçon », non au sens grossier où vous entendez cette expression mais plutôt au sens... *spirituel...*

Il a prononcé ce mot en insistant sur chaque syllabe, ce qui surprend le Français. Mais il ne peut analyser son trouble car depuis quelques instants, il lui semble que la pièce s'est assombrie. Les visages qui les entourent paraissent à la fois plus proches et plus flous. Même la face ronde de Somchaï n'est pas aussi nette que tout à l'heure, il lui faut toute son attention pour voir les lèvres du journaliste bouger sous la moustache réduite à une ligne sombre. Depuis un moment, sa main passe et repasse sur la table en un geste mécanique qui échappe à sa claire conscience. Il sent une légère brûlure à l'index droit. Il parvient péniblement à baisser la tête et à constater qu'une écharde est enfoncée dans le coussinet du doigt. Il approche la main gauche pour tenter de la retirer de la chair mais il tremble trop.

Lentement, il comprend qu'il a été drogué. Ses yeux se ferment malgré lui, la voix de Somchaï lui parvient, distincte mais de très loin :

— Les imbéciles vous diront que l'Occident est matérialiste et l'Orient spiritualiste. Ceux-là n'ont rien compris à l'Asie, de tels propos leur servent ordinairement à justifier l'état de pauvreté dans lequel se trouvent les trois quarts du continent...

Santerre, incapable de répondre, écoute dans la nuit. Peut-être est-ce là ce que voulait Somchaï, tenir le falang à sa merci.

— Le prince Gautama, le futur Bouddha, décida de devenir religieux à la suite de trois expériences qu'il fit en trois jours successifs. Le premier jour, il rencontra un homme malade, le second, il vit un vieillard et le troisième, il aperçut un cadavre. Il en conclut que la vie humaine n'est que souffrance, ponctuée par ces trois maux, la maladie, la vieillesse et la mort. L'erreur des falangs est de croire que le « progrès » peut annuler cette vérité.

Santerre écoute le journaliste avec un malaise croissant, cet homme a le don de lui faire sentir à quel point il est un intrus dans ce pays qu'il voulait aider.

— ... il n'y a pas d'Antéchrist ni de damnés dans la religion bouddhiste, Santerre, il n'y a que ceux qui ne suivent pas le chemin du Bouddha et qui se punissent ainsi eux-mêmes.

Cette fois, Santerre est à bout de forces, il ne peut plus résister à la torpeur qui gagne son esprit. Il bascule lentement sur la table, inquiet de ce que vont lui faire subir Somchaï et ses acolytes, avec au cœur la sensation nouvelle et déplaisante de se sentir étranger à cette ville qu'il croyait sienne.

VI

Aube, nuages plombés qui stagnent dans le ciel de Bangkok... Un bonze en robe orange ramasse lentement du sable, il souffle longuement dessus afin de lui donner un pouvoir magique de protection. Fournier s'avance avec à ses côtés Nippon, ils allument chacun une bougie et un bâtonnet d'encens. Un traducteur leur demande de faire le waï[1] pour honorer le triple joyau[2] et l'esprit qui hante le site avant de faire un vœu muet pour la construction de l'hôtel. Ils offrent ensuite de minuscules bols de porcelaine bleue et blanche emplis de riz, de légumes et de poisson à l'Esprit du sol.

Les bonzes placent le sable, l'eau lustrale ainsi que de l'or, de l'argent, des fleurs, les bougies allumées et les bâtonnets d'encens dans le trou qui doit contenir le pilier. Puis ils s'agenouillent et y déposent neuf piliers miniatures, chacun d'un bois différent. Les ouvriers apportent alors le sao ek qui descend dans le creux qu'on lui a réservé tandis qu'un gong résonne par trois fois. Le son transperce l'aube grise et moite de Bangkok...

---

1. *Waï : signe thaïlandais pour honorer les dieux ou se saluer. On place les mains jointes devant le visage, comme pour prier. Plus le waï est élevé, plus on marque de respect à la personne qu'on salue.*
2. *Le triple joyau du bouddhisme : le Bouddha, sa loi et sa communauté.*

Gérard Fournier se réveille brusquement ; sous son torse, le drap est trempé de sueur. Machinalement, il allume et regarde à sa gauche, personne, sa femme est en voyage en France.

« Un cauchemar ! » Toujours le même depuis plusieurs nuits, la cérémonie de bénédiction du sao ek. Il avait détesté ce moment, la gravité de l'assistance lui avait rappelé son enfance assombrie par les terreurs superstitieuses, dans un humble village de montagne où les guérisseurs faisaient régner la peur parmi la population crédule. Le bruit du ventilateur le rassure ; dehors, le gecko, ce gros lézard qui n'est jamais si heureux que les soirs de pluie, coasse régulièrement, s'arrêtant seulement lorsque retentissent les aboiements furieux de chiens qui se battent. Fournier s'assied dans le lit et prend une cigarette.

« Cet hôtel me travaille au point de me donner des cauchemars. » Dans l'inquiétude de la nuit, il ressasse toutes les raisons d'être anxieux. Les accrochages de plus en plus fréquents et brutaux avec Nippon, les ouvriers qui ne lui obéissent qu'à demi, « ces faces jaunes font toujours leurs coups par-derrière. Un jour, ils me feront la même chose qu'à Lambert, ils mettront un cobra dans ma chambre à coucher », les inondations, catastrophiques cette année, qui ralentissent les travaux. Il poursuit ainsi sa litanie sans pouvoir s'arrêter.

La cigarette est entièrement consumée depuis longtemps, le gecko continue ses râles de préhistoire et les chiens se déchirent de plus belle pour quelque ordure, il entend les bruits de son rêve, la gravité et la profondeur du gong emplissent à nouveau la chambre, comme au jour où l'on enfonçait le premier pilier de l'hôtel. Tout avait peut-être commencé là.

Il revoit la face honteuse de la petite ouvrière qu'il avait achetée à ses parents une semaine auparavant, soi-disant pour en faire sa bonne. Ç'avait été cette prétendue vierge qui avait été désignée par le sort pour choisir le sao ek... il s'était longtemps repenti de ses éclats de rire lors de la cérémonie, il avait ainsi perdu une grande partie de son prestige auprès des ouvriers... Et puis, il y avait eu ces accidents... Comme sorti du rêve, le bruit d'un gong s'impose à Fournier médusé. L'instant d'après, il est reparti vers le chantier : « Mais comment éviter les accidents dans le fouillis incroyable d'un chantier thaï ? » Il se trouvait à quelques mètres quand le premier s'était produit.

Pour enfoncer les poutrelles dans le sol, on utilisait une énorme masse cylindrique remontée par un filin d'acier relié à un moteur. Chaque fois que la masse arrivait au sommet de sa course, le moteur s'arrêtait et elle retombait sur la poutrelle dans un fracas qui ébranlait le sol sur plusieurs centaines de mètres. Le système fonctionnait. Une seule chose avait fait frémir les deux chefs de travaux : afin d'éviter à la masse d'osciller au bout de son filin, un ouvrier se tenait en permanence sur l'échafaudage, les deux mains sur la masse afin de la guider le mieux possible vers la poutrelle.

En France ou au Japon, aucun chef de chantier n'aurait toléré une situation aussi dangereuse. Mais les ouvriers avaient vite fait comprendre à Fournier et Nippon que c'était ce système d'enfoncement des poutrelles ou rien. Les deux ingénieurs n'avaient pas insisté.

Fournier revoit le Thaï qui guidait la poutrelle ce jour-là, un nommé Yeun. Il portait une chemisette et un jeans crasseux, seul son casque, fourni par le chantier, était flambant neuf, un magnifique casque rouge qui n'allait lui servir à rien... De ses mains gantées, il repoussait la masse qui oscillait dangereusement, sans même sembler prêter attention au fracas épouvantable qu'elle faisait chaque fois qu'elle retombait. Tout le quartier en était ébranlé, mais lui, qui se trouvait à un mètre du point d'impact, agissait comme si de rien n'était. Fournier admirait.

A un moment, le moteur avait calé. La masse, au lieu de remonter, était restée appuyée sur la poutrelle. Yeun avait tenté de la stabiliser pour donner le temps à celui qui s'occupait du moteur de voir ce qui se passait. C'est alors que Fournier, qui avait vu le danger, lui avait fait signe de s'écarter. L'ouvrier l'avait regardé d'un air stupide, les mains sur la masse, comme collées à cet engin meurtrier. Le Français avait fait de grands gestes furieux en hurlant pour lui faire comprendre qu'il *devait* s'écarter. Peine perdue. Terrifié, Fournier avait entendu le moteur se remettre en marche et la masse se lever très rapidement. Yeun, qui ne s'y attendait pas, avait perdu l'équilibre et était tombé sur la poutrelle. Fournier espéra qu'il rebondirait et irait s'écraser au sol avec, tout au plus, quelques fractures. Mais déjà la masse fondait sur lui. Le Français détourna les yeux. Un affreux bruit d'os, le fracas monotone, des cris aigus de femmes. Quelque chose atterrit derrière lui : un fragment du casque rouge auquel était collée une matière rosâtre.

Tout au fond de la nuit, il lui semble entendre un gong, plus loin que le gecko ou les cris des chiens. Il veut reprendre une cigarette mais le cauchemar est le plus fort, il ne l'a pas allumée qu'il est happé par l'image du chantier fatal. Dans le soï, devant sa villa, quelqu'un marche dans l'eau, clapotis discret, comme le chuchotement des eaux de Bangkok.

Sa présence lors du drame avait été mal interprétée par les ouvriers. On l'avait accusé à voix basse d'avoir le mauvais œil. Quand il était revenu sur le chantier, deux jours plus tard, le sanctuaire de l'Esprit du sol, petite maison de poupée rouge et or destinée à apaiser les forces souterraines, croulait sous les offrandes qu'on venait de lui faire. Il en avait été profondément irrité comme d'un manque de confiance en son autorité.

Un coup de gong, très distinct cette fois, dans la nuit bruissante. Le lézard et les chiens se sont tus comme hypnotisés par l'instrument mystérieux. « Quelque cérémonie dans un temple sans doute. » Le bruit ne lui en paraît pas moins lourd de présages et de secrets, mais sa pensée, incapable de se fixer ailleurs, glisse vers le chantier.

Que de problèmes ! il y avait ce petit imbécile de Santerre, toujours à le considérer de haut, comme si ses fonctions à l'ambassade le plaçaient au-dessus de lui. D'emblée, il lui avait fallu adopter avec le blanc-bec la seule tactique qu'il connaissait en matière de relations humaines, le rapport de forces. Santerre avait voulu avoir un droit de regard sur la direction des travaux, il l'avait eu : le secrétariat de Fournier lui avait « fait cadeau » de tous les documents chiffrés sur les coûts prévisionnels de l'hôtel, une liasse de deux cents pages indéchiffrables par le profane. Il sourit en y repensant, on n'avait plus revu le diplomate pendant trois semaines. Quand il était réapparu, Fournier lui avait demandé d'un ton mielleux s'il y avait une erreur dans les calculs. La tête de Santerre !

Il arrivait à se débrouiller avec les Européens et les Japonais qui travaillaient pour le projet. Ils obéissaient à un code de conduite qu'il connaissait, le culte de l'efficacité. Seuls les Thaïs étaient différents, « leur damnée superstition ! ».

Que de remarques ironiques il avait lancées à propos de la cérémonie de pose de la première pierre ! Par-derrière, bien sûr, car depuis l'épisode du sao ek, il avait compris qu'il valait mieux ne pas sourire ouvertement de ces choses, les ouvriers en auraient profité pour ne pas travailler. Il avait dû se retenir pour ne pas éclater de rire lors du rituel d'excuse à l'Esprit du terrain, car, n'est-ce pas, on le dérangeait en venant construire sur son fief !

Il avait fallu deux ans pour en arriver au stade actuel. Deux ans de lutte contre ces ouvriers qui travaillaient bien, soit, qui travaillaient même jour et nuit, là n'était pas la question, mais qui le méprisaient parce qu'il refusait leurs coutumes de sauvages et leurs manières hypocrites. Ces hommes et les règles sur lesquelles était fondée leur société lui faisaient l'impression d'un monde à l'envers ou plutôt, car il se serait accommodé de l'inverse de ce qu'il connaissait, à vau-l'eau ; tout y était bizarre, illogique, hors de tout ordre connu.

Il ne comprenait ni leur superstition, qui lui rappelait les pires moments de son enfance villageoise, ni leur étrange et constant sourire. Pour lui, les ouvriers devaient être dirigés « à coups de sang », il ne supportait pas la courtoisie thaïe qui bannit la colère porteuse de mauvais démons. Alors que les ouvriers cherchaient à évacuer la violence des relations humaines, il s'en servait pour les écraser.

A présent, les travaux étaient presque stoppés par les inondations. C'était un désastre, « on a déjà pris du retard sur le programme, mais maintenant... ». Même la nature le contraignait à apprendre la patience !

Tout est redevenu calme dans le soï, les chiens se sont dispersés, seul le gecko chante régulièrement son amour de la pluie qui commence à tomber en violentes trombes. Il tend l'oreille, cherchant au loin le son du gong. Il pose la cigarette qu'il n'a pas allumée dans le cendrier de la table de nuit et s'allonge à nouveau pour tenter de trouver le sommeil. Demain sera une nouvelle journée de gâchée, la pluie va encore faire monter les eaux, où cela s'arrêtera-t-il ? Il ferme les yeux. Les lumières du chantier dansent sous ses paupières, ils doivent être en train de cesser le travail, là-bas. Il éteint la lumière et écoute le friselis de la pluie balayer les eaux stagnantes du soï, les crapauds se déchaînent, concert nocturne qui vient couvrir la voix monotone du gecko et, dans le lointain, comme le présage de catastrophes à venir, résonne au travers du rideau pesant et tumultueux de la mousson le mystérieux gong.

VII

Ce dîner chez les Anders, Santerre n'avait pas souhaité y venir. Le soir précédent, après son entrevue de sinistre mémoire avec Somchaï, il s'était retrouvé allongé dans le temple de marbre, encore abruti par la drogue qu'on lui avait fait absorber mais satisfait de voir qu'on l'avait laissé en vie, mieux, qu'on ne l'avait pas touché.

Il avait observé les lieux où ils l'avaient transporté en s'interrogeant sur leurs intentions. Le temple était désert à cette heure tardive ; éclairé par des candélabres qui lui conféraient une allure fantastique et ajoutaient à l'impression de paix surnaturelle qu'il donnait toujours au visiteur, il apparaissait comme le début d'une réponse destinée à demeurer secrète, connue des seuls initiés.

On l'avait déposé dans la galerie des Bouddhas, immenses couloirs qui entourent une cour carrée et qui contiennent chacun d'innombrables statues disposées le long du mur, environ tous les deux mètres. Santerre était déjà venu contempler cette prodigieuse collection qui confrontait le promeneur à une diversité artistique inouïe produite par la Thaïlande ancienne mais aussi par les défunts royaumes du Cambodge, de la Birmanie ou du Laos. Il avait éprouvé le vertige, commun à plus d'un, devant cette multiplication des symboles, ce croisement des intuitions les plus diverses et parfois les plus poignantes qui s'attachent à l'Eveillé.

En se relevant, il avait aperçu la statue devant laquelle

on l'avait placé. Il y vit un début d'explication. Celle-ci, grandement honorée, était seule de son espèce en ces lieux à représenter une autre personne que le Bouddha. Il reconnut, pour avoir déjà subi sa fascination, la curieuse image d'un moine en méditation. Les jambes et les bras, sillonnés de veines, étaient extraordinairement grêles. Les mains, jointes sur des genoux cagneux, n'étaient plus composées que de fines tiges osseuses, elles surplombaient un pan de la robe qui recouvrait les mollets et dont l'abondance des plis suggérait une maigreur extrême. Le torse dénudé était parcouru de lignes parallèles très saillantes qui figuraient les côtes. Le cou était ridé et, à la lueur des bougies, la trachée-artère, très proéminente, semblait presque bouger sous l'effet d'un gonflement régulier. Le visage était serein quoique creusé, d'énormes cernes apparaissaient sous les yeux tandis que deux grosses veines, signe d'intense concentration, parcouraient le front et allaient se perdre sous la coiffure relevée en chignon. Santerre se trouvait devant la statue extrêmement célèbre du Moine macérateur.

Il savait que cette image illustrait le parfait détachement du saint bouddhiste à l'égard du monde, la libération de soi et des autres. L'enseignement du Bouddha consistait en ceci : annuler les souffrances en annulant tout intérêt pour le monde. Et chaque être devait ainsi se murer en lui-même afin de tenter, *seul,* à l'instar du Moine, de se libérer. Il comprenait mieux où Somchaï voulait en venir.

A côté de lui, posée sur le marbre, il trouva une feuille de papier où était inscrit un texte en thaï et en anglais. Il écarta les pétales tombés des fleurs placées devant le Moine en signe d'hommage et commença à lire. Le texte parlait de Sukhotaï, premier royaume du peuple thaï, et de son légendaire roi, Rama Kamheng :

> Du vivant du roi Rama Kamheng, Sukhotaï est prospère. Dans l'eau, il y a du poisson, dans la rizière il y a du riz. Le seigneur du pays ne lève pas de taxe sur ses sujets qui s'en vont de compagnie le long du

chemin, menant des bœufs pour faire le négoce, montant des chevaux pour aller vendre. Celui qui désire faire le commerce des éléphants est libre de le faire, celui qui désire faire le commerce des chevaux est libre de le faire, celui qui désire faire le commerce de l'argent ou celui de l'or est libre de le faire. Si des gens du peuple, des nobles, ou des chefs sont en désaccord, le roi fait une enquête véritable et tranche selon l'équité ; il n'est de connivence ni avec le voleur ni avec le receleur ; s'il voit le riz d'autrui, il ne le convoite pas et s'il voit les richesses d'autrui, il n'en est pas indigné. A quiconque vient à dos d'éléphant pour le trouver et mettre son pays sous sa protection, il accorde aide et assistance ; si le visiteur n'a ni éléphants ni chevaux ni serviteurs ni femmes ni argent ni or, il lui en donne et l'aide à se considérer comme dans son propre pays. S'il capture des guerriers ennemis, il ne les tue ni ne les frappe.

Dans l'embrasure de la porte du palais, il y a une cloche suspendue : si un habitant du royaume a quelque grief ou quelque affaire qui ulcère ses entrailles et tourmente son esprit et qu'il désire exposer au prince, il n'a qu'à frapper la cloche. Chaque fois que le roi Rama Kamheng entend cet appel, il interroge le plaignant sur ses griefs et en décide selon la justice.

Santerre s'arrêta de lire. Il considéra un instant, à côté du texte anglais, l'original en thaï, magnifiques caractères serpentiformes et arrondis inventés, disait-on, par ce même Rama Kamheng. Il savait que la page qu'il venait de lire était extraite d'une inscription retrouvée sur une énorme pierre datant du XIIIe siècle et attribuée au roi lui-même. Tous les Thaïs connaissent ce grave poème en prose qui parle d'une Thaïlande de l'âge d'or, d'un paradis perdu situé au Moyen Age, quelque part dans les rochers somptueux de Sukhotaï. Le pain bénit de nationalistes tels que Somchaï.

Il se releva, la feuille à la main. Quelques chats amaigris se glissaient entre les statues sans faire le moindre bruit ; le vent frais de la nuit faisait osciller la flamme des candélabres et donnait aux ombres d'étranges formes. Il entendit le début de la psalmodie des bonzes et la paix se fit en lui, une paix d'avant toute chose, un peu semblable à l'indifférence du Moine dont les côtes ressortaient atrocement sous les lueurs dansantes mais dont le visage ne trahissait aucun signe de douleur. Il se dit qu'il portait à ce pays, malgré les Somchaï, un amour bizarre, presque douloureux, un amour d'étranger, « la recherche d'horizons inconnus qui ressembleraient à des horizons perdus ». Sukhotaï l'appelait comme un passé, vécu mais purifié par la mémoire...

A présent, à la table des Anders, en face de Fournier et avec à sa droite l'inénarrable Mlle Lambert, l'attachée consulaire, il lui faut se concentrer pour ne pas montrer à quel point la conversation l'ennuie. Une seule raison l'a poussé à venir, la présence de Fournier. Non qu'il l'apprécie particulièrement, mais, comme tous les repas de diplomates, ce dîner associe business et détente, Anders a invité Fournier, la relation de travail, aussi bien que lui, Santerre, son ami. Il s'agit de se retrouver entre gens de bonne compagnie et surtout de parler de ce fameux hôtel.

Sukhotaï revient, comme une enfance réveillée, une mélancolie à grand-peine éteinte. L'ambiguïté du métier de diplomate lui pèse ce soir. Il lui faut le stoïcisme du Moine pour supporter dans un tel état d'esprit la compagnie de Fournier.

Il croise le regard de Nathalie Anders. Il en est gêné, « quelle indécence ! ». Il n'aime pas qu'elle lui rappelle ainsi leur relation en présence du consul, car si elle est sa maîtresse, son mari compte au nombre de ses amis et, soit paresse, soit indifférence légèrement calculée, il n'a jamais vraiment songé à s'interroger sur leur singulier trio. Machinalement, il porte son verre à ses lèvres et s'aperçoit trop tard qu'il est vide. Mais cela n'a échappé ni à Nathalie ni à son époux.

Anders s'empare de la bouteille de bordeaux — un luxe à Bangkok — et sert Santerre.

— Mais, Christian, servez-vous ! C'est ce que vous faites d'habitude, non ?

Etonné de la subite rougeur de Santerre, il adresse une moue perplexe à sa femme. Elle lui sourit, l'air de dire : « N'insiste pas. » Fournier, jovial, tend alors son verre et la gêne se dissipe.

— Et cet hôtel, Fournier ? demande Anders.

Santerre, qui contemplait le ciel nocturne par l'immense baie vitrée de la salle, se tourne vers le chef de travaux, les choses sérieuses commencent. Fournier fait une grimace mais ne dit rien, surpris du silence soudain des convives, même Mlle Lambert se tait. On n'entend plus que le ronronnement discret des climatiseurs et la pluie déferlant sur la villa. Fournier se décide à répondre :

— Rien de bien neuf. Les inondations ralentissent considérablement les travaux.

— Pas de chance pour vous, mon cher Gérard, minaude Nathalie, avec votre tempérament d'homme d'action...

— J'espère que nous pourrons bientôt reprendre les gros travaux, dit Fournier en lui lançant un regard peu amène.

Santerre, qui sent couver l'algarade, tente d'intervenir :

— Ces inondations ne sont qu'un problème de plus dans une liste déjà fort longue, on croirait presque que cet hôtel est maudit.

— Plus les projets sont importants, plus il y a de problèmes. On s'y habitue, question d'expérience... et d'estomac, répond Fournier d'un ton suffisant.

— Quel homme ! s'exclame Nathalie en joignant les mains comme si elle était impressionnée.

Le chef de travaux, furieux, s'apprête à lui répondre de manière bien sentie quand Anders, qui ne comprend pas pourquoi sa femme, au mépris de ses devoirs d'hôtesse, s'acharne ainsi contre Fournier, prend la parole :

— Nathalie a un sens de l'humour bien particulier... Voyez-vous, Fournier, cet hôtel, j'ai toujours été réticent à son égard. Non que je m'apprête à le condamner maintenant que les difficultés surgissent, mais dès le stade du projet, je n'y croyais pas.

Le consul pose ses couverts et s'apprête à se lancer dans une des longues dissertations dont il est coutumier. Santerre tend l'oreille. Anders a souvent des idées intéressantes, parfois originales. Il le soupçonne même de cultiver la forme d'humour très particulière qu'on nomme paradoxe, « un discours qui tourne à vide mais qui tourne bien, un manège enivrant ».

— Après tout, pourquoi un hôtel de plus à Bangkok ? Dans les années soixante-dix, la ville a connu l'un des plus grands booms hôteliers du siècle. On en construisait partout en espérant que les charters de touristes à destination de la Thaïlande se multiplieraient. Il y avait l'Oriental, élu plusieurs fois meilleur hôtel du monde, et puis le Peninsula, le Hilton, le Regent Hyatt... Bien trop ! C'est alors que les faillites ont commencé ; il s'est perdu beaucoup d'argent à Bangkok ces dernières années...

Santerre jette un coup d'œil agacé à Nathalie. Il voudrait qu'elle cesse de lui adresser ces regards de chatte enamourée qui l'empêchent de suivre la conversation. A l'autre bout de la table, Mlle Lambert et son voisin, Laurent Perrin, un expert de la Banque mondiale, écoutent poliment.

— Mais nous, qu'est-ce qui nous poussait à nous lancer dans cette entreprise douteuse ?... C'était étrange, comme si nous avions voulu prouver quelque chose...

— En tout cas, reprend Fournier en se déridant, nous montrons à tous les tiers-mondistes en mal de Révolution mondiale que l'Asie sans l'aide occidentale, ce serait le Moyen Age !

Perrin ne pouvait laisser passer de tels propos. Avec l'accent traînant de sa Belgique natale, il commence à développer les thèses idéalistes qui lui sont chères et qu'Anders apprécie sans y croire. C'est en effet l'un des dadas du consul que de distinguer la générosité des hommes de leurs positions intellectuelles.

— Et qu'apportons-nous à l'Asie sinon une technologie totalement inadéquate ? Pendant la guerre de Sécession, le roi de Thaïlande crut bien faire en offrant des éléphants à Lincoln pour l'aider dans sa lutte contre les Sudistes. C'est le genre d'erreur que nous risquons de commettre si nous pensons que tout ce qui est bon pour nous est bon pour le tiers monde !

Par mégarde, il laisse tomber sa fourchette dans son assiette. Fournier sursaute légèrement, le bruit éclatant a donné un tour presque agressif aux paroles du Belge. Les deux hommes ne s'aiment guère, Perrin avait tenté de s'opposer au projet de l'hôtel lors de son élaboration, commettant par là un impardonnable péché aux yeux du chef de travaux. Celui-ci s'apprête à réagir lorsque Mlle Lambert, vieille fille de cinquante ans qu'agacent les éclats, intervient de sa voix sucrée :

— Monsieur Fournier tient le langage du praticien et vous, monsieur Perrin, dit-elle en se tournant vers son voisin, celui du théoricien...

Elle garde un instant le silence puis ajoute en souriant :

— C'est là un vieux dilemme ! On n'a jamais trouvé d'autre solution que d'associer ces deux types d'homme.

Son air aimable achève de les apaiser. En trente ans de carrière à l'étranger, elle a appris à miser sur sa courtoisie plus que sur son charme. Avec son teint gris et ses cheveux sans couleur bien définie, elle ne se fait du reste aucune illusion. Elle a souvent été la confidente des mâles, rarement leur maîtresse. Santerre n'en admire pas moins, « une vraie diplomate ! ».

Mais Fournier n'a pas envie de changer de sujet de conversation. Il a l'habitude de ces propos d'ambassade sur le tiers monde-problème-majeur-de-notre-époque et il s'y sent d'autant plus à l'aise qu'il en sort généralement gratifié d'une image d'homme pratique, pourfendeur de tous les idéalismes mous. Il commence une tirade sur le développement rapidement interrompue par une réplique mordante du consul.

Santerre cesse de prêter attention aux paroles des deux hommes, elles sont dépourvues d'originalité comme d'humour. Au loin, le tumulte de Bangkok couvre par instants le ronronnement des climatiseurs. Dans le jardin, on entend les cris des geckos et des crapauds affolés par la pluie et, parfois, le bruit d'un gong résonne dans la nuit. Puis le silence s'abat sur la ville avec l'arrêt de la lourde averse ; Perrin, qui vient de traiter longuement des avantages de l'écodéveloppement, se tait brusquement. Bientôt les chants des lézards reprennent en un lent canon tandis que résonne aux quatre coins de l'horizon la rumeur des mille métiers de Bangkok, comme une immensité qui prendrait les hommes au piège.

Après le café, lorsque les derniers problèmes de l'hôtel ont été évoqués, chacun est rentré chez soi, à l'exception de Santerre, qui, tout compte fait, n'a guère envie de rester seul.

Lorsqu'ils se retrouvent tous trois dans la grande salle parsemée d'objets précieux, un silence plaisant, fait de plusieurs années d'intimité, s'établit. Chacun devine dans le regard des autres une complicité qui s'accorde à l'humeur désinvolte et quelque peu paresseuse des fins de soirée. A un moment, Anders sourit de la perplexité qu'il lit sur le visage de son ami.

— Ce gong, que l'on entend depuis deux nuits, est celui des funérailles de khun Sombat, un des lieutenants de Khun Cheen.

— Le trafiquant Khun Cheen... il a voulu une cérémonie magnifique pour son adjoint, complète Nathalie.

Elle se tourne vers son mari.

— On pourrait aller voir ?

Le consul interroge Santerre du regard. Le jeune homme acquiesce d'un mouvement de tête.

Le temple où l'on célèbre les funérailles ne se trouve pas loin de la villa. Ils décident de s'y rendre à pied. Dehors, ils entendent le bruit régulier du gong ainsi que les murmures de la foule, Santerre croit même percevoir la psalmodie des bonzes qui prient devant le cercueil.

Dans le soï qui mène au temple, ils doivent fendre la foule épaisse des badauds. De chaque côté, accroupis dans l'eau douteuse de la ruelle, des marchands ambulants proposent des colliers de jasmin, des fruits de toutes couleurs et de toutes tailles dans des paniers de rotin usé, d'étranges nourritures gluantes aux tons verdâtres ou bruns, à l'odeur douce qui étourdit le jeune homme. A certains endroits, assis sur des tabourets de métal terni, des clients avalent des soupes chinoises où flottent boulettes de viande grise et nouilles larges et blanches. La plupart des hommes et des femmes qui sont là n'arrivent pas aux épaules de Santerre mais une telle impression de grâce émane de cette foule vêtue de tee-shirts et de sarongs que le jeune homme se sent dans la peau du géant de la fable, grand et grandement maladroit.

— Vous avez suivi les explications de Perrin sur la cause des inondations ? lui demande le consul en considérant l'eau qui leur arrive aux genoux. J'étais ailleurs...

— Un peu. Le mois de novembre marque la conjonction des plus fortes marées et de la crue des rivières qui alimentent la Chao Praya. Si on y ajoute les pluies de mousson et l'insuffisance notoire des égouts de Bangkok...

— Sans compter que la ville s'enfonce, ajoute Nathalie.

— Tout de même, dit Anders, il m'a l'air un peu pessimiste quant au futur de la ville. Parler de catastrophes à venir...

— Je n'aimerais pas que cette ville soit sinistrée, répond Santerre rêveusement, ça va vous paraître idiot mais je me consolerais plus facilement de voir disparaître Venise... Venise est la ville d'un art passé, ici, art et vie se confondent encore.

Devant la porte du temple, une foule compacte assiste à

la représentation d'un épisode du *Ramakien* par des comédiens de tréteaux. Des cris de joie saluent les ruses d'Hanuman, le singe blanc, qui berne les soldats de Totsakan. Devant la scène, des enfants se poursuivent en riant et mêlent leurs hurlements à ceux des acteurs et aux glapissements des spectateurs.

Dans la cour du temple, la foule est moins dense mais tout aussi souriante. A gauche, devant un pavillon aux formes effilées d'où sort une intense lueur rouge, se tient un bonze. De grosses gouttes de sueur se forment au sommet de son crâne chauve et lui coulent le long du visage sans qu'il y prête attention. « C'est le crématorium », glisse Anders à l'oreille du jeune homme.

Tous trois contemplent un instant le bâtiment aux murs blancs. Des chats passent devant la porte, leurs yeux prennent la teinte fantastique du brasier. Le bonze, qui a dévisagé un instant les falangs, se décide à gagner le pavillon central. Les Français lui emboîtent le pas. A mesure qu'ils approchent, le gong devient plus distinct ainsi que les prières chantées pour le repos de l'esprit du mort. Ils traversent une vaste zone de pénombre, avançant lentement afin de ne pas trébucher sur les pavés disjoints. La foule de tout à l'heure s'est évaporée ; seuls dans cette partie du temple, ils goûtent un sentiment devenu familier à Santerre, « la paix surhumaine du Temple de marbre ».

Dans le pavillon central, les gens défilent devant le cercueil ouvert du défunt. Non pour un dernier adieu mais en vue d'implorer son pardon pour les fautes qu'ils ont commises envers lui durant sa vie. Ils lui versent de l'eau parfumée sur les mains puis font respectueusement le waï.

Comme par crainte de commettre un sacrilège, tous trois s'arrêtent au seuil du bâtiment. Ils distinguent parfaitement le cadavre enveloppé dans un linceul blanc et placé dans un cercueil rouge et or presque vertical pour que tous le voient. Khun Sombat ne mesurait sans doute pas plus d'un mètre cinquante et devait être extraordinairement maigre. Son visage aux cernes énormes, d'un noir malsain, et les joues aux creux abyssaux suffisent à juger du reste du corps. Seul l'os des pommettes saille tandis que les tempes sont étrangement enfoncées. « Un homme qui a beaucoup souffert ou beaucoup lutté, ce qui revient au même, après tout. »

L'extrémité d'une pièce d'or dépasse hideusement de la bouche — obole qui permettra à l'esprit de régler les frais de son passage dans l'au-delà. Les mains, qui sortent du linceul, ressemblent à deux gros morceaux de bois mort, les doigts se détachent sur la toile immaculée comme de fins rameaux qu'une brise pourrait casser. Santerre s'étonne de la ressemblance qui existe entre cet homme et le Moine macérateur. Le vent frais de la nuit le fait légèrement frissonner, il s'avise que le corps dénudé de khun Sombat doit être sillonné de ces veines et de ces os qui semblaient prêts à faire éclater la chair du Moine.

Nathalie Anders le prend par le bras et l'entraîne vers le fond du pavillon. Il sent sa main moite lui caresser doucement l'avant-bras. Il la regarde, un sourire discret et juvénile flotte sur les lèvres de sa maîtresse.

Au pied du cercueil se trouvent divers objets : une marionnette de Java représentant une femme vêtue en princesse, un jeu de mah-jong, un boulier chinois usé, un coffret en forme de barque contenant une poignée de terre thaïlandaise, une pipe à opium et un petit éléphant blanc en ivoire. Dans un verre posé un peu à l'écart, on a versé du Mékong, le whisky thaïlandais.

— Tout ce qu'il a aimé pendant sa vie et dont il profitera là-haut, lui dit Nathalie, on ne sépare jamais les morts de ce qui a compté pour eux.

— Les objets restent pourtant là, pour nos yeux de vivants.

— Ils seront brûlés avec le corps, tout à l'heure. Mais, de toute façon, un bouddhiste te répondrait que nous n'en avons que l'image, le mort seul en possède le secret.

— Et cette petite échelle ? demande-t-il en désignant un objet placé contre le cercueil.

— Elle l'aidera à parvenir au ciel... à supposer qu'un

caïd de la drogue et de la prostitution aille au ciel... Mais, ici, tout le monde y va, ajoute-t-elle en souriant plus franchement.

Une femme vêtue de blanc s'approche d'eux avec un air aimable. Anders, qui baragouine le thaï, fait le waï et lui dit quelque chose que Santerre ne comprend pas. Elle lui répond en accompagnant chaque mot d'un doux sourire puis salue Nathalie et le jeune homme. Enfin, elle fait signe à une servante qui porte un plateau de boissons et leur offre à chacun un gobelet de plastique qui contient une boisson verte sucrée et glacée.

— C'est la veuve, dit Anders, elle nous invite à nous joindre à la cérémonie.

A côté du cercueil, une femme elle aussi vêtue de blanc, appelle la veuve qui s'excuse d'un sourire et retourne auprès du défunt. Les chants des bonzes, qui se tiennent sur une estrade à droite du cercueil, reprennent. Afin de ne pas s'exposer à la vue des profanes, ils sont dissimulés par de larges éventails de rotin. Leurs voix rauques et apaisantes plaisent à Santerre, « le chant d'hommes qui ne prient pas mais s'efforcent de calmer la fureur et les désirs des vivants ».

Le consul allume une cigarette après avoir constaté que de nombreux invités en ont fait autant, sa femme sirote sa boisson en observant la cérémonie d'un œil bénin ; seul Santerre hésite encore à se décontracter.

— Tout de même ! on dirait plus un baptême ou un mariage qu'un enterrement !

Le consul sourit franchement.

— Ces gens sont plus logiques que nous autres catholiques qui parlons du paradis avec transport et nous affligeons quand l'une de nos connaissances s'en va le rejoindre. Après tout, khun Sombat nous quitte pour un monde meilleur. De plus, la joie des invités sera portée à son crédit là-haut. Il obtiendra ainsi plus de « boon », c'est-à-dire de mérite, ce qui lui permettra une bonne réincarnation.

— Pas très bouddhiste, tout ça !

— Il y a une relation avec le sacré, appelez-la bouddhiste,

brahmaniste, chinoise ou animiste, répond Anders qui adore donner des leçons, l'important est la ferveur.

— On nous fait signe, dit Nathalie.

La veuve leur demande en effet de rendre un dernier hommage au mort. Le consul et sa femme passent devant tandis que Santerre, peu familier de ces rites, observe leurs gestes. Puis, comme il l'a vu faire, il joint les mains à hauteur du front en un waï respectueux, prend la petite burette dorée qu'on lui tend et répand quelques gouttes de parfum sur les mains squelettiques. Il s'incline et se retire ensuite.

Dès qu'il a fini, les chants cessent et le gong monotone qui a résonné pendant trois nuits s'arrête enfin. Le silence qui suit est prodigieux, même les spectateurs du théâtre, à la sortie du temple, se sont tus quand l'instrument a cessé de bercer la nuit.

Deux bonzes apportent le couvercle du cercueil et le mettent en place après avoir permis à la veuve de contempler une dernière fois le visage de son mari. Pas une larme dans les yeux de cette femme confrontée à l'irréversible, « une dignité qui n'appartient qu'aux Asiatiques ».

A présent, quatre bonzes emportent le cercueil vers le crématorium. Les invités suivent en file indienne ; à leur tête, la veuve, une autre femme, qui est probablement sa sœur, et un petit homme sec aux dents aurifiées.

— C'est Khun Cheen, glisse Anders à l'oreille de Santerre, lorsqu'il passe devant eux. Khun Sombat était son bras droit, le seul Thaï à être accepté dans l'entourage du Chinois... comme si Khun Cheen avait eu besoin auprès de lui d'un représentant de ce pays dont il domine la face noire.

Le cortège fait trois fois le tour du pavillon d'où sort une haleine géante, rouge sombre, comme échappée de la porte de l'enfer. La marche est très lente. Les trois falangs ont du mal à adopter cette progression d'agonisants. Enfin, au troisième tour, la veuve se décide à pénétrer dans le crématorium. Santerre aperçoit quelques larmes qui roulent sur sa joue ridée, légère concession à la douleur. Il entre parmi les derniers et se place dans le demi-cercle formé par l'assistance autour des énormes flammes qui se tordent en chevelures rougeoyantes et meurtrières bondissant parfois hors de leur lit de bois. Aveuglé, il ferme les yeux, il a atrocement chaud mais, bizarrement, ne transpire pas. Quand il les rouvre, la veuve est tout près du brasier, ses larmes ont été séchées par la chaleur. Le jeu des rides et des flammes lui donne l'air de sourire, un rictus mauvais qui impressionne désagréablement le jeune homme. Une femme lui tend une bougie, trois bâtonnets d'encens et quelques pièces de monnaie qu'il devra jeter dans les flammes tout à l'heure. Il les prend machinalement. Les bonzes déposent le cercueil sur la grille qui surplombe le bûcher. La photo du mort, qu'on avait collée sur le couvercle, noircit puis s'enflamme très vite, elle se consume en quelques secondes.

Soudain, le cercueil, sans doute mal monté, se défait, les quatre parois latérales s'écartent tandis que le couvercle tombe sur le corps puis glisse sur le côté. Les femmes crient et s'agenouillent, chacun peut voir désormais le cadavre dévoré par les flammes. Très mauvais présage...

Le linceul est consumé en trois secondes, et c'est la nudité horrible du mort qui apparaît. La chair se craquelle, se rétracte autour des grosses veines ; des plaques brunes entourées de crevasses qui s'élargissent rapidement se forment sur toute la surface du corps, elles s'enflamment puis laissent à nu la chair qui vire au carmin avant de brûler avec des sifflements sinistres. Quelques gouttes perlent de ces plaies, les humeurs du corps, qui s'évaporent à une vitesse fulgurante. A droite de Santerre, Nathalie Anders détourne les yeux et porte la main à sa bouche.

Les flammes ont pris une teinte rouge foncé qui donne à la pièce un aspect démoniaque. C'est l'instant que choisit la veuve pour lancer dans le brasier sa bougie, ses bâtonnets d'encens et son obole. Comme pour exorciser l'atroce du spectacle. Puis elle se couvre le visage des mains et de longs sanglots lui tordent le corps. Khun Cheen la prend par les épaules et l'emmène hors du pavillon. Dans la puanteur horrible de la pièce, chaque invité lance tour à tour ses offrandes au mort. Santerre s'approche pour faire de même.

A trois pas des flammes, il suffoque sous la chaleur et l'odeur. Il se reprend et fait un pas de plus. Là, ce qu'il découvre le rend béat d'horreur.

Il n'avait pu voir, de là où il était placé, ces os qui se tordaient sous la chair suintante et semblaient la faire éclater, ces tendons qui se rompaient, ces muscles desséchés pendant de manière hideuse et ces côtes qui vibraient comme les cordes d'une harpe sous la caresse des flammes. Il lui semble presque qu'il va lire la douleur sur les traits du cadavre, il attend follement la crispation qui lui révélera la souffrance de cette carcasse calcinée, surpris par la sérénité de ce visage enrobé de feu.

Au sommet du crâne, quelques cheveux achèvent de se consumer, formant comme une auréole de braises. Santerre reconnaît le faciès hâve qu'il a aperçu tout à l'heure, la figure creusée semblant recracher l'or liquide qu'on lui a enfoncé dans la bouche. Un souffle s'engouffre dans le pavillon et fait danser vivement les flammes, l'une d'elles vient lécher la main du jeune homme. Il ne recule pas L'odeur de putréfaction et de chair brûlée lui tourne la tête ; mêlée aux longues volutes de fumée, elle l'enivre. Incapable de détacher son regard du visage du mort, il observe, à travers l'écran rougeoyant, la lente transformation qui s'opère. Il voit surgir, sculptée par le feu, la face du Moine aperçue l'autre soir sous les éclairages fantomatiques du temple de marbre. Il reconnaît les énormes cernes, les deux veines qui courent le long du front et ce chignon désormais embrasé.

Il serre la bougie, les bâtonnets d'encens et les pièces qu'il a dans la main puis, effrayé par cette trachée-artère qu'il craint de voir palpiter, effrayé surtout par un possible mouvement de cette carcasse, il les lance dans le brasier, tout près du visage. La bougie s'enflamme et met instantanément le feu au côté droit de la face. Sous le choc, le visage bascule sur le côté et Santerre, affolé, au moment où la veuve revenue dans le pavillon hurle d'horreur, voit les yeux s'ouvrir et *le* regarder le temps d'un éclair avant d'être dévorés par les flammes. Il s'enfuit alors, titubant, hors du crématoire, poursuivi par l'atroce vision : le Moine ouvrant les yeux sur lui ! ! !

Dehors, les rires des spectateurs le rassurent un peu. Avant de quitter le temple, il se retourne et regarde les bonzes marcher lentement vers le monastère. Des chats maigres se faufilent entre les invités qui se dispersent calmement. Anders lui met amicalement la main sur l'épaule.

— Rien n'a changé depuis Sukhotaï... les mêmes rituels, les mêmes gestes. Ce peuple est intact, malgré Bangkok, malgré nous...

Trop fatigué, le jeune homme ne répond rien. Il sort du temple, une telle persistance à travers l'histoire, à travers la douleur, l'effraie.

Il jette un coup d'œil distrait au théâtre. Il n'a pas de mal à identifier la belle jeune fille qui dort près d'un fleuve de carton-pâte : Nang Loy.

— Tout de même, reprend Anders en observant la scène, il doit y avoir quelque chose derrière cette histoire !

VIII

Sukhotaï, première capitale du Siam, est pleine de ce calme et de cette noblesse qui n'appartiennent qu'aux vestiges assez glorieux pour s'imposer au présent. Parmi les énormes Bouddhas au sourire rongé qui ornaient le temple de Rama Kamheng et les pierres brunes usées par les siècles, Santerre avance en observant les colonnes de palais défunts dressées en vain contre le ciel, témoins de la grandeur d'un royaume mort et réincarné dans la méridionale Bangkok. L'herbe a crû entre les chedis lépreux et les escaliers qui ne mènent plus nulle part, mais le souvenir des cérémonies tenues jadis en l'honneur de Rama Kamheng n'a pas disparu. Au détour d'une allée de pierre moussue se profile parfois une haute porte de pierre d'où va surgir, semble-t-il, quelque majordome siamois en tenue d'apparat, fantôme glorieux venu d'un passé encore vivant.

Le palais grandiose n'est plus désormais qu'une succession de pelouses et de pierres harmonieuses dans leur décadence, « les ruines les plus poétiques du monde ». Santerre admire le sourire des grands Bouddhas, « le mot " intérieur " lui convient : la réaction de l'Illuminé quand il découvre la vacuité du monde ». Le jeune homme souhaiterait être capable d'un tel sourire.

Nathalie Anders lui prend la main. Immédiatement, un voile de sueur couvre leurs paumes et rend le contact déplaisant. Il se libère avec tout le tact possible en lui faisant remarquer combien le sourire du Bouddha qui se trouve devant eux est moins belliqueux que celui d'Ayuttayah.

Ils sont arrivés la veille et ont dû passer la nuit dans un vieil hôtel de la ville afin qu'elle ne soit pas reconnue. Santerre n'a pas été très brillant. Ils n'avaient plus fait l'amour depuis longtemps — le consul ne part que rarement en mission à l'étranger — et, à la nervosité des retrouvailles s'est ajouté pour le jeune homme le vague dégoût (bien qu'il considère que c'est un mot trop fort, il n'en voit pas d'autre pour désigner le malaise qui s'empare de lui chaque fois qu'il découvre le corps de cette femme mûre) qu'il ressent désormais dans le lit de Mme Anders. « Elle n'est pourtant pas vieille, se répète-t-il, et elle n'a pas eu d'enfant. » Depuis la nuit précédente, il cherche ainsi à analyser la cause des « pannes » de plus en plus fréquentes qu'il a lorsqu'il la retrouve, sans pouvoir échapper à un sentiment diffus de culpabilité.

Elle lui reprend la main en souriant doucement, ce sourire de martyre qu'une femme délaissée ou simplement contrariée par son amant est si prompte à avoir. Ils observent l'énorme Bouddha qui, debout, la paume de la main droite dirigée vers eux, conjure les démons. Le jeune homme sort son appareil photo de son étui et commence à le régler.

Un groupe de Thaïs passe devant eux. Il poursuit ses réglages, disposé à attendre que les promeneurs disparaissent de l'objectif.

C'est alors qu'un homme sort du groupe et court vers eux en criant quelque chose qu'ils ne comprennent pas. Surpris, Santerre appuie sur le bouton juste avant que l'autre ne masque brutalement l'objectif.

Etonné plus que furieux, le Français prend la main de l'homme et l'ôte vivement de son appareil photo. Il s'aperçoit avec un brin d'inquiétude que celui-ci est très grand pour un Thaï, bien plus grand que lui, et beaucoup plus musclé. Mais le geste de Santerre ne semble pas l'avoir irrité. Il sourit et leur explique dans un anglais approximatif qu'il est le garde du corps de Sa Majesté la princesse de

Thaïlande. Tout en parlant, il fait des gestes discrets en direction du groupe. Il s'incline plusieurs fois devant Nathalie et Santerre en s'excusant, il n'a agi ainsi que parce que presonne n'a le droit de prendre des photos de Son Altesse sans autorisation.

C'est au tour de Santerre de sourire et de s'excuser. Il n'avait lui-même aucune intention de gêner Son Altesse, il ignorait simplement que ce fût elle. D'ailleurs il n'avait pas pris de photo. Le gorille s'incline une dernière fois et repart vers le groupe qui ne l'a pas attendu. Ils le regardent s'éloigner en courant.

La princesse est un peu plus loin. Santerre a le temps de distinguer un dos gracieux, une lourde chevelure asiatique et le port altier propre à la race thaïe. Avant qu'elle ne disparaisse derrière un chedi, il entrevoit son profil harmonieux, doté de la douceur courbe des femmes de ces régions.

— La princesse de tes rêves ? l'interroge, narquoise, Nathalie.

Avec la lâcheté propre aux hommes soucieux d'éviter une explication gênante, il s'en tire par une flatterie.

— La princesse de mes rêves aurait ton visage.

A moitié dupe, mais attendrie par la maladresse du jeune homme, elle sourit et lui frôle la joue d'un baiser.

— C'est vrai, c'est peut-être pour ça que tu n'es pas encore marié. Tu attends la Belle au temple dormant.

— Laissons-la dormir longtemps, nous sommes ensemble.

— Du vent, tout ça ! dit-elle.

Le souvenir de leur nuit chaotique lui revient, irritant. Gêné, il se remet en marche sans l'attendre. Il a deviné ses pensées. Le Bouddha continue à exorciser les démons mais son sourire a pris un brin d'ironie, lui semble-t-il.

Plus tard, de retour à Bangkok après un week-end décevant où n'avait cessé de sourdre entre eux une colère muette et froide, il donnera la pellicule à développer. Les jours suivants, il passera de longs moments à observer la photo que le garde du corps avait voulu lui interdire de prendre. Entre d'énormes doigts flous — « les doigts des yaks qui gardent le temple du Bouddha d'émeraude » —, apparaît la silhouette fantomatique d'une jeune femme de profil, lourds cheveux de jais et port de déesse. A de certains moments, Nathalie avait des intuitions fulgurantes de justesse.

Deuxième partie

LA CITÉ DES ANGES

I

— Encore une bière, John ? hurle Fournier aux oreilles de son compagnon pour se faire entendre malgré la musique ambiante.

John Bower acquiesce de la tête. Fournier fait signe à la serveuse thaïe qui arrive en roulant son petit derrière et en bombant le torse pour mettre en valeur sa mignonne poitrine nue. Tout en commandant, le Français ne se prive pas de la peloter vigoureusement. Habituée, elle se laisse faire, mais lorsqu'il cherche à l'embrasser, elle se dégage en souriant.

— Ah ! ces femmes ! lance-t-il d'une voix que l'alcool a rendue hésitante et un peu rauque.

Il se tourne vers Bower qui ne lui prête aucune attention, captivé par un spectacle pourtant pas nouveau pour lui.

Sur la scène, une fille complètement nue a allumé une bougie et s'arrose de cire. Des ruisselets se forment le long de son corps, elle se pétrit les seins, le sexe et les fesses afin de s'enduire de ce liquide qui, aux yeux de la cinquantaine de mâles qui composent l'assistance, évoque irrésistiblement le sperme. En même temps, elle passe la flamme tout près de sa peau mordorée puis elle l'écarte vivement comme pour évoquer naïvement la brûlure du désir. Quand la bougie est presque entièrement consumée, elle la souffle et salue le public. Sa peau est couverte de plaques de cire séchée.

— Un très bel effet de lèpre, commente acidement Bower.

— Vous autres Australiens, vous boudez toujours votre plaisir ! crie Fournier en éclatant d'un rire d'ivrogne.

Bower fait la grimace mais ne répond pas. Le « froggy » a raison, les femmes thaïes, quoi qu'il en dise, sont le sel de sa vie. Voilà des années qu'il a quitté son pays pour venir ici, soi-disant pour se consacrer à la poésie et à la photographie. L'Australie des années quatre-vingt n'offrait pas de place à un écrivain ou à un amateur de belles photos, « le pays de Mad Max et de Men at work... j'oubliais le surf ! »

Il se dit bien parfois que la Thaïlande non plus n'est pas l'endroit rêvé pour un poète, peut-être pour un photographe... mais il est trop tard. Il est tombé amoureux des femmes thaïes, « ces femmes au cœur et au corps d'enfant », et rien ne le chassera de ce pays désormais. Il appartient à la race des hommes pour qui les femmes constituent beaucoup plus que la moitié de l'univers, ceux-là finissent souvent en Thaïlande.

Pour elles, pour ces fées aux yeux de porcelaine, il a accepté la condition — confortable dans un pays aussi accueillant — d'expatrié, il a renoncé, ou presque, à son art, à ses amis de Sydney et à la douce vie de citoyen australien. Il n'a pas choisi, il sait seulement qu'il ne pourrait se passer d'elles, de leurs yeux en amande, de leur peau mate et ensoleillée, de leurs sourires à se damner pour elles, de la parfaite fermeté de leur corps. Il gagne donc sa vie en revendant de misérables clichés au *Bangkok Post* et en donnant quelques articles — toujours les mêmes — aux journaux de langue anglaise. Il est las de ces besognes mais n'a aucun regret. Sa raison de vivre se trouve ici.

— Hé ! viens là !

Fournier appelle une fille qui vient de s'extraire du vagin une bonne trentaine de lames de rasoir reliées par un fil. Elle se dirige vers leur table en le traînant entre les jambes comme une sorte de queue. Arrivée devant le Français, elle s'empare d'une des lames et la lui passe sur la joue.

— Aïe ! elle m'a coupé ! c'est des vraies lames de rasoir, John !

L'Australien sourit. Il déteste les live-shows, ces exhibitions où les Thaïes, après s'être fourré tout et n'importe quoi dans le sexe, font l'amour en public. En lui-même, il les appelle « dead love shows ». Mais Fournier a insisté pour qu'il vienne et il tient à son amitié. A force de courtiser les femmes, Bower n'a plus guère de relations masculines. Le Français est un camarade d'autant plus précieux qu'il est rare, bien que l'Australien ne se fasse guère d'illusions sur la valeur de l'homme.

Il repousse gentiment la fille lorsqu'elle veut lui faire subir le même traitement qu'à Fournier. Il sait que les *performers* ne trichent pas ici, elles décapsulent de vraies bouteilles de soda avec leur sexe, s'enfoncent de vraies lames de rasoir dans le vagin et fument vraiment avec leurs lèvres de Vénus. Agiraient-elles autrement que Khun Cheen, qui a la haute main sur l'établissement, le leur ferait payer cher.

Après avoir fait le tour du public, elle disparaît prestement. Une salve d'applaudissements salue sa sortie. Bower, qui n'y voit pas grand-chose dans la pénombre, reconnaît à ce signe que l'assistance est surtout composée de falangs. Les Thaïs n'applaudissent pas.

Soudain, la salle est plongée dans l'obscurité complète. Les premières mesures de *Also sprach Zarathustra,* orgue et roulements de tambour, annoncent le clou du spectacle. L'Australien pose son verre. La lumière revient progressivement, découvrant sur la scène un grand Chinois maigre qui a un énorme grain de beauté sur la joue et une Thaïlandaise, ou plutôt une Sino-Thaïe (Bower, en cette matière, a le coup d'œil de l'expert), aussi nus que des vers. A droite de Bower, Fournier se carre dans son fauteuil, l'air grave. Les deux « artistes » saluent le public en s'inclinant profondément, puis le numéro commence.

Bower a le souffle coupé par la fantastique beauté de la

fille. A en juger par l'éclat lunaire de sa peau, il s'agit sans aucun doute possible du croisement des sangs thaï et chinois. Son corps célèbre le triomphe de la courbe sur la droite, de la douceur sur la raideur, de la touchante faiblesse humaine sur la profonde inhumanité de la géométrie. Ses seins, ses membres, ses fesses ondulent en courbes voluptueuses et hardies. Des pieds à la tête, elle est parfaite. Bower se dit qu'elle ôterait, si c'était possible, l'obscénité de ce spectacle. Fournier semble aussi captivé que lui ; au premier rang, il aperçoit un Thaï aux cheveux coupés en brosse qui serre les poings en fixant la fille d'un regard éperdu.

Une main avide se pose soudain sur la cuisse de John. L'instant d'après quelqu'un colle sa bouche contre la sienne et tente de l'embrasser. Il suffoque, cède brièvement à la pression de la bouche étrangère puis réussit à se dégager de cette ventouse gluante et nerveuse. Une fille, la plus laide qu'il ait jamais vue, est assise à ses côtés et l'enlace tendrement. Ses mamelles nues pendent contre son bras, elles sont couvertes de cicatrices — brûlures de cigarettes ? —, son visage grêlé lui adresse un sourire où manquent quelques dents.

— Moi, Tim, et toi ?

Il connaît, pour l'avoir souvent pratiqué, l'anglais petit-nègre des filles de bar. Il répond sans sourciller :

— Moi, John, moi fatigué ce soir, et pas d'argent, alors bye-bye !

Tim fronce les sourcils, couvre ses mamelles d'une main soudain pudique et part en râlant à la recherche d'autres clients. Désolé pour elle, il lui donne une grande tape sur les fesses quand elle se lève. « Au moins, elle pensera que si j'avais eu de l'argent... » Elle se retourne et, pas du tout dupe, lui tire la langue. Vexé, il se jure qu'on ne l'y reprendra plus à être galant avec les putes.

Fournier, fasciné par la fille qui est sur scène, n'a rien remarqué. Pour l'instant, il ne peut la voir que de dos — mais quel dos ! — car elle est en train de sucer son partenaire allongé afin de l'exciter. Le Thaï aux cheveux en brosse du premier rang semble en extase. Le visage à un mètre du derrière de son idole, il a atteint le paradis. Bower s'amuse de sa mine. C'est alors qu'un petit Chinois vêtu de blanc (montrant par là un deuil probable) vient s'asseoir près de Fournier. Il adresse au Français un sourire aurifié, l'autre s'empresse de lui serrer la main et de lui présenter Bower. Il s'agit de Khun Cheen.

Udom n'est pas encore revenu de la bizarrerie de sa situation. Il y a trois jours, il aurait donné toute sa paye de conducteur de samlo pour faire l'amour à une fille comme Finn — et ç'aurait été bien loin d'être assez. Aujourd'hui, voilà qu'il l'a pour rien, et autant qu'il le veut. On le paie même pour ça. Que la vie est drôle !

Bien sûr, il y a des contraintes d'horaires, et puis il faut être ardent à la tâche. En plus, il est constamment inspecté, mais il est vrai que sa besogne est simple, un seul impératif : faire durer. Là est le problème ! Le premier soir, il avait lamentablement expédié le travail en quelques minutes. On l'avait rabroué, les clients n'en avaient pas eu pour leur argent. Il aurait bien voulu les y voir, les clients, avec une fille aussi belle que Finn !

A présent, il a l'habitude. Le plus dur serait plutôt de rester solide au poste. Quatre séances par soirée. Il prend des stimulants, mais tout de même ! le job demande une certaine aptitude athlétique.

En ce moment même, il se concentre tandis que Finn le suce — avec quelle habileté ! Trois nuits auparavant, il n'avait pas eu besoin de ça, il l'avait vue toute nue et ça avait suffi. Aujourd'hui, il doit s'efforcer de rassembler tous ses fantasmes érotiques, bien conscient que cinquante falangs l'observent, prêts à déclarer que les Chinois l'ont tout le temps en virgule s'il n'obtient pas l'érection désirée.

Un instant d'angoisse, le vide complet, puis la bouche de Finn accomplit le miracle attendu. La jeune femme se relève alors, très concentrée. Le pénis d'Udom se gonfle douloureusement à la voir si belle. En se levant à son tour, il aperçoit un habitué de leur show, ce Thaï aux cheveux en brosse qui a une énorme lentille sur la joue gauche. Trois soirs qu'il fait son numéro avec Finn, trois soirs que ce type est au premier rang avec son air de revenir de chez les morts. Elle lui a confié que, depuis ses débuts dans les live-shows, il n'a jamais manqué une seule représentation.

Elle s'allonge sur le dos et écarte les jambes. Udom s'efforce de ne pas voir combien elle est belle, le plus difficile commence pour lui. Il s'agenouille lentement entre les jambes d'albâtre, après avoir fait observer son membre à toute l'assistance. Son ample érection le satisfait, il s'apprête maintenant à la pénétrer. C'est la première séance de la soirée, il ne devrait pas avoir de problème pour s'introduire.

Mais il sait par expérience que cet instant est le plus délicat. Il suffit d'une pensée érotique, d'une émotion, en vérité bien compréhensible, à la vue de Finn ainsi offerte pour qu'il parte dans une transe amoureuse qui précipiterait la fin du spectacle. Or, Narong le lui a répété, il doit « tenir » au moins dix minutes, le temps de parcourir avec Finn les grandes pages du Kama Sutra.

Il s'enfonce en elle très lentement, fermant les yeux. La crème qu'elle a pris la précaution de mettre avant le show se colle sur son sexe. Deux ou trois allers-retours jusqu'à la garde et ils abandonnent cette position classique. L'infinie souplesse de Finn lui permet de manœuvrer sans difficulté. Elle fait le grand écart, passe une jambe au-dessus de la tête d'Udom et la voici sur le ventre. Il est extrêmement concentré, chassant toute jouissance du mieux qu'il peut. Le corps de Finn est presque inerte dans ses bras, il a l'absolue conviction qu'elle ne jouit pas, même si ses cris et ses soupirs langoureux tendent à convaincre les spectateurs du contraire. A travers ses cils, Udom aperçoit le Thaï aux cheveux en brosse, lui au moins a l'air d'en profiter.

Elle s'accroupit à présent, il suit docilement le mouvement. Il commence à connaître l'ordre de cet enchaînement amoureux qu'elle lui avait fait répéter le premier jour. Elle semblait en avoir une telle habitude qu'il s'était senti un peu jaloux de Duang avec qui elle avait mis au point toutes ces contorsions ; Duang, son frère, dont elle lui avait confié l'immense tristesse. A chaque nouvelle position, il s'enfonce et se retire très lentement en la faisant pivoter d'un quart de tour afin que tous les spectateurs profitent de la démonstration. Il se sent bien, sans plaisir ni gêne, il accomplit sa tâche avec la sûreté du professionnel. Tout à l'heure, il n'éjaculera pas, il se contentera de simuler l'orgasme. C'est qu'ils remettront ça une heure plus tard.

Bower ne prête plus qu'une attention distraite aux deux insectes qui copulent sur la scène. Khun Cheen est à sa table, voilà qui mérite qu'on s'y intéresse, « le plus gros caïd de Bangkok près de moi, quel honneur ! ». Le Chinois s'est assis entre eux. Sa petite taille et sa maigreur surprennent Bower, « une légende qui ne paie pas de mine ». L'Australien évoque les mille histoires qui courent sur le compte de Khun Cheen, toujours des récits de sang et de torture. La fameuse et fausse perversité asiatique. Le Chinois devait évidemment être impitoyable, mais la rumeur publique prête trop aux riches, même lui ne pouvait être à la hauteur de sa renommée.

Khun Cheen adresse un sourire doré à Fournier et s'enquiert des travaux du Bangkok Intercontinental.

— Comment se porte l'hôtel, khun Fournier ?

— Mal, vénérable Khun Cheen, les inondations, la pluie continuelle...

Bower n'aime pas l'obséquiosité avec laquelle le Français s'adresse au Chinois. Après tout, ce type est responsable de dizaines d'assassinats, sans compter la prostitution, la drogue... « Cet homme ne mérite que le mépris. »

Il croise à cet instant le regard du Chinois, deux fentes noires découpées dans un visage lisse un peu hautain. Il sent que Khun Cheen a deviné ses pensées. Il avale sa salive avec difficulté.

— Et que faites-vous à Bangkok, khun Bower ?

— Je travaille comme journaliste pour divers quotidiens de langue anglaise.

— Excellent, excellent ! reprend le Chinois avec une amabilité qui ne dit rien qui vaille à l'Australien, je parlais justement l'autre soir avec mon ami, le directeur du *World*. Il m'expliquait quel mal il avait à trouver des journalistes qui écrivent correctement l'anglais. Je suis surpris qu'il n'ait pas pensé à vous.

— J'en suis aussi étonné que vous, répond Bower sur un ton insolent.

Le sourire de Khun Cheen s'élargit encore. Derrière lui, Fournier semble scandalisé. L'Australien craint d'être allé un peu loin, on n'est pas impertinent devant le Chinois. Après un instant de silence, celui-ci se lève lentement, il adresse un waï respectueux aux deux hommes et se retire. Sur la scène, la position du couple est franchement vertigineuse, à déconseiller aux âmes sensibles.

— Enfin, John, tu es fou !

Bower hausse les épaules, l'air revenu de tout.

— Ce type est méprisable. Et d'abord, je ne savais pas que tu le connaissais ?

— A peine. Simplement, l'hôtel représenterait une chance formidable pour lui. Tu imagines tous les falangs qui se pointeraient et viendraient grossir sa recette ? Il ferait des chiffres d'affaires aussi vertigineux qu'aux plus beaux jours des années quatre-vingt, quand Patpong était le bordel du monde.

— Belle relation !... et bel avenir pour l'hôtel !

— Il ne faut pas se voiler la face, le tourisme à Bangkok, c'est d'abord le sexe ; le reste, les temples, la balançoire géante ou Rose Garden, ça n'est pas mon problème... Le revoilà ! sois aimable cette fois !

Khun Cheen revient en effet s'asseoir près d'eux. Il tient un petit paquet qu'il pose sur la tablette, entre les chopes de bière.

— Khun Bower, sourit-il, voudriez-vous me rendre un

menu service ?... Je sais que vous connaissez mon ami Somsak, le journaliste du *Bangkok Post...*

Devant le regard suppliant de Fournier, l'Australien se décide à être plus poli.

— Je le vois demain.

— J'en étais sûr, khun Bower, dit le Chinois en inclinant légèrement la tête afin de marquer sa gratitude. Pourriez-vous lui remettre ce paquet de ma part ? C'est un petit cadeau, une babiole, mais je préfère la confier à des gens sûrs.

Bower observe un instant le paquet ridiculement petit, enveloppé d'un papier cadeau vert clair et entouré d'un ruban aux longues boucles artistes comme seuls les Thaïs et les Japonais savent en faire.

— Okay, je m'en charge, dit-il sans tout de même aller jusqu'à sourire au Chinois.

Celui-ci se lève aussitôt et lui adresse un waï.

— Merci, khun Bower, vous me rendez un grand service. Sawatdi klap.

— Vénérable Khun Cheen, dit Fournier, l'air soucieux, puisque mon ami vous rend ce petit service, pourriez-vous m'en rendre un à votre tour, s'il vous plaît ?

— Tout ce qu'il vous plaira, khun Fournier.

— Je voudrais emmener cette fille — il désigne la prostituée du live-show.

— Finn ? Elle est à vous pour la nuit, et gratuitement... Une fille remarquable, khun Fournier, feu mon ami Sombat l'avait prise sous sa protection. Sawatdi klap.

Dès qu'il est parti, Fournier et Bower se détendent. Le Français commande deux autres bières :

— Nous nous en tirons bien. Tu te permets d'offenser le plus gros caïd de Bangkok sans qu'il te demande autre chose que de faire le facteur, et je vais baiser la plus belle fille de la ville ! A nos santés, John !

— Cheers !

L'Australien commence à respirer. La présence de Khun

Cheen lui pesait. « Ce type sature l'atmosphère d'un endroit comme une pile radioactive ! »

Sur la scène, Udom et Finn en sont à la dernière pose, la plus acrobatique. Fournier se frotte les mains en voyant la souplesse de Finn, il se promet bien du plaisir. C'est alors que réapparaît Tim, l'énorme prostituée mamelue de tout à l'heure. Bower grimace, « elle n'a pas trouvé de client, mais je ne suis pas l'Armée du Salut ! ». Il s'apprête à la renvoyer compter ses cicatrices et ses boutons, mais elle lui coupe la parole d'un ton impérieux :

— Le boss, Khun Cheen, m'envoie.

Elle montre un coin de la salle d'où le Chinois les observe. Elle enlace Bower qui, stupéfait, se laisse faire. Prestement, elle lui applique un baiser de sa bouche peinturlurée puis consent à lui expliquer la situation non sans se frotter, voluptueusement, pense-t-elle, contre son torse.

— Il dit que ça — elle regarde d'un air ennuyé le paquet posé sur la tablette —, c'est de la drogue... héroïne. Trente ans de prison pour toi si on t'arrête.

Fournier sursaute et manque renverser sa bière. Il repose vivement la chope sur la tablette tandis que Bower ne peut refréner un mouvement de stupeur. Tim, désormais très sûre d'elle, poursuit avec un rien de cabotinage dans la voix :

— Il dit que tu as le choix, ou tu m'emmènes et tu me payes — beaucoup —, ou les policiers font leur travail. Tu vois celui-là, là-bas ?

Elle montre du doigt le Thaï du premier rang qui est hypnotisé par les charmes de Finn.

— C'est un lieutenant de police, khun Eg, très méchant pour les trafiquants.

A cet instant, la salle s'obscurcit progressivement. Les deux artistes ont fini leur numéro. Dans le noir complet, les applaudissements crépitent. Lorsque la lumière revient, la scène est déserte, ils sont partis se reposer en attendant le prochain show. Bower regarde Tim qui se frotte contre lui.

Les éclairages violents ne la mettent pas plus en valeur que les autres. Fournier l'observe, soucieux.

— Je crois qu'il vaut mieux s'exécuter, John.

Finn, vêtue d'un tee-shirt et d'un sarong mauve, vient s'asseoir à côté de lui. Souriante, encore en sueur, elle commande un Coca. Sa beauté fait ressortir jusqu'à la douleur les défauts de Tim qui la salue respectueusement. Bower éprouve une intense frustration.

Fournier interroge la Chinoise.

— Et le prochain show ?

— Le boss a dit que c'est okay, il y a une remplaçante. On peut y aller.

La mort dans l'âme, Bower se lève en prenant le bras de Tim. Il aperçoit Khun Cheen qui lève son verre à sa santé en souriant de ses horribles dents en or. Tim, qui voit la mine déconfite de son amant du soir, croit bon d'ajouter :

— Tu sais, moi number one girl. Tu fais une bonne affaire !

Dans sa somptueuse villa de Sukhumvit, Fournier vient de montrer la chambre d'amis à Bower et à son laideron. En fermant la porte, il sourit après avoir entendu l'Australien pester contre Khun Cheen. Il peut maintenant rejoindre Finn dans sa propre chambre.

Dans la salle de bain, elle prend une douche à l'asiatique. Grâce à un récipient en étain, elle tire de l'eau d'une énorme jarre en terre cuite et s'en asperge. En se retournant, elle aperçoit le Français arrêté sur le seuil, les yeux pétillants d'intérêt. Elle lui sourit et continue sa toilette sans plus s'en soucier. L'eau fraîche ruisselle sur sa peau parfaitement lisse, longues langues limpides qui épousent les contours de son corps jusqu'aux creux les plus intimes avant de se déployer en fontaines qui courent sur le carrelage du sol.

Dehors, Fournier entend la pluie qui a recommencé à tomber. Il se déshabille en contemplant le corps à la pureté d'enfance de Finn. Dans la pénombre, sa peau luit faiblement sous les rayons de la lune. Elle est comme le centre de la nuit. Elle sort de la salle de bain, s'approche et se colle contre lui. Sa nudité est fraîche, agréable. Il tente de rassembler ses impressions : cela est plaisant... il essaie de se souvenir qu'il tient dans ses bras l'une des plus belles femmes qu'il ait jamais vues. Elle semblait porter tant de promesses...

Doucement, il l'emmène vers le lit. Ils s'allongent côte à côte et restent là sans parler. Fournier est troublé, tout cela est trop banal. Elle l'embrasse alors, de petits coups de langue vifs et mobiles qui lui chatouillent le torse. Il la caresse rêveusement, pensant à autre chose... à autre chose... En lui prenant le menton, il lui demande avec la plus grande douceur possible :

— Tu t'appelles Finn ?

— Oui, et toi ?

— Gérard, répond-il en soupirant.

Les yeux de Finn ont cette perfection chinoise qui l'a toujours ému. Petits, sans paupières, l'essentiel en est occupé par la prunelle qui leur donne un éclat, une noirceur énigmatiques, « des yeux qui se taisent ». Elle lui sourit, « des yeux qui piquent l'imprudent qui a le malheur de s'y attacher ; piqûres étoilées dans un visage de lune claire ».

Voyant qu'il ne veut plus parler, elle recommence à l'embrasser. Chacun de ses gestes est harmonieux, en équilibre. Il éprouve un singulier bonheur à la contempler, une émotion qui vient moins de ses baisers que de la grâce avec laquelle elle les donne, une volupté d'esthète lui suggérant que la relation sexuelle n'est pas la meilleure façon d'accéder à cette femme. Son désir est ailleurs.

Dehors, la pluie redouble de violence. Il s'allonge et place le ventre de Finn contre son sexe tendu. Docile, elle s'accroupit et engloutit son pénis. Il constate, troublé, qu'il voudrait autre chose sans savoir quoi. Elle commence à se trémousser avec l'assurance d'une professionnelle. Elle a clos à moitié les yeux, les prunelles, remontées sous les paupières, ont disparu. Il n'aperçoit plus que deux demi-cercles blancs, des yeux de statue qui lui donnent un air de noblesse inaccessible. Puis elle les ferme et ses paupières s'étirent vers les tempes en deux fines lignes noires, deux traits crispés et tremblants qui amènent Fournier à se demander si elle simule ou si elle jouit vraiment. Et cette pensée, même indécise, lui est agréable. Il sent, comme au lointain, son sexe voluptueusement frotté contre les entrailles de Finn. Il entend la pluie tomber dehors, effaçant tous les travaux du jour. Par un vieux réflexe, il cherche à retarder l'orgasme qui s'annonce. Il se souvient de l'émoi qui l'avait saisi à la vue de Finn lors du live-show. Soudain, il ne peut plus ouvrir les yeux, prisonnier de la jouissance qui vient. Il pense à tous les rêves que cette femme semblait promettre, il pense qu'il y a dans l'orgasme qui s'empare de lui quelque chose de brutal et de banal qui ne s'accorde pas à Finn. Il pense à tout cela puis, par trois fois, il se répand en elle, morose. Le goût de cendre a précédé la jouissance. Tout était connu d'avance.

Il ouvre les yeux dès qu'il le peut. Elle repose sur le dos, ouverte, évoquant ces merveilleux poissons exotiques à l'abri dans l'eau qu'ils peuplent de leurs gracieuses évolutions, impossibles à toucher derrière leur paroi de verre. Toujours ils glissent entre les regards, les mains, les étreintes. Elle sourit, lointaine, prend la serviette qu'elle avait déposée au pied du lit et l'essuie. Après quoi, toujours en souriant et toujours lointaine, elle s'en va vers la salle de bain d'une démarche de déesse. Il la voit se laver, se purifier, retrouver comme en se jouant son innocence originelle. « On ne possède pas ces femmes, elles ne s'échappent même pas, elles sont plus loin que nous... » Gentiment, elle lui envoie un baiser. Il lui sourit tristement.

La pluie tombe, monotone. Il s'endort sans s'en apercevoir en songeant aux îles flottantes du lac Inlé. On croit aborder au rivage d'une terre promise et l'île, qui n'est pas rattachée au fond du lac, dérive lentement, mollement. Le pied ne trouve bientôt plus que l'eau.

II

Santerre se promène dans la ville chinoise. Les eaux ont encore monté, les voitures circulent sans trop de difficulté et le bruit assourdissant de Bangkok ne s'est pas éteint, mais l'eau est menaçante, elle s'infiltre partout, charriant les débris de la ville, bouteilles vides, boîtes d'aluminium, déchets de toutes sortes dans lesquels se prennent les pieds des passants, elle avale peu à peu le sol de la cité, reléguant les hommes aux étages des maisons.

De chaque côté de la rue s'élèvent des demeures lépreuses où des gosses et des femmes, penchés sur les barreaux des fenêtres, observent le spectacle misérable qui se déroule à leurs pieds. En bas, de vieux Chinois assis dans des fauteuils de rotin crachent et s'amusent à faire des ronds dans l'eau sombre. Santerre passe le plus vite possible devant eux. Au fond d'ateliers encombrés d'énormes machines couvertes de graisse et de poussière noire travaillent des enfants. Gamins pâles et amaigris qui voient à peine la lumière du jour. Rivés à leur machine, ils ne sortent qu'à la nuit tombée pour rejoindre leur grabat. Dans les boutiques ornées de caractères hérissés, des hommes en short et maillot de corps s'affairent sans prêter attention aux passants. Ils ont les jambes en arceau et le visage de gens qui ont beaucoup souffert. Lorsqu'ils émergent de leur antre, ils ne regardent que la rue jonchée de sacs et de cartons crevés, s'ils pensent au ciel, ils ne le montrent pas car leurs yeux ne se lèvent jamais. Ils vont et viennent avec pour seul souci la tâche à accomplir. Une vieille aux rides de centenaire, et qui sûrement n'a pas cinquante ans, est assise au seuil d'une échoppe. Dans la poussière, le tumulte, la fumée et le grondement horrible de la ville, elle prend l'air. Santerre envie son indifférence ; elle est présente à son monde, le reste...

Après avoir traversé le quartier du commerce des objets sacrés, il débouche sur la place de la balançoire géante. Deux immenses poteaux surmontés d'un court fronton dans le style thaï ; on y donnait des jeux en l'honneur de Çiva jusque dans les années trente. Désormais tombée en désuétude, la balançoire ressemble à quelque porte démesurée ouvrant sur le flamboiement de Bangkok. A ses pieds, Santerre était venu offrir de la nourriture aux bonzes par une aurore de juin. Il n'avait pas oublié le visage serein du jeune religieux qui avait reçu son offrande devant la haute silhouette découpant le ciel en flammes.

Laissant le temple Suthat à sa gauche, il se dirige vers l'extrémité ouest de la place. A l'autre bout de l'esplanade, d'anciennes maisons de style colonial ont été transformées en dépôts où les Chinois entassent leur infini bric-à-brac. Des femmes en chemisier à fleurs défraîchi et pantalons très larges s'y promènent, surveillant du coin de l'œil leurs enfants qui jouent parmi les sacs crasseux. Tous donnent le spectacle de la misère portée avec une dignité princière.

Santerre sait que ce n'est pas le tumulte de Bangkok, ses klaxons et le fracas de ses camions, qui les oblige à se taire. Ce n'est pas non plus sa chaleur malsaine, ni la malnutrition, ni la maladie ou la fièvre, tous fléaux qui pourtant ne les épargnent guère. Ils se taisent simplement parce que leur vie est là, dure, ingrate, mais la leur. Ils honorent les esprits de ceux qui l'ont quittée, leur souhaitent le bonheur, ils leur demandent même parfois un peu de chance mais ils ont accepté par avance tous les malheurs qui pourraient les atteindre. Leur vie est dans ce coin pourri de Bangkok, pas d'histoire, pas de plainte, ils la porteront même si c'est une tâche impossible. Leur dignité, c'est ça, ne pas faillir au grand devoir, vivre...

Ils ont lié leur sort à celui de la ville par tant de nœuds, ils appartiennent à son commerce, à sa finance, à son industrie. C'est ici, à Chinatown, que la sagesse chinoise s'unit à la noblesse thaïe et que se consomme l'alliance sacrée, la misère de Bangkok et le courage qui la rachète. Si quelque chose de cette ville devait rester, se dit Santerre, si on recherchait le point focal de la cité la plus folle du monde, on devrait passer par ces ruelles lépreuses, avancer dans ces eaux grasses où flottent pêle-mêle déchets de bambou, cadavres de rats et de chiens, et où les hommes vivent avec la même superbe que d'autres au milieu d'un palais. Il connaît mieux que personne la saleté, les regards hostiles, le grondement constant qui lui tient lieu d'animation, mais il n'échangerait pas ce quartier pour les Champs-Elysée ou la 5e Avenue. « L'impression, comme au temple du Bouddha d'émeraude, de toucher le nœud des forces de Bangkok, quelque chose comme sa dernière chance. »

Une luxueuse limousine blanche le dépasse. Soucieux de ne pas se faire éclabousser, il se range et aperçoit à l'abri de vitres teintées, la silhouette d'une femme qui paraît le regarder. « Surprise de voir un falang dans ces quartiers. » Il jette un coup d'œil à la plaque d'immatriculation : un véhicule réservé aux habitants du palais royal.

Intrigué, il presse le pas. Comme la voiture ne peut aller très vite dans ces ruelles embouteillées et inondées, il a tôt fait de la rattraper. Elle tourne dans Ratchadamnoen klang, à hauteur du Monument de la Démocratie. Santerre court autant qu'il peut mais l'eau lui arrive aux genoux. « Et si c'était la princesse aperçue à Sukhotaï ? » Il débouche prestement dans Ratchadamnoen.

La limousine est garée un peu plus loin, devant une sorte de ponton qui mène à un restaurant de luxe. Les clients peuvent ainsi entrer et sortir sans se mouiller. Santerre voit le chauffeur faire le tour de la voiture pour ouvrir la portière à la passagère. Il se rapproche, perplexe, « et même si c'était elle ? »

Le Français s'arrête à quelques mètres et attend, le cœur

battant. Il s'efforce de se rappeler la photo, la gracieuse et fugitive silhouette entrevue entre les doigts du garde du corps. Et justement ce garde... non, le chauffeur ne lui ressemble pas ! La jeune femme sort de la voiture. De longs cheveux flottants, un profil d'une pureté tout asiatique, un port de princesse. Santerre n'hésite plus.

Il s'approche du ponton.

Il le sait, pas plus en Thaïlande qu'ailleurs — enfin, là où il reste des altesses —, on n'aborde les princesses comme des midinettes à la sortie de leur bureau. Un tel geste est parfois considéré comme une offense. On attend une autre attitude de la part des diplomates occidentaux. Il choisit de passer outre et de faire confiance à l'extraordinaire tolérance des gens de ce pays. Les Thaïs ont l'art de laisser une sphère autour de la personne, un espace de repos où l'on peut être soi. Il est rarement besoin de tricher avec eux.

Santerre s'incline respectueusement et lui adresse la parole au moment où elle passe à son niveau :

— Je vous ai vue à Sukhotaï.

Elle se tourne vers lui, l'air un peu surpris, puis elle sourit. Déjà, il ne regrette vraiment plus de lui avoir parlé.

— Vous m'avez vue à Sukhotaï ?

— Vous étiez entourée de votre suite, vous êtes passée à côté de moi sans faire attention. Je voulais simplement vous saluer, puisque aujourd'hui c'est possible, princesse.

Elle fait un signe au chauffeur, qui s'approchait du Français avec un air mauvais.

— Vous me connaissez donc ?

— Si je ne me trompe, vous êtes princesse de sang royal et vous vous promeniez à Sukhotaï l'autre week-end.

Elle sourit à nouveau.

— Vous devez avoir raison.

Santerre remarque ses dents, fines et extraordinairement blanches. D'un geste gracieux, elle l'invite à monter sur le ponton.

— Je me présente, fait-il en s'inclinant légèrement, Christian Santerre, attaché à l'ambassade de France.

Il n'est jamais long à voir s'il plaît et — plus important — si son beau visage de star n'incite pas la femme avec qui il parle à se méfier. Il prend son élan et, d'une voix blanche :

— Accepteriez-vous une invitation à déjeuner ? Je sais que cela n'est pas dans les usages... mais j'espère que la courtoisie thaïe, je veux dire... on pardonne beaucoup aux étrangers qui ignorent les règles...

Elle continue à sourire mais il devine que ce n'est plus qu'un masque, le fameux sourire thaï, simple crispation des muscles labiaux qui peut dissimuler n'importe quel sentiment, une sorte de réflexe national.

— C'est que, justement, vous connaissez ces règles, monsieur Santerre. Il y a des formes pour convier les princesses...

— Je peux oublier que vous êtes princesse !

— Ça vous serait difficile?

— Franchement, oui ! mais que ne ferais-je pas pour bavarder avec vous ?

— Pour être franche, j'allais m'ennuyer. Vous parviendrez peut-être à me distraire, monsieur le diplomate... mais c'est moi qui vous convie, vous devriez savoir qu'on n'invite pas les princesses à déjeuner.

Sa conversation paraît exquise au Français. Outre un anglais oxfordien, elle possède la brièveté et la clarté d'expression qui appartiennent au génie de la langue thaïe. Santerre ne se lasse pas d'entendre ces tournures précises comme un vers classique prononcées par une femme ravissante. Elle a parlé longuement et avec passion du roi, découvrant pour lui les aspects dérobés de la cour de Thaïlande.

— Je ne suis pas de ces nationalistes extrémistes tel ce Somchaï, dit-elle en reposant ses couverts, mais je pense que mon pays a encore besoin d'un roi.

Elle a des gestes d'une rare élégance. Santerre en oublie de manger. Les coudes sur la table, le menton posé sur les mains, il écoute, béat.

— Les monarques ici sont considérés comme des Bodhisattvas, des êtres destinés à renaître Bouddhas à l'issue de plusieurs milliers de vies. Mais ils s'arrêteront au seuil du nirvana pour aider les autres hommes à en trouver le chemin...

Elle sourit. Santerre est prêt à fondre.

— Mangez, ça va être froid !

Maladroitement, il saisit ses couverts et commence à découper son poisson en essayant d'observer une attitude plus digne. Elle a vraiment trop de charme.

— Tout cela explique le respect dont le peuple entoure le roi, les Bodhisattvas sont des sauveurs... Savez-vous qu'il existe un langage employé seulement lorsque l'on s'adresse aux membres de la famille royale ?... Je sais, ces rites font sourire les Occidentaux, vous avez coupé toute relation avec les dieux...

— Nous ne sourions pas pour autant de ceux qui ont préservé cette relation.

Elle ne relève pas, comme si le souvenir de leurs origines différentes la coupait de Santerre.

— Nous appelons les hommes qui ont perdu leurs convictions « des cœurs sans goût »... Il y a ceux, comme vous, qui hésitent à rire de la foi des autres, ce sont « les cœurs flottants ». Ils ont encore un espoir... mais je crois qu'il y a trop de gens insipides en Occident, aujourd'hui.

Elle le fixe de ses admirables yeux en amande. Il n'a aucun mal à soutenir un si doux regard. Il en oublie à nouveau son assiette.

— Au cas où vous douteriez de la sincérité de notre révérence pour le roi, laissez-moi vous raconter une anecdote... La femme de Chulalongkorn — Rama V — partit un jour se promener en bateau sur un lac. A un moment, la barque se renversa. Elle ne savait pas nager. Sur les berges, à quelques dizaines de mètres, se trouvaient de nombreux serviteurs qui avaient tout vu et pouvaient la sauver sans effort. Aucun ne bougea. Ils assistèrent à la noyade sans rien faire car on les aurait mis à mort s'ils avaient touché l'épouse du roi, fût-ce pour la sauver. Le contact d'une personne royale est plus qu'une faute, c'est un sacrilège...

Santerre n'en revient pas. Penaud, il se remet à manger en gardant les yeux sur le poisson dégoulinant de sauce rouge et pimentée.

— La Thaïlande, dit-il, est le pays qui m'a fait le mieux comprendre ce que désigne l'expression « roi du peuple ». Nous avons eu un roi en France, Louis-Philippe, il a cru que devenir le roi des Français consistait à perdre toute relation avec le sacré. Ce fut notre dernier monarque.

Il s'étrangle soudain, surpris par la force de la sauce pimentée. Elle s'esclaffe devant sa subite rougeur :

— Nous avons la cuisine la plus épicée du monde ! sourit-elle. Nous considérons qu'un bon repas doit amener des larmes aux yeux des convives, des larmes de joie.

Après avoir englouti deux verres d'eau glacée qui le soulagent à peine, Santerre, toujours en veine de galanteries faciles, répond d'un ton badin :

— Alors, mes yeux doivent vous dire que je suis pleinement heureux... et ce n'est pas seulement l'effet de la cuisine !

Il n'a aucun mal à interpréter le silence qui suit ses paroles : pas de boniments à trois sous. Il change rapidement de sujet :

— Si je comprends bien, le roi symbolise les trois péchés dont les hommes se rendent coupables envers Dieu. Dieu est partout, mais les hommes l'adorent d'où ils se trouvent ; il n'a pas de forme, mais ils l'adorent à travers les formes de la nature ; il n'a pas besoin de louanges, mais ils lui donnent leurs prières.

Elle a retrouvé son sourire, le falang a de l'esprit.

— Le roi, répond-elle de sa voix suave, est le lieu exact

de ces trois actes, contraires à la loi bouddhique mais nécessaires afin que nous existions en tant que peuple.

Il s'avise qu'il ne lui a pas encore demandé son nom. Pris sous le charme, il s'est contenté de ce titre de princesse. Il est vrai que nul ne s'y tromperait, même dans ce strict tailleur gris, emprunt à la mode occidentale, elle répond parfaitement à l'idée que le commun des mortels se fait de cette personne infiniment anachronique — et par là même infiniment désirable — qu'est une princesse. Toutefois, il n'oublie pas que tous les fils des concubines royales étaient princes de Siam. Nombre faramineux... un ami thaï lui avait un jour cité ce proverbe : « Si tu lances une pierre à Bangkok, tu atteindras un prince, ou bonze ou un chien... » Sans vouloir lui jeter la pierre, il se demande comment l'amener poliment à dire son nom.

Pour l'instant, elle l'entretient à voix basse de la maladie du roi. Elle a rapproché son visage et Santerre se réjouit de ce début d'intimité.

— ... Les médecins semblent impuissants. Ce serait une fièvre qui le ronge et lui dessèche le corps. Il boit beaucoup mais ne peut presque pas se nourrir. Son retour au temple du Bouddha d'émeraude laisse à penser, ce pourrait être sa fin...

Il ne répond rien. Il songe à cet homme sans ami, agonisant dans son palais des Mille et Une Nuits posé au centre d'une des métropoles les plus polluées du globe. Le dernier bastion de la Thaïlande immémoriale. Elle en profite pour finir le poisson grillé qu'elle avait commandé. Il se demande s'il peut obtenir un rendez-vous puis renonce en se moquant de lui-même, « nous ne sommes plus au temps où les roturiers étaient distingués par les princesses ! ».

— J'ai été ravi de déjeuner avec une princesse, dit-il sur un ton quelque peu parodique.

Elle le regarde droit dans les yeux un long moment.

— Je ne me suis pas présentée, khun Santerre, je m'appelle Wanee Rajadon Na Ayuttayah.

« Princesse d'Ayuttayah, songe le jeune homme, princesse

de la ville qui fut la seconde capitale du Siam, après Sukhotaï et avant Bangkok. » Les récits des voyageurs européens du XVIIe siècle lui reviennent : Ayuttayah, la perle de l'Orient, la Venise de l'Asie, une cité à la splendeur inconnue qui avait même ébloui les émissaires de Louis XIV. Il se lève en même temps qu'elle et lui adresse un waï extrêmement respectueux.

Ce n'est qu'après être sorti du restaurant et avoir marché le long de Ratchadamnoen Klang qu'il s'avise qu'il a oublié de lui poser une question à laquelle toute leur conversation semblait mener : Qu'arrivera-t-il à la Thaïlande et à Bangkok si le roi meurt ?

III

Perrin s'assied dans le fauteuil que lui désigne Fournier, un vaste siège de rotin contourné surnommé « Emmanuelle » depuis le succès d'un film érotique se déroulant en Thaïlande. Le fauteuil est joli mais déçoit par son manque de confort dès qu'on s'y assoit, « un peu comme le film », pense le Belge. Il observe le Français qui a une mine reposée, « l'air de sortir d'une nuit sans rêves ».

A la fin de la soirée chez les Anders, Fournier lui a demandé de passer à sa villa pour « parler des inondations ». Bien qu'ils aient des opinions très différentes sur ce genre de sujet, Perrin n'a pas hésité à accepter. Sans oser se l'avouer, il ne désespère pas de convaincre le chef de travaux du bien-fondé de ses conceptions.

Expert en développement aux idées originales, Perrin avait publié plusieurs livres extrêmement critiques à l'égard des organisations internationales de coopération avant d'être engagé par l'un des organismes qu'il avait attaqué avec le plus de virulence, la Banque mondiale. Il ne se fait aucune illusion à ce sujet, son nom sert d'alibi à la BIRD, comme l'appellent les Anglo-Saxons, mais, lors des discussions finales, son avis, toujours trop « utopiste » pour les financiers du siège, est régulièrement neutralisé. Il n'est entré à la BIRD que parce qu'il faut bien vivre.

La présidence de McNamara, dans les années soixante-dix, et les rapports « idéalistes » de celui-ci lui avaient bien donné quelque espoir de voir les originaux comme lui triompher, mais les technocrates avaient vite repris le dessus après la retraite de l'Américain. La Banque mondiale était plus que jamais un instrument politique aux mains des Occidentaux, son credo néoclassique, fondé sur la « modernisation » et le libéralisme, dissimulait mal ses orientations stratégiques : aider le Chili de Pinochet plutôt que celui d'Allende et les Philippines de Marcos plutôt que l'Ethiopie de Mengistu.

Dans tous les rapports qu'il adresse au siège, Perrin dénonce le libre-échangisme, qui accroît la misère des plus pauvres, et le contrôle politique, qui garantit une aide à la Thaïlande non pas tant qu'elle sera un pays où l'on est mal nourri mais aussi longtemps que les USA la compteront au nombre de leurs alliés. A juger du peu d'effet, il est persuadé que les milliers de feuillets qu'il a noircis ont fini dans la corbeille de quelque bureaucrate new-yorkais.

Pour l'instant, il se trouve face à un partisan effréné du libre-échange planétaire, l'un de ceux qui ont fait de Bangkok ce monstre épuisé mais « moderne ». Il s'agit de lui démontrer la fausseté de ses idées.

Assis devant lui, Fournier le regarde droit dans les yeux en tripotant son collier de barbe. Il se demande par où commencer. Il a fait venir le Belge pour connaître l'ampleur et la durée probable des inondations qui perturbent les travaux de l'hôtel. L'autre soir, Perrin a eu un drôle de mot, il a parlé d'abandonner Bangkok comme on abandonne un bateau en perdition, il veut en avoir le cœur net.

— Je voulais vous voir, Perrin, parce que vous semblez en savoir un peu plus que nous tous sur ces fichues inondations. L'eau n'arrête pas de monter, qu'est-ce qui se passe ? Vous travaillez sur un projet de digue, je crois ?

— Oui, une digue géante qu'on construirait à l'est de la ville pour empêcher Bangkok de « prendre l'eau » chaque année, à la saison des pluies. Franchement, je n'y crois pas beaucoup.

— Il faudrait tout de même faire quelque chose.

— Sans doute, mais pas ça. Oh ! bien sûr, ça réduirait le niveau des eaux en novembre, mais le danger n'est pas là.

— Je ne comprends pas.

— C'est simple ! les inondations « classiques » sont dues à trois causes : la crue de la Chao Praya, qui reçoit d'énormes quantités d'eau de ses affluents du Nord, les fortes marées de la mer de Chine, qui remontent jusqu'à Bangkok, et l'insuffisance du système d'égouts. Tout cela n'est pas trop grave et pourrait être combattu sans problème par la construction de digues géantes, de canaux de diversion et même de barrages contre la marée. C'est ce que tend à faire le Bureau de lutte contre les inondations de Bangkok, du travail sérieux...

— Eh bien ?

— Tout ça, c'est très bien ; mais supposez que vous soyez dans un bateau qui est en train de couler. Est-ce que vous allez consacrer vos soins à écoper l'eau ou à remédier à l'enfoncement de ce navire en travaillant sur la cause du naufrage ?

— Je ne vois pas, dit Fournier irrité par le ton un peu doctrinaire du Belge.

— Bangkok est à peu près dans ce cas, reprend Perrin en se carrant dans son fauteuil « Emmanuelle » décidément bien inconfortable, nous sommes ici à environ un mètre trente au-dessus du niveau de la mer, mais — et tout le problème est là — ce chiffre décroît. Bangkok s'enfonce de dix centimètres par an, notez bien que c'est *la seule* ville au monde à sombrer si rapidement... C'est un Hollandais, dans les années quatre-vingt, qui a lancé le premier cri d'alarme. Il avait déjà prédit — la voix du Belge se fait plus sourde — qu'à moins d'énormes efforts de la part du gouvernement, la ville pourrait devenir inhabitable à moyen terme.

Il se penche vers Fournier, comme pour lui faire une confidence :

— Bangkok abandonnée, comme un navire prêt à sombrer !

— Les causes de l'enfoncement ? demande le Français, inquiet pour « son » hôtel.

— On les a découvertes après les inondations de 1975, les plus fortes de ces quarante dernières années... jusqu'à celles-ci. Le sol de Bangkok est composé de trois couches d'argile distinctes qui renferment de vastes nappes d'eau souterraines. Or, on a pompé cette eau, non seulement pour la consommation des habitants mais surtout pour construire tous les gigantesques buildings qui forment la Bangkok moderne. Le pompage s'est tellement accentué ces trente dernières années qu'il a provoqué l'enfoncement de la ville. C'est aussi simple que ça.

Incrédule, Fournier attend qu'il poursuive en lissant son collier de barbe. Il lui semble écouter quelque fantastique légende qui ne saurait concerner son hôtel, la chose la plus vaste qu'il ait osé rêver. Le Belge continue en baissant de plus en plus la voix afin d'obliger son interlocuteur à se pencher pour entendre :

— Si on continue ainsi, au mépris de tous les avertissements donnés par tous les experts qui se sont succédé sur ce vaste foutoir, la ville n'en a plus que pour quelques semaines, moins peut-être, car ces inondations n'arrangent rien.

Il hausse à nouveau le ton, en bon rhéteur soucieux de mettre en valeur sa conclusion :

— Il paraîtrait que de nouvelles crues se préparent. S'il en est ainsi, je vous le dis, il n'y a qu'une solution : arrêter tous les pompages, surtout ceux des constructions.

Il se tait. Fournier vient de blêmir, montrant à quel point il comprend les propos du Belge. Sans un mot, il se lève, signalant ainsi à Perrin qu'il peut partir. Celui-ci quitte son fauteuil mais ne s'avoue pas battu :

— La seule solution, Fournier... sans quoi vous bâtirez de prodigieux châteaux sur un naufrage.

Le Français, très pâle, refuse de serrer la main du Belge quand celui-ci la lui tend. Muet, il désigne la porte à l'intrus qui vient d'oser remettre en question la construction du Bangkok Intercontinental. Perrin hausse les épaules, sourit d'un air mi-supérieur mi-indulgent et se dirige vers la sortie.

C'est alors qu'il la voit. Dans l'embrasure d'une porte, au milieu d'un couloir qui doit mener à une chambre. Elle a sûrement écouté — et compris ? — leur conversation. En un instant, il oublie inondations et constructions, développement et Banque mondiale, et surtout les avertissements des hommes qui avaient longtemps vécu en Thaïlande, ces voix graves qui parlaient des Thaïes avec des soupirs de créatures tombées du paradis terrestre. Tous avaient dit la même chose, le seul remède contre la passion des Thaïlandaises — mal incurable s'il en est —, c'est de les trouver toutes pareilles, c'est-à-dire insignifiantes. Corps d'enfants gracieux et sourire poli, l'image stéréotypée de l'Asiatique. « Tu es perdu — mais qui lui avait donc dit cela ? — si tu commences à voir l'extraordinaire délicatesse de leur peau, la grâce de leurs gestes, la finesse de corps de ces anges aux yeux d'amande. Si tu succombes à cela, la Thaïlande te tient. Moi, je n'ai plus jamais regardé une Occidentale... »

Les conseils de mâles épuisés par l'Asie mais qui avaient pour un bref instant retrouvé leur jeunesse, lui reviennent, cette fébrilité qui s'emparait d'eux lorsqu'ils parlaient des Thaïlandaises. « Elles ont les plus jolis mollets du monde, fins, délicats, flexibles dirait-on et lisses ! et leur corps, et leur visage !... Elles ont l'air d'enfants, et rien n'est plus doux que cela, un être magnifique, doué d'innocence et de beauté, dépouillé de toute naïveté, de toute servilité ou bêtise, cet être parfait que je nomme, sans la nuance péjorative désignant les dindes qui usurpent habituellement ce nom, la *femme-enfant,* une espèce supérieure de femme. »

Dans l'embrasure de la porte, elle lui sourit ; par habitude, il le sait, et cette pensée lui est presque douloureuse. Derrière, Fournier attend sans bienveillance qu'il vide les lieux. Elle penche légèrement la tête vers la droite, ses lourds cheveux suivent le mouvement d'un bloc. Fournier attend toujours. « Encore un instant à contempler cette apparition, monsieur le bourreau ! » Elle baisse les yeux, surprise de son insistance. Comment lui expliquer ? Il sent que Fournier s'approche, va le toucher. Elle l'a probablement aperçu, elle fixe quelque chose dans son dos, de ses yeux d'oiseau. Elle lui adresse un léger signe de la main puis rentre dans la chambre et sort de son champ de vision.

Il n'a pas le courage d'ouvrir la porte. Il faut que ce soit Fournier qui le contourne et manœuvre la poignée. Il sort enfin, en condamné.

Au bout du soï, il attend longuement en pensant à l'admirable vision. Puis vient le moment où il lui faut faire demi-tour et s'en aller résolument vers le tumulte de l'avenue.

Elle se trouve à dix mètres de lui, souriant à l'ombre d'un immense bananier. Bangkok aurait pu sombrer en cet instant, il n'en aurait pas été plus ému.

Il s'approche avec précaution, crainte de dissiper la troublante vision. Le même sourire sous les longues feuilles dentelées. Au cœur d'une gerbe, il aperçoit une fleur rose aux pétales recroquevillés pour se protéger du flamboiement de la journée. Elle a légèrement relevé son sarong afin qu'il ne soit pas mouillé, l'eau lui arrive aux genoux. Il distingue la blancheur de la peau de sa cuisse, une peau de Chinoise.

Lorsqu'il arrive près du bananier, elle se cache derrière le tronc avec un rire cristallin qui amène un sourire aux lèvres du Belge. Il s'arrête. Bientôt elle passe la tête à gauche du tronc, furtivement, il a le temps de noter l'ovale parfait du visage et la blancheur éclatante des dents avant qu'elle ne contourne à nouveau l'arbre pour se placer de l'autre côté et lui faire face. Elle ploie légèrement les genoux et, lâchant son sarong dont le bout touche l'eau, lui adresse un waï d'un respect moqueur. Elle attend ensuite qu'il lui dise quelque chose, les falangs sont de grands bavards.

Il essaie de rassembler ses souvenirs de thaï. Peine perdue, elle parle anglais. Devant le désarroi visible du falang, elle a en effet pris la parole :

— Vous allez me demander comment je m'appelle, c'est toujours ce que demandent les falangs en premier.

— C'est important, non ?

— Pas plus que ça — elle hausse les épaules —, vous m'auriez suivie sans connaître mon nom, n'est-ce pas ?

— Quel est ton nom ?

— Je m'appelle Finn, ça signifie « opium » en thaï. Je fais beaucoup rêver les hommes.

— Je m'appelle Laurent, ça ne signifie rien.

— Les falangs sont comme les esprits, on ne sait jamais à quoi s'en tenir avec eux !

Elle continue à sourire. Ses yeux très noirs ne cillent pas en soutenant le regard du Belge. Il y voit passer par instants une lueur de gaieté qui le ravit. Elle est beaucoup plus petite que lui mais parfaitement proportionnée. Sur son tee-shirt blanc, une inscription en lettres vertes et rouges : « I'M YOURS IF YOU'RE MINE FIRST. » Le Belge s'approche encore afin d'entrer dans la fraîcheur ombrée du bananier. Elle se recule un peu, lui laisse une petite place, puis elle s'accroupit pour se reposer, selon la coutume asiatique. D'en bas, elle le dévisage avec un air narquois tandis qu'il se creuse la tête pour dire quelque chose de spirituel sans rien trouver.

— Je travaille pour la Banque mondiale, et toi ? demande-t-il, écœuré par la banalité de sa question.

— Mon métier ? J'en ai un qui n'en est pas un, je suis amoureuse.

— C'est un métier, ça ?

— On en vit, avec un peu d'eau fraîche...

— Les fins de mois doivent être difficiles.

— Les fins de nuit surtout. Mais j'avais la vocation.

— C'est-à-dire ?

— Ce sont les hommes qui me l'ont dit... la seule chose que j'ai apprise depuis, c'est que ce sont de grands menteurs. Mais, finalement, c'était peut-être ça, avoir la vocation, être assez crédule pour penser qu'ils sont sincères.

— Ou être assez sincère pour les rendre crédules. Dans ce « métier », l'amour doit engendrer l'amour.

— Pas mal pour un homme ! mais, méfie-toi, tu pinces trop les lèvres quand tu parles d'amour. Tu ne joues qu'à moitié, tu deviendrais vite ennuyeux.

Elle se relève et descend du promontoire où elle se tenait. Avec une grâce innée, elle prend la main de Perrin et l'entraîne vers Sukhumvit.

— Je suis sûre que tu as un peu de temps à me consacrer, lui dit-elle avec malice, allons nous promener !

Ils marchent longtemps dans Sukhumvit puis Ploenchit. Ils passent devant les grands magasins Chidlom et le Brahma de l'Erawan Hotel, non loin du chantier du Bangkok Intercontinental. Les eaux noires qu'ils fendent ne gênent pas Perrin, il n'y voit plus l'obscure menace inlassablement signalée à des Fournier qui refusent d'entendre. Il les traverse main dans la main avec Finn, se faisant un jeu d'éviter les déchets qu'elles charrient et s'amusant des crapauds qui y nagent avec des petits coups secs de leurs pattes postérieures.

Ils s'arrêtent devant un étal de cassettes, ces cassettes piratées qui valent trois fois moins cher qu'en Europe. De ses mains arachnéennes, elle fouille la masse multicolore et en extrait une qui est intitulée *Songs for making love,* un pot-pourri de ces chansons sentimentales des années soixante dont raffolent les Thaïs. Elle la montre à Perrin en lui demandant d'une voix narquoise :

— On pourrait l'essayer ensemble ?

Il ne peut répondre. Le souffle coupé, il lève les yeux et aperçoit le ciel où de lourds nuages plombés dissimulent complètement le soleil, la pluie ne va pas tarder. Il éclate d'un rire d'enfant comblé tandis qu'elle paie la cassette.

Le gloo ay tanee est l'un de ces bananiers qu'on rencontre assez fréquemment au détour des soïs de Bangkok. Promesse mensongère que cet arbre, ses fruits, bourrés de graines, sont immangeables. Si on se hasarde à en goûter, la bouche emplie de pépins piquants, on ne tarde pas à tout recracher, déçu.

Les vieux de Bangkok racontent que le gloo ay tanee est un arbre maudit. Ils vous disent à voix basse qu'il est la demeure d'une fée, Nang Tanee. Les soirs de pleine lune, murmurent-ils, quand les jeunes gens ont la tête emplie de rêves, elle sort de sa cachette. Grande est sa beauté, et le malheureux passant la voit trop bien au clair de lune. Il s'approche, émerveillé, et elle lui fait l'amour avant de disparaître. Désormais, il reviendra nuit après nuit afin de retrouver la belle qui l'attend pour boire sa vie. En sept jours, elle sera consumée par l'amour de Nang Tanee et il mourra dans d'atroces souffrances.

C'est pourquoi, si un jeune homme de Bangkok devient faible et commence à maigrir, les vieux se mettent à chuchoter sur son passage et on l'empêche, la nuit venue, d'aller retrouver la mauvaise fée près du gloo ay tanee.

Allongé sur le lit de la chambre d'amis, dans la villa de Fournier, Bower songe à la légende.

Après sa nuit avec Tim, « le fiasco », il a eu envie de se venger du destin en s'en faisant l'instigateur. C'est pourquoi il a indiqué à Finn le chemin qui lui permettrait de parvenir au bananier avant Perrin. Le Belge semblait avoir une telle envie de lui parler... L'Australien a un sourire mauvais en les revoyant partir tous deux main dans la main. Ni l'un ni l'autre n'ont remarqué que l'arbre sous lequel ils se sont rencontrés est un gloo ay tanee. Bower a choisi pour eux. « Et Perrin qui ne connaît pas les légendes thaïes ! » songe-t-il, le visage déformé par un rictus.

Il appuie sur un bouton placé près de la table de nuit. Aussitôt, le ventilateur de plafond se met à tourner, lentement d'abord puis de plus en plus vite, jusqu'à ce que les pales se confondent. Ce n'est pas qu'il veuille du mal à Perrin ou à Finn — du reste, il ne croit qu'à demi au mauvais présage que le bananier laisse peser sur eux — mais sa nuit avec Tim l'a excédé. Il n'a cessé de songer à Fournier qui, à côté, faisait l'amour à la plus jolie femme qu'il eût vue. Il s'est défoulé en jouant au démiurge avec le Belge et la Chinoise, bien qu'il sache qu'en Thaïlande, il ne faut jamais plaisanter avec les légendes.

Une grimace, il repense à Tim. Quel âge pouvait-elle bien avoir ? Elle en faisait trente mais elle était asiatique, elle devait bien en avoir dix de plus. Nouvelle grimace, bien proche de son âge, quarante-deux ans. « L'âge où la fin se planifie, pense-t-il parfois, le moment où l'on décide des sacrifices à faire au temps. » Jusqu'alors, il a sacrifié sans compter, sans prévoir... son roman, ce livre écrit en quelques mois dans la fièvre de son arrivée à Bangkok, n'a jamais été publié. A raison, lui semble-t-il aujourd'hui, il répondait trop au cliché de l'Occidental vieilli aux prises avec la jeune Asie. Ses photos, toutes ces images qui dorment dans des tiroirs, sa tête ou sa mémoire, il n'a plus le courage de courir les éditeurs pour les faire découvrir. « Trop risqué... et trop tard. » Son art ne sera que pour lui.

Il reste ce livre sur la culture thaïe entrepris voilà trois ans. Il hésite encore à l'achever, il a vu tant de ces Occidentaux fascinés par l'exotisme chercher « à comprendre » ce monde d'harmonie et de sang-froid. Lui leur dirait que cet intérêt ne vient que de leur impuissance ; c'est parce qu'ils sont fatigués d'eux-mêmes qu'ils se tournent vers l'absolument différent. Et, en y réfléchissant bien, son livre échappe-t-il à cette loi ?

Pourtant, il le veut ce livre, avec toute la force aveugle d'un homme qui s'apprête à saisir sa dernière chance.

Il s'allonge sur le côté et cherche le sommeil qui ne vient pas. Il rêve, un rêve qui ne l'a pas quitté depuis dix ans. Bangkok en ville nouvelle, sa première Thaïlandaise. Une semaine d'amours comme il n'en avait plus espéré depuis l'adolescence, de ces nuits tropicales où l'on ne peut dormir parce qu'on est trop heureux, nuits d'ivresse qui s'accordent si mal au repos et à la mort, nuits d'éternité.

Après une semaine, il avait voulu quitter la fille. Il le lui avait dit sans détour. Elle avait souri. Il n'avait rien compris, il avait insisté. Elle avait souri davantage. Il ne connaissait pas encore les Thaïes mais celle-ci allait lui donner un cours en accéléré. Soudain, elle avait bondi du lit, avait pris un verre posé sur la table et l'avait cassé sur le rebord. Il s'était levé juste à temps, au moment où elle s'élançait sur lui, le verre brisé brandi devant elle.

Il lui avait fallu un quart d'heure pour la maîtriser et réussir à quitter la chambre, une petite bonne femme qui lui arrivait aux épaules et avait les bras deux fois plus fins que les siens ! Par la suite, il avait dû changer d'hôtel et même de quartier.

L'image de cette fille passée sans transition du sourire angélique à la haine pure l'avait hanté. Jamais auparavant il n'avait vu un être se contrôler aussi parfaitement puis libérer sa colère avec une telle démence. C'est cette maîtrise presque parfaite des Thaïs qui constitue le cœur de son livre. Ces gens acceptent, jusqu'à un degré très élevé, de souffrir intérieurement pour préserver le calme et la sérénité des relations humaines. Il voit dans cette primauté que les Thaïs accordent aux relations sociales sur l'ego, le signe d'une civilisation supérieure.

Les Thaïs nomment cette vertu « le cœur froid ». Avoir le cœur froid, c'est savoir que l'agressivité et la haine sont les premières causes de souffrance, qu'elles attirent les mauvais démons, et d'abord la violence, et qu'il n'y a qu'un seul malheur, s'abandonner à elles. C'est pourquoi le sourire en Thaïlande lui apparaît comme un acte social et même religieux.

Voilà ce que Bower remâche depuis des années. Il a trouvé un monde où l'individualisme le cède à l'harmonie sociale. Il est si tentant d'y entrer et de sourire à son tour, de jouer au parfait Thaïlandais. Une seule chose le fait enrager, il est toujours considéré comme un outsider. Les Thaïs le félicitent de ses manières parfaites mais ne songeraient jamais à lui imposer les devoirs qu'ils s'assignent. C'est ainsi qu'il ne sent rien de la terrible pression que le rang, le pouvoir, l'âge font peser sur les faibles et les démunis du pays. Tout au plus la soupçonne-t-il. Le cœur froid n'en survit pas moins comme un idéal, l'une de ces tournures d'esprit qui lui semblent pouvoir changer le destin d'une civilisation. On le surprendrait en lui expliquant qu'il est tout bonnement prodigieusement heureux dans cette Asie lumineuse où il a senti s'évanouir le sentiment du devoir.

Il se retourne sur le drap légèrement moite, la chaleur du jour commence à se répandre dans la villa, le ventilateur le rafraîchit à peine. Le sommeil ne viendra plus.

Qu'a-t-il à ajouter à ce livre ? La description de la « meta » bouddhiste, ce sentiment à mi-chemin de l'amabilité et de l'amour du prochain qui fait des Thaïs de merveilleux compagnons, de cette espèce si rare qui sait exactement, grâce à une attention scrupuleuse à l'autre, quand le silence et la réserve sont préférables à tout ? « Mais alors, pense-t-il, pourquoi être l'amant de tant de femmes et l'ami de si peu d'hommes ? » Il écarte vite cette question gênante. La Thaïlande lui revient maintenant sous formes d'images, merveilleux album coloré dont il soupçonne l'artifice.

Il appuie sur un autre bouton marqué « super high » et le ventilateur accélère sa rotation.

Cette femme aperçue un soir devant le Brahma de l'Erawan, la poitrine nue. En secret, elle faisait l'offrande au dieu, connu pour apprécier les beautés du corps féminin, du spectacle de ses jolis seins. Elle n'avait pas dû découvrir sa poitrine pour d'autres hommes que son mari, se répétant inlassablement les leçons puritaines de sa mère. Et lui, Bower, à l'abri de la statue du dieu, avait contemplé chacun de ses gestes. Il se souvient de cette poitrine sans défaut, d'une chasteté inattaquable, entrevue à la lueur des bougies qui brûlaient en l'honneur du Suprême. Chacune de ses nuits en Thaïlande avait retenu quelque chose de la saveur mortelle de ce spectacle. Dix ans qu'il était à Bangkok, il lui arrivait de penser qu'il était resté à cause de cette femme.

IV

— Qu'est-ce que tu veux ?

Bower s'approche d'une étagère où sont entreposées diverses bouteilles et interroge Susu du regard.

— Whisky !

Elle a dit ça d'un drôle de ton décidé, avec une moue de sérieux enfantin. Il prend la bouteille de Chivas et va chercher deux verres à la cuisine. Sa bonne est absente aujourd'hui. Quand il revient dans la salle de séjour, elle s'est assise sur le canapé, les jambes repliées sous elle, elle serre un coussin contre sa poitrine.

Ils se sont rencontrés voilà une heure. Dans la rue. Elle attendait le bus, vêtue d'un magnifique ensemble de soie bleu foncé qui mettait sa silhouette en valeur. Il n'avait pas résisté au plaisir de l'aborder. Il est si facile de plaire en ce pays lorsque l'on est falang et qu'on sait un peu y faire.

En souriant, il emplit le verre de Susu. Quand il estime avoir atteint une quantité raisonnable, il s'arrête, étonné qu'elle ne lui dise rien. Elle s'agite nerveusement sur le canapé, lui adresse de petits gestes vifs de la main : « Continue, continue ! » Ce n'est que lorsque le verre est plein à ras bord qu'elle consent à le prendre. « Elle croit que c'est du jus d'orange ou quoi ? » songe-t-il, puis il se dit que c'est bon signe, qu'il l'aura plus facilement, tout en s'indignant négligemment d'avoir eu cette pensée.

Il s'assied à deux mètres d'elle, veillant à ne se permettre aucun geste qui pourrait lui paraître trop familier. Il n'oublie pas qu'il y a seulement cinquante ans, il était interdit aux hommes thaïs de poser la main sur un métier à tisser parce que celui-ci était considéré comme une extension de la personnalité féminine. Dans un monde aussi puritain, la femme devenait intouchable. On prétend que dans certains villages du Nord-Est, une jeune fille qui a été simplement touchée par un homme peut aujourd'hui encore lui réclamer une amende par voie de justice.

Elle a avalé son whisky d'un trait, sans même avoir eu l'air de le sentir. Déjà elle tend son verre. Il lui verse la même dose de cheval.

Elle a cette beauté sino-thaïe qui émeut toujours l'Australien, une peau fine et lisse qui donne au visage l'aspect de l'albâtre. Tous ses traits s'unissent en une harmonie courbe et pleine dont le point central est un éternel sourire dévoilant des dents de neige.

Il sent que le moment est venu de lui dire quelque chose, de briser la bulle de silence dont le confort risquerait de les gêner à la longue. Il connaît déjà son nom, son métier, secrétaire, son enfance dans le Nord. Il faut trouver d'autres banalités, au tour plus intime. Depuis quelques minutes, sa nuque bat douloureusement, il a reconnu l'une de ces migraines qui viennent si facilement sous les tropiques.

— Tu es belle, Susu, tu as une peau de lait... les Chinoises ont cette peau, comme les Thaïes ont une peau de miel. Mais les deux ont la saveur des fruits de Thaïlande.

Que de platitudes ! mais la migraine l'empêche de se concentrer. D'ailleurs, il n'est pas sûr qu'elle apprécierait des compliments plus recherchés.

Elle ne répond pas. Elle finit son deuxième whisky et tend à nouveau son verre. Il verse une nouvelle rasade. Il se demande si elle pourra encore marcher tout à l'heure, vers la chambre.

— Tu mens ! Je ne suis pas belle !

Elle vient de rompre le charme, et d'engager l'éternel jeu de la coquetterie. Elle veut entendre de jolis mots dits par un beau falang qui lui fait penser aux contrées lointaines aperçues au cinéma. Quand elle en aura eu tout son saoul, elle fera ce qu'il voudra, mais, d'abord, qu'il lui serve ses fadaises de don juan exotique.

Ecœuré par sa propre veulerie, sachant parfaitement qu'il ne pourrait supporter qu'elle repasse le seuil de cette maison sans avoir fait l'amour avec lui, il capitule. Seule la beauté de la fille qui est en face de lui le préserve du désespoir.

— Tu es belle ! reprend-il d'un ton qu'il espère convaincu. Tu as la beauté des Chinoises, l'air altier des princesses et la saveur des neiges éternelles.

Les mots lui collent au palais comme après une nuit de beuverie. Son mal de tête s'accentue, dix ans d'excès à Bangkok lui ont donné une santé de papier mâché.

— Puis-je espérer qu'elles ne fondront que pour moi ?

— Peut-être. Mais il faut du temps à la montagne pour se dépouiller de son manteau.

Il lui sourit en évitant de paraître trop triste.

— Bien répondu ! on a raison de dire que la langue est l'épée des femmes et qu'elles ont soin de ne pas la laisser rouiller.

En soupirant discrètement, il ajoute :

— Vais-je me blesser à ton épée ?

— Et moi à la tienne ?

Que devient sa haute idée de la Thaïlande à présent ? Il a pris soin de boucler sa maison à double tour et de se calfeutrer afin que personne n'assiste à ce douloureux spectacle, un falang défraîchi courtisant une jeune fille thaïe en lui servant les mensonges qu'elle quémande. Mais il a compris qu'il est de ces hommes qui font beaucoup l'amour car ils voient partout la mort. Il se résigne à ces cours minables parce qu'elles le préservent d'un absolu désespoir.

— Voudrais-tu devenir mon amie ?

Il connaît parfaitement la marche à suivre, la blancheur de la voix avec laquelle il faut dire ces mots, l'émotion que doit refléter le regard. Il possède toute la subtile hypocrisie qui amène les femmes à vous donner leur corps comme pour vous remercier d'avoir créé l'illusion de l'amour.

Elle sourit, le réflexe thaï dans une situation embarrassante. Il aurait pu lui décrire ses réactions avant qu'elle ne les ait. Il sait maintenant qu'il faut lui prendre doucement la main. Elle a un geste de refus, mais le laisse faire lorsqu'il insiste.

— Je voudrais être ton ami.

De sa main libre, elle attrape son verre et boit doucement en l'interrogeant du regard. Elle veut d'autres mots jolis. Malgré la migraine qui ne cesse de croître, il poursuit :

— Je veux être ton ami parce que j'ai senti quelque chose de spécial entre nous deux ; je veux dire, lorsque je t'ai vue...

Il est au-delà de la honte. Seul le désir existe, et la peur qu'il permet d'oublier mais qui est là, derrière, et qui reviendra si elle ne se donne pas à lui.

Elle retire vivement la main.

— Tu veux coucher avec moi parce que je suis belle, c'est tout !

« Il y a de ces cas, pense-t-il, où l'aveu de la vérité oblige à prolonger le jeu des mensonges. »

— Tu te trompes, fait-il gravement, je crois que...

En désespoir de cause, il a recours au mot galvaudé, presque jamais décisif et que, par un vieux fonds de superstition, il hésite à dire :

— que... je t'aime.

Il boit rapidement le reste de whisky qui traînait dans son verre avant de s'en servir une nouvelle dose. Elle sourit, charmée d'entendre ces paroles.

— Tu tiens vraiment à m'avoir pour mentir à ce point !

— Je veux que tu me croies ! s'écrie-t-il, presque sincère, à demi rassuré de se sentir si proche d'une émotion authentique.

Elle inspecte la pièce afin de vérifier que personne ne peut les surprendre dans cette position embarrassante. L'Australien évoque aussitôt ses théories sur la culture thaïe ; on a parlé d'une culture de la honte plutôt que de la culpabilité, c'est-à-dire que le crime — et coucher avec un homme auquel on n'est pas marié en est un — importe peu s'il n'est pas connu. Pas de témoin, pas de coupable. Dès qu'elle est assurée qu'ils sont seuls, elle lui prend la main et se rapproche. Elle a senti que le falang ne supporterait pas d'en dire plus, il est temps de lui accorder sa récompense, après une dernière pirouette :

— Tu m'emmèneras avec toi, dans ton pays ?

— Bien sûr !

Bower est au bord des larmes. Dix années de tromperies pèsent sur lui. Chaque fille qu'il séduit est identique à la première, belle et avide de ses mensonges avec, dans un secret repli de l'esprit, l'espoir fou qu'il dit la vérité et qu'il l'arrachera à cet enfer qu'est Bangkok. Il lui prend la main. Il sent que tout à l'heure, après l'amour, sa migraine de vieux colonial lui fera passer de sales moments. Il se lève et l'entraîne vers la chambre.

Au seuil de la pièce, elle le dévisage en plissant les yeux, comme si elle reconnaissait une figure familière. Puis elle va droit à la salle de bain. Bientôt, il entend couler la douche.

Il s'assied sur le lit et tente en vain de réfléchir, trop énervé, anxieux d'assouvir ce désir illimité qui lui creuse l'estomac. Même la migraine s'est éloignée pour un moment. Il l'attend. Elle sort enfin, une serviette enroulée autour du corps. Au moment où il pénètre à son tour dans la salle de bain, il l'aperçoit qui se glisse pudiquement entre les draps. La douche glacée ne l'apaise pas. Son cœur bat toujours aussi fort quand il revient dans la chambre.

Il entre dans le lit, elle se recule, craintive. Il lui sourit gentiment et colle son corps contre le sien, sa peau grise d'homme précocement vieilli par le climat contre la chair de la jeune Chinoise.

Puis elle se livre, excluant tout sens du pathétique occidental. Pour la millième fois, il découvre, émerveillé, l'urgence sexuelle de ces femmes, brimées par une société puritaine, qui prennent le sexe comme elles ont soif. Elles le savourent comme un délice sombre et caché qui n'en est pas moins l'épice de la vie. Pas plus que les autres, Susu n'a la moindre idée du mal qui est au cœur du sexe pour un homme comme Bower, la chair est belle, bonne, douce à caresser au creux de lits secrets. Son innocence la protège, tout entière, « parce que, se dit l'Australien, elle voit un arbre et pense : “ C'est un arbre. ” Sans aller plus loin, vers cette conscience amère qui ôte toute idée du bonheur. »

En elle, il oublie ses demi-vérités, sa lâcheté de tout à l'heure. Les jambes de Susu s'envolent joyeuses par-dessus lui qui s'ébahit de tant de légèreté, de grâce et de jouissance immédiate. Il aperçoit les doigts de pieds de son amante, crispés, écartés les uns des autres, indiquant un plaisir intense. Enfin, il est rasséréné, emporté dans la tumultueuse gymnastique des dieux qu'est l'amour avec ces femmes flexibles comme des roseaux, aux prises avec un absolu qui éloigne la honte, la peur et la mort.

Au réveil, il ne voit plus Susu, il ne voit plus la chambre, il ne voit plus rien. Il est aveugle.

V

Narong précède Eg dans les tortueux couloirs qui mènent à l'antre de Khun Cheen, la seule pièce du sous-sol qu'on ait mise à l'abri des inondations, grâce à un système compliqué de digues qui en rend l'accès malaisé. Les deux hommes doivent enjamber à plusieurs reprises des sacs de sable, contourner des barrages de planches et de tôles aussi hauts que les murailles avant d'aboutir à une porte blindée près de laquelle se trouve un interphone.

Narong donne le mot de passe, « maître Kung », et la porte s'ouvre automatiquement. Eg pénètre dans la pièce obscure et un peu crasseuse, Khun Cheen est à genoux devant une urne funéraire sous laquelle sont déposées une photo et diverses offrandes. Il ne se relève pas tout de suite, permettant à Eg de se déchausser. Les eaux ont encore monté, surtout dans les ruelles borgnes de Chinatown. Il constate en grimaçant que ses chaussures mouillées portent tous les stigmates de son expédition à travers la jungle urbaine. Décidément, seuls les Chinois peuvent accepter de vivre dans ces rues puant l'égout. En bon Thaï, Eg cultive une solide dose de mépris pour les Chinois tout en reconnaissant leur prodigieuse capacité de travail. Il déteste la ville chinoise pour ce qu'elle représente de labeur mal récompensé : pour un Chinois qui a réussi et émigré hors de ce ghetto, combien de misérables qui accomplissent patiemment une tâche dont ne voudraient pas les chiens (et encore moins les Thaïs) ?

Il essuie tant bien que mal le bas de son pantalon civil et attend que Khun Cheen ait fini sa prière, « même lui peut prier ! ». Le désordre de la pièce ne l'étonne plus, c'est la marque d'une demeure chinoise. A ses yeux, c'est le signe d'une pensée qui n'a pas fait le tri entre ce qui est bien ou mal, sain ou malsain, propre ou sale. Les Chinois paraissent accepter la vie dans sa diversité, sans souci de classement ; ils vivent avec tous les êtres, toutes les choses. « Le monde doit leur sembler vaste, pense Eg, et sans barrières. »

Seule l'absence de luxe, presque la pauvreté de la pièce le surprend. A l'exception du trône rouge et or où s'assied Khun Cheen quand il reçoit des visiteurs, il ne voit aucun de ces objets coûteux, et souvent hideux, dont aiment à s'entourer les riches Chinois. S'il avait les revenus de Khun Cheen au lieu d'être simple lieutenant de police, il le montrerait. Et d'abord en entretenant de nombreuses maîtresses. Le Chinois, lui, n'a pas même une amante ; au contraire, il vénère les cendres de cette femme dont Eg aperçoit la photo, et qui semble avoir été son épouse.

Khun Cheen se relève lentement et se tourne vers Eg. L'air respectueux du policier le ferait presque sourire, avec ses cheveux coupés en brosse et son énorme lentille sur la joue gauche, le malheureux Eg manque singulièrement de prestance. Peut-être l'uniforme lui donne-t-il plus belle allure, mais, vêtu comme il l'est d'une chemise thaïe au col rond et d'un pantalon en tire-bouchon, ce petit homme raide aurait du mal à impressionner qui que ce soit. Il faut néanmoins le ménager. Khun Cheen sait que sans ce policier corrompu, nombre de ses bordels de Patpong seraient fermés. Il lui adresse donc un waï respectueux qu'Eg lui rend avec la même gravité. Puis le Chinois s'assied sur son trône et fait signe au policier de prendre place en face de lui.

— Excusez-moi de vous avoir fait attendre, dit le Chinois avec son curieux accent sifflant, je priais l'esprit de ma femme.

Eg regarde instinctivement la photo noir et blanc qui se trouve sous l'urne, le visage d'une femme d'une trentaine d'années qui commençait sans doute à s'empâter. Ni belle ni laide, la Chinoise du coin de la rue. Il se sent obligé de faire un compliment :

— Ce devait être une femme remarquable.

— Dans mon souvenir au moins, et ce n'est déjà pas si mal.

— Je... suppose qu'elle a... disparu il y a longtemps ? Cette fidélité est tout à votre honneur.

— Elle est morte en donnant naissance à mon fils.

Le Chinois se renfrogne en prononçant ces dernières paroles. Eg n'insiste pas. Les hommes de Khun Cheen connaissaient bien l'histoire, il avait voulu donner une éducation radicalement différente à son unique rejeton — et franchement, quand on connaît les interminables séances de mémorisation thaïlandaises, il n'avait pas tort —, c'est pourquoi il l'avait envoyé aux Etats-Unis dès l'enfance. Seulement, là-bas, le gamin était devenu un jeune Américain comme il y en a des millions, un idéaliste trop nourri qui méprisait son père au nom d'une morale de riches. Quand il était revenu en Thaïlande — il devait avoir une vingtaine d'années —, il avait ostensiblement critiqué son père et même, lors d'une dispute, l'avait insulté, chose que tout habitant de Bangkok tenant à sa vie ne se serait jamais permise. Malgré cela, Eg ne s'apitoie pas, « tout homme a sa secrète blessure, celle qui le ronge jusqu'à la fin », le Chinois mérite amplement la sienne.

Après les condoléances de rigueur pour la mort de khun Sombat et quelques considérations hautement immorales sur l'état des « affaires » du Chinois à Bangkok, celui-ci passe aux choses sérieuses.

— Voilà les dix pour cent de la recette du Pink Pig, comme prévu.

Il sort du tiroir de son bureau une liasse de billets violets à l'effigie du roi.

Eg ne fait pas un geste. Le Chinois sourit d'un air encourageant, dévoilant ses horribles dents en or.

— Dix mille baths, ce qui était convenu.

Eg, toujours immobile, détourne la conversation :

— J'ai vu ce Français au live-show, l'autre soir, ce... Fournier.

Le Chinois commence à comprendre, il abandonne la liasse de billets sur un coin de la table.

— Un habitué de ce genre de spectacle, khun Eg, tout comme vous...

— Le Bangkok Intercontinental vous intéresse, n'est-ce pas ?

— Pourquoi le nier ? L'herbe se courbe selon le souffle du vent. Cet hôtel ferait remonter les affaires.

— Plus que ça, sauf votre respect, sans lui, il n'y aurait plus d' « affaires ». Les falangs ont commencé à déserter Bangkok, et ils ne manquent pas de raisons : la pollution, les inondations, cette maladie des yeux dont ils sont les victimes...

— Je croyais qu'il ne s'agissait que de cas limités.

— Le mal s'étend, vénérable Khun Cheen, mais seulement parmi les falangs. Nous avons tous les jours deux ou trois cas nouveaux. Mais là n'est pas la question, je voulais simplement dire que si le Bangkok Intercontinental n'est pas là pour attirer les touristes...

Le Chinois l'interrompt sans ménagement :

— Fournier est une relation précieuse pour moi, vous avez raison !

Eg perd un peu de son calme, il continue à sourire mais ne peut plus soutenir le regard de soupirail du Chinois. Il se frotte nerveusement les mains en essayant de ne pas voir la liasse de billets violets.

— Assez précieuse pour que vous lui donniez...

Khun Cheen découvre ses dents en un sourire qu'il voudrait amical. Il sait bien où le policier va en venir mais il n'est pas décidé à lui faciliter les choses :

— Je ne comprends pas, khun Eg.

— Vous l'avez laissé partir avec — Eg avale à grand-peine sa salive — avec Finn, l'autre soir.

Il a murmuré les derniers mots afin de masquer la note plaintive de sa voix.

Khun Cheen éclaterait de rire s'il ne craignait d'offenser mortellement son interlocuteur. Ce lieutenant de police corrompu qui vient jouer à l'amoureux dans son bureau ! et pour une putain !

— Finn part avec qui elle veut, c'est son métier.

— Non, Khun Cheen, je ne l'ai jamais vue partir après un live-show ! même son partenaire, ce jeune Chinois avec un énorme grain de beauté sur la joue, ce...

— Udom ?

— Udom, c'est ça ! il en était tout désorienté !

Le Chinois est très décontracté à présent. Il sourit largement. Ce genre de scène pour les beaux yeux de Finn s'est produit déjà plusieurs fois. Eg y est chaque fois plus pitoyable, ridicule babouin thaï ! Il n'est pas question de lui laisser la fille ; il y a peu de temps, c'était khun Sombat qui la protégeait, désormais, c'est lui-même, Khun Cheen, qui s'en chargera. Eg devra mettre le prix, et le temps, pour avoir Finn.

— Il est vrai, vous avez raison de le souligner, que khun Fournier est une relation très précieuse.

— Donnez-la moi, pour une nuit, contre la recette de ce soir.

Le sourire du Chinois se fait encore plus doré.

— Khun Eg ! je ne crois pas que nous y gagnerions quoi que ce soit. Ce n'est qu'une fille !

Il ne la lâchera pas. Donner Finn à cet idiot serait perdre un moyen de contrôle inespéré.

— Vous savez bien que ce n'est pas qu'une fille pour moi !

Dès qu'il a prononcé ces paroles, il en a honte. Avouer ainsi sa faiblesse !

— Khun Eg, répond le Chinois avec amabilité, nos relations sont des relations d'argent, nous n'avons aucun intérêt à changer cela. Nous sommes en dehors de la loi, mais ce n'est pas une raison pour ne pas avoir de règles.

Un long silence. Eg jauge la situation : aller jusqu'au bout ? soumettre Khun Cheen à un chantage ? Il est trop petit pour tenter le coup.

— Peut-être pourrions-nous trouver une solution, reprend le Chinois.

Eg relève la tête. Khun Cheen constate avec satisfaction qu'il a bien calculé : à voir la lueur d'espoir qui brille dans les yeux du policier, celui-ci est prêt à donner beaucoup.

— Vous connaissez le policier responsable du quartier où se tiendra le Bangkok Intercontinental ?

Eg a compris.

— Bien sûr, c'est un ami. Il saurait fermer les yeux si je lui parlais... pour une légère somme...

— Cela va de soi, khun Eg, cela va de soi. Nous reparlerons de Finn quand vous m'apporterez des nouvelles de votre ami. En attendant, je vous promets qu'elle ne... travaillera plus en dehors des live-shows.

Il pousse la liasse de billets vers Eg. Imperturbable, celui-ci se lève et l'empoche.

— Bientôt, vénérable Khun Cheen, très bientôt. Sawatdi klap !

— Sawatdi klap.

Après le départ du policier, Khun Cheen demeure songeur. Longtemps il s'était opposé à la construction d'un super hôtel de Bangkok. Il pensait avec fatalisme qu'on devait laisser mourir Bangkok puisqu'elle avait commencé de décliner. Il avait fallu toute l'insistance de khun Sombat pour le convaincre que ce projet était bénéfique. Celui-ci avait ensuite dû intriguer de longs mois dans les milieux politiques pour lui donner une chance de naître ; il avait déployé des trésors d'habileté pour ce qui devait rester sa dernière action, car tous étaient persuadés que Bangkok mourrait, quoi qu'on fasse. Le Chinois avait-il eu raison de l'écouter ? Khun Sombat avait employé à plusieurs reprises un argument dont il s'avise aujourd'hui de l'étrangeté, il avait dit que l'hôtel, même s'il faisait du mal à Bangkok, serait bénéfique à la Thaïlande.

Aussitôt sorti de la ville chinoise, Eg se dirige vers Patpong. Il n'a encore jamais manqué un seul show de Finn, ce n'est pas ce soir qu'il va commencer.

Lorsqu'il arrive au cabaret, les gorilles de l'entrée le laissent passer. Les ordres de Khun Cheen. Il s'assied au premier rang, toujours à la même place, et attend, anxieux comme chaque fois. Ce qu'il ressent lorsque Finn entre en scène n'a de nom dans aucune langue. Comment décrire l'émotion qui s'empare de vous quand la femme que vous aimez est possédée par un autre sous vos yeux et ceux de cinquante étrangers ? Sa consolation est le signe discret qu'elle lui adresse au début de chaque spectacle. Elle est simplement soucieuse de ménager un vieil habitué mais il bâtit des châteaux en Espagne sur cette banale politesse. Deux ou trois fois, à l'issue du show, il a pu lui parler, quelques mots sans intérêt dont son amour a fait des merveilles. Pour le reste, leur relation est la plus étrange et la plus douloureuse qui puisse exister.

Elle est un mystère pour lui. Il n'a pu apprendre ni d'où elle vient ni comment elle a débuté dans ce « métier ». On murmure qu'elle est la fille naturelle de khun Sombat et d'une Chinoise, mais personne n'a pu le lui confirmer avec une absolue certitude.

Il ne peut s'empêcher de revenir chaque soir, par amour... mais l'amour finit par si bien se confondre avec le goût de la souffrance et de la mort... Car ce spectacle où Finn et un insecte reproduisent avec une précision mécanique ce que les humains ont de plus précieux lui semble une agonie douloureusement vécue. La femme qu'il aime donne son corps avec un soin méticuleux et lui sent, durant ce quart d'heure de folie froide, que la vie est un arrachement de chaque minute. Il est probable que, s'il pouvait se voir

— s'écarter de la passion pour *observer* — en ces instants, il gémirait sur le destin qui est le sien. Mais, du fond de son dégoût, il donne à ce show obscène tout ce qui le lie à Finn. Il a ainsi fini par percevoir dans cette pièce qui copie sans art l'expérience immémoriale de l'homme et de la femme, ce malheur de la condition humaine qu'est l'impossibilité de l'amour absolu. Chaque fois que le partenaire de Finn accélère ses battements et s'épand en elle, il comprend, un goût de cendres dans la bouche, qu'il est le simple maillon d'une lignée appelée à espérer le bonheur et à n'apprendre que la douleur.

Mais Finn le tient avec une telle force qu'il ne cessera jamais de venir humblement s'asseoir sur ce fauteuil usé, au premier rang de cette salle sombre et enfumée, parmi le peuple des frustrés et des noctambules saouls.

VII

Le sourire aux lèvres, Perrin sort d'une réunion d'experts en développement et traverse à grandes foulées le couloir de l'immeuble des Nations unies. D'habitude, ce genre de conférences pour initiés l'irrite profondément, chacun lance des piques délicatement concoctées en direction des théoriciens rivaux, les échanges se font à fleuret moucheté mais aucune solution aux problèmes du tiers monde n'est jamais sortie de ce ronron pour professeurs cosmopolites. Aujourd'hui pourtant, tout lui a paru subtilement changé, les doctes barbus et leur anglais jargonnant moins hautains, leur pesanteur comique ou indifférente. Perrin a rendez-vous avec Finn, son nouvel opium.

A leur dernière — et d'ailleurs première — rencontre, elle l'a quitté après lui avoir fixé d'autorité un rendez-vous au sommet du toboggan géant de Siam-Park. « Drôle d'endroit ! » avait-il pensé sans oser le dire. Il se voyait mal en haut de cet appareil, qui culmine à vingt mètres, avec son vertige et sa myopie. Il est vrai qu'en matière de vertige, il en attendait d'autres de la part de Finn !

Siam-Park, le parc d'attractions nautiques de Bangkok. Il se demande pourquoi on a décidé de le laisser ouvert pendant la saison des pluies, alors qu'il ferme d'habitude pour cinq mois. Il sent dans la foule qui fait la queue aux guichets une impatience, un désir de s'amuser comme pour la dernière fois. Des rires trop forts, des plaisanteries hurlées, le frôlement trop appuyé des corps portent en eux il ne sait quel parfum vénéneux.

« Il faut vraiment être vicieux pour aller se divertir dans une piscine en période d'inondations », pense-t-il. L'idée que Finn l'attend le rassure un peu, l'atmosphère de carnaval décadent qui l'entoure cesse de lui peser. Seule une romance chilienne l'obsède encore, un vieux souvenir. Il se trouvait à Santiago aux derniers jours d'Allende ; il avait évoqué dans l'un de ses livres la folie qui s'était emparée de la ville lorsque tout avait été consommé. Il avait même tenté de démontrer parallèlement comment la Banque mondiale avait condamné le régime socialiste en lui coupant les vivres. Aujourd'hui, employé de celle-ci, il retrouve sans plaisir cette nervosité d'apocalypse. Tout en se dévêtant, il fredonne doucement la triste rengaine.

Quand il arrive dans le parc, les Thaïs se pressent à l'ombre des parasols pour échapper au soleil qui écrase la ville. Les enfants s'ébattent dans les nombreuses piscines alentour ou courent d'une attraction à l'autre sous le calme regard de leur mère. Un petit garçon vient se cogner aux jambes du Belge qui s'empresse de le relever en souriant à sa ravissante maman.

Le grand toboggan se dresse au centre du parc, à plus de vingt mètres au-dessus du sol. Il y parvient à quatorze heures pile, l'heure convenue.

De ses yeux de myope, il aperçoit une fille en maillot de bain rouge qui lui fait signe de la plate-forme supérieure. A cette distance, il ne distingue pas ses traits mais il n'hésite pas. Il entreprend de gravir quatre à quatre l'escalier de ciment en bousculant les gamins trop lents. Chemin faisant, il pense à ce que lui avait dit l'un de ses amis expert ès choses de l'Asie : « Le rouge est la couleur du bonheur pour les Chinois. Quand une Chinoise s'habille en rouge pour venir à un rendez-vous, c'est qu'elle tient à la personne qu'elle va rencontrer. » Une pensée pour son maillot à lui, un vieux nylon sans forme ni couleur très définies, et il redouble de vitesse pour compenser par son empressement son manque d'élégance.

Il arrive au sommet hors d'haleine pour constater que

Finn, l'espiègle, vient juste de se laisser glisser sur la piste du toboggan. Une grimace, il a l'impression de retomber en enfance mais, pour l'instant, la chute est dure. Avant de s'y engager, amoureux mais non téméraire, il observe l'appareil. Un mince filet d'eau coule en permanence le long de ses quatre pistes afin de faciliter la glissade. Il aboutit à une petite piscine — petite tout au moins lorsqu'on la voit d'en haut ! — qui permet une arrivée confortable.

Il a un pincement au cœur en voyant que les gamins qui débouchent dans la piscine ont assez de vitesse pour glisser sur plusieurs mètres avant de s'immobiliser. Même enfant, il n'a jamais été hardi, alors à son âge... il n'est plus un gosse et sait trouver des tas de bonnes raisons à sa frayeur mais elle reste toujours aussi forte. Déjà Finn est en bas de la piste. Parfaitement horizontale, elle glisse à la surface de l'eau avant de sortir avec grâce du bassin, indemne.

Il s'élance en fermant les yeux, conscient du ridicule de la situation. Roméo grimpait au balcon de Juliette, ce qui pouvait encore passer, mais emprunter un toboggan pour rejoindre sa maîtresse... même Shakespeare n'aurait pu en faire un drame.

Une fois hors de la piscine, après avoir toussé jusqu'à la nausée et recraché quelques litres d'eau, il peut observer de ses yeux brûlés par le chlore les gens qui se trouvent autour de lui. La fille en rouge est juste devant lui : charmante, souriante, mais déception ! ce n'est pas Finn. Inquiet, il jette un coup d'œil au sommet du toboggan : « Dieu merci, il n'y a que des gamins ! » Il la regarde à nouveau, elle semble intéressée par quelque chose à sa droite, à proximité d'un train fantôme planté là on ne sait pourquoi. Il suit la direction de son regard. C'est elle ! assise dans un des wagons, elle lui fait signe !

Il se précipite, double la file des gens qui attendent et achète un billet. Les Thaïs sont si polis qu'ils ne protestent pas. « Merveilleux pays ! » songe-t-il avant de se demander s'ils ne sont pas tout simplement effrayés par son aspect de gros singe poilu aux yeux rougis. Il tend son ticket au contrôleur, Finn est à deux mètres de lui, souriante, divine. Un bruit métallique. Trop tard ! le train s'est mis en marche. Il a juste le temps de sauter dans l'un des wagons suivants en regrettant le petit café tranquille où ils auraient pu se donner rendez-vous. A présent, il ne pourra plus la rejoindre avant cinq minutes, une éternité dans l'état où il se trouve.

Voilà des années qu'il n'est plus monté dans un train fantôme. Un squelette jaillit d'une malle à sa droite, il sourit de tant de naïveté. Un vampire se soulève de son cercueil et hurle quelque chose en thaï : pas de quoi fouetter un chat ! Une porte en bois sur laquelle le wagonnet semblait devoir s'écraser s'ouvre au dernier moment et découvre un paysage fantastique. Il cesse de prêter attention à ces fadaises pour songer à Finn, moment d'émotion.

Il sent un frôlement à sa droite, quelqu'un est monté à côté de lui. Frankenstein ? Dans le noir, il ne parvient pas à voir de quoi il s'agit, il a un frisson, les gosses ont vraiment des nerfs d'acier pour s'amuser dans ce genre d'attraction ! Une momie mal ficelée sort de son sarcophage et, à la lumière verte venue d'une pyramide en carton-pâte, il reconnaît Finn, assise à ses côtés. Fou de joie, il pousse un cri qui est couvert par des malédictions égypto-thaïes. Il s'apprête à l'enlacer, à l'embrasser, à manifester dignement son plaisir de la retrouver lorsque des ficelles lui passent sur le visage. Surpris, il sursaute puis se reprend et approche son visage de celui de la belle Chinoise. Bing ! ! ! il se cogne la tête contre une planche heureusement rembourrée de carton. L'obstacle est placé assez haut, si bien qu'il doit seulement surprendre les Thaïlandais, mais en raison de sa taille inhabituelle, il s'y est à moitié assommé.

A l'arrivée, après un coup de frein brutal qui l'a projeté contre la barre de protection, il lui faut bien trois minutes pour s'extraire du wagonnet sous les regards moqueurs des Thaïs. Un peu étourdi et furieux de voir Finn s'esclaffer avec les autres, il descend de mauvaise grâce. Il sait que les femmes aiment bien les hommes qui les font rire, mais, là, il a vraiment trop de succès !

La fille de tout à l'heure s'approche d'eux. Finn la lui présente, il s'agit de son amie Mari. Il commence à comprendre le manège des deux Thaïes, elles se sont amusées à jouer aux jumelles. Mari est de la même taille que Finn et presque aussi jolie. Myope comme il est, il ne pouvait que s'y tromper. Beau joueur, il sourit et adresse un waï jovial à Mari en lui expliquant malicieusement qu'il ne pouvait pas lui faire de plus grand compliment que de la prendre pour Finn.

Déjà, elles l'entraînent vers une piscine aux vagues artificielles. Il se prête sans plus de résistance à leurs gamineries. Peu lui importe en ces instants la crue des rivières du Nord et le danger qui pèse sur Bangkok, son seul souci est de ne pas se laisser emmener vers le toboggan géant.

Après des heures de gambades, de sauts, d'éclaboussements et même de glissades, tous trois vont chez Mari. Elle habite avec toute sa famille une immense maison au bout de l'avenue Rama IV. Elle a prévenu Finn et Perrin, d'un air désolé, que la demeure serait vide car tous ont été invités au mariage d'une amie chinoise. Le Belge la rassure du mieux qu'il peut ; cette désertion collective arrange ses affaires, il n'a aucune envie de serrer la main à l'infinité de pères, mères, sœurs, frères, cousins et cousines qui hantent toujours les foyers chinois.

Lorsqu'ils arrivent, après une bonne heure de bus, la grande maison de bois est en effet déserte. Seul, le coin des bonnes, à l'arrière de la demeure, est éclairé. Les servantes, qui ont fini leur journée, se réunissent là pour bavarder, jacassements de femmes et rires aigus qui percent la nuit douce des tropiques.

Mari n'allume pas quand ils entrent dans la maison afin de ne pas attirer les moustiques et de ne pas donner aux bonnes un nouvel aliment pour leurs ragots. Autant qu'il peut voir, Perrin se trouve dans un salon encombré de meubles hétéroclites ; des jouets d'enfant traînent sur le parquet de teck brillant. Finn lui prend la main et le guide à travers le dédale des chambres. Elle l'abandonne un instant au seuil de l'une d'elles pour tenir un bref conciliabule avec Mari. Celle-ci le salue ensuite et redescend l'escalier en chantonnant. Il s'approche de Finn et l'embrasse, elle n'a aucun geste de recul. Leur premier baiser.

— Tu te souviens de ça ? lui demande-t-elle en tirant de sa poche la cassette achetée l'autre jour.

— Je t'aime, Finn.

— Chut ! les hommes disent toujours ça avant de faire l'amour. Tu le diras après, si tu y penses encore.

— Tu connais donc bien les hommes ?

— Je connais bien les désirs des hommes. Et, franchement, dès qu'on est un peu jolie, ça n'est pas très difficile...

Elle pousse la porte vermoulue et pénètre la première dans la chambre. Le mobilier y est on ne peut plus réduit, un matelas posé sur le sol et un lecteur de cassettes à côté. A droite, la salle de bain, assez petite, renferme une énorme jarre placée contre le mur du fond, à gauche d'un minuscule évier. Avant d'y pénétrer, elle donne un long baiser à Perrin et lui dit :

— Tu sais, je ne suis pas une femme-vend-corps !

Traduction très littérale mais non moins expressive du thaï.

— Je voudrais que tu sortes pendant que je me déshabille.

Il obtempère, charmé de pouvoir prouver sa galanterie à si peu de frais. En attendant dans le couloir obscur, il voit arriver Mari qui apporte des serviettes. Il veut s'en emparer, mais elle ne l'entend pas ainsi.

— Non, Laurent, ne soyez pas si pressé ! le gronde-t-elle en entrant dans la chambre et en refermant la porte derrière elle.

Cinq minutes s'écoulent. Il entend les rires des filles, les clapotis de l'eau que Finn se passe sur le corps, les plaisanteries des bonnes qui cancanent dehors. Il serait donc le seul à ne pas s'amuser ici ! Il se sent nerveux.

Enfin Mari quitte la pièce. Il la regarde à peine avant de s'engouffrer dans la pénombre de la chambre en ayant soin de refermer la porte. La silhouette gracieuse de Finn se détache sur la vitre de la salle de bain. Elle est entièrement nue et la lune éclaire subtilement les contours de ce corps sans défaut. Lorsqu'elle sort, il se précipite et cherche sa bouche dans le noir. Il l'embrasse violemment en tentant de refréner le tremblement qui s'est emparé de lui. Le monde est excessif et savoureux en cette nuit d'amour, tout concourt à son exaltation. Il tient une parcelle de ce bonheur qui guérit d'années de frustration. Il s'asperge d'eau glacée avec une joie sauvage tandis qu'elle passe à tue-tête la cassette qu'elle a apportée. Puis, à la lueur de la lune, tandis que la pluie a recommencé à tomber et que le grondement de la ville fait vibrer l'horizon, il s'allonge sur elle et s'efforce de dérober avec son aide une part d'éternité.

Au matin, il ne trouve personne à ses côtés. Engourdi, il scrute la pièce où le soleil a fait une violente apparition. Il l'entend chantonner dans la salle de bain. D'une humeur joyeuse et tendre, il s'approche à pas de loup et se colle contre le mur.

Lorsqu'elle sort, il bondit et l'enlace. Ils poussent ensemble un cri de stupeur. Il vient de reconnaître Mari.

— Mais, mais, où est Finn ? demande-t-il en hurlant.

Elle le regarde d'un air apitoyé qui le rend furieux.

— Elle est partie hier soir, Laurent. Elle ne voulait pas passer la nuit ici.

Elle dit cela du ton le plus naturel du monde, avec un sourire qui l'aurait charmé s'il avait pu l'être en cet instant.

— Partie hier soir ! éructe-t-il, mais alors !

— Alors, c'était moi, cette nuit. Vous n'avez pas l'air d'aimer l'idée mais vous avez apprécié la chose, n'est-ce pas ?

— Je... là n'est pas la question ! j'ai été trompé, gémit-il.

— Allons, allons, est-ce que ça faisait une différence cette nuit ?

Elle prend à nouveau la mine compatissante qui énerve le Belge.

— Je sais, Finn est plus belle que moi, mais, rassurez-vous, vous l'aurez... à son heure... Tenez, les Thaïs ont une expression pour dire qu'une jeune fille a été séduite par un homme, ils disent que le buffle est entré dans le jardin... Vous êtes venu dans mon jardin au lieu de celui de Finn, voilà tout !... et chaque jardin mérite un détour, ajoute-t-elle avec un fin sourire.

— Je ne vous le pardonnerai jamais !

— Ne soyez pas trop buffle tout de même ! Vous aurez Finn ; pour l'instant, contentez-vous de moi, dit-elle en achevant de s'habiller. A présent, sawatdi ka.

Elle sort de la chambre, laissant le Belge en proie aux affres d'une frustration d'un nouveau genre.

« Décidément, ces femmes donnent sans promettre et promettent sans donner », conclut-il en se frottant gravement le menton.

Dès qu'elle l'a quitté, Mari est partie retrouver Finn au fond d'un pub de Patpong. Celle-ci ne laisse même pas le temps à son amie de s'asseoir.

— Tu lui as dit ?

— Oui.

Finn pose la main sur celle de Mari.

— Tu es une vraie amie, tu sais !

Mari hausse les épaules et répond d'un air las.

— Mais pourquoi lui mentir ? Il était vexé, vraiment ! Il a dit qu'il ne me pardonnerait jamais.

— J'avais envie de faire l'amour avec lui, rétorque Finn en souriant, mais je voulais aussi le garder amoureux. Tu sais comme c'est difficile...

— Evidemment ! Comme ça, tu fais l'amour avec lui mais il a encore plus envie de toi après.

— Simple, mais il fallait y penser, non ? Les falangs sont très romantiques, tant qu'ils n'ont pas eu ce qu'ils veulent... Maintenant, je sais ce qu'il vaut au lit. Ça ne mérite pas que je sacrifie les plaisirs que j'ai à le voir me faire la cour.

— Laurent est comme le soleil, il ne brille que le jour, ajoute Mari, cynique.

— N'exagérons pas ! Ils sont toujours si nerveux la première nuit ! Et puis, chaque homme a ses points forts. Celui-là, je préfère lui réserver mes journées...

— Et tes nuits à Udom ?

Finn allume négligemment une Dunhill extra-longue en plissant malicieusement les yeux.

— Il voudrait que nous nous enfuyions, loin de Bangkok, sourit-elle, comme il est naïf !

— Il est amoureux ?

— Je n'ai pas rencontré beaucoup d'hommes qui ne tombent pas amoureux de moi. De ce point de vue-là, je ne peux pas dire qu'il soit original. Mais j'aime plutôt son conformisme...

VII

Le roi est malade. Cette fois, la nouvelle est officielle ; propagée par les radios et la télévision, elle a fait le tour de la ville. Elle est devenue le sujet de toutes les conversations, la préoccupation majeure de chaque habitant de Bangkok la polluée. Une cérémonie au temple de l'Aurore a été décidée afin de favoriser la guérison de Rama IX.

En chemin, Santerre est pris dans un embouteillage. La routine à Bangkok, mais il est furieux car il n'arrivera pas à temps pour voir les barges royales remonter le fleuve en direction du temple. Stupidement coincé à l'angle de Ploenchit et de Withayu, il fulmine contre la circulation impossible de la ville dans sa limousine climatisée.

Quand il arrive enfin près du Wat Po, il ne trouve aucune place pour se garer. En désespoir de cause, il abandonne sa voiture devant un arrêt d'autobus et court vers la Chao Praya.

Les berges sont noires de monde, tout Bangkok est venu assister au spectacle et joindre ses prières à celles de la famille royale. Nulle mine triste, seulement des visages recueillis dans cette foule où personne ne se permet de rire ou de parler trop fort. La compassion autant que la curiosité ont guidé leurs pas jusqu'ici.

Santerre, couvert de sueur après sa course, tente de se frayer un chemin vers la tribune protégée par un grand drap jaune qu'on a réservée aux diplomates. Il montre son passeport à deux policiers avant de monter sur la vaste estrade de planches vermoulues et disjointes où Anders lui fait signe.

— Ah ! qu'est-ce que vous avez raté, Christian ! les barges royales !

Il ébauche un geste en direction des longs bateaux plats qui s'apprêtent à accoster la rive de Thonburi.

Le jeune homme s'empare des jumelles du consul. Elles sont un peu faibles pour une telle distance, mais il parvient à distinguer quelques détails des fabuleuses barges, les plus grandes du monde. A leur proue sont sculptés des personnages du *Ramakien,* Hanuman, Sugriva ou Sita, sous lesquels sont nouées des touffes de poils de yak. Il aperçoit même les charmes qu'on a disposés à chaque extrémité des embarcations afin de les protéger des mauvais esprits.

— Combien de rameurs dans chaque barge ? demande-t-il à Anders.

— Soixante-dix. Incroyable, n'est-ce pas ? Quand on songe qu'elles sont chacune taillées dans un seul tronc d'arbre...

Santerre ne souffle mot. Vêtus des costumes traditionnels d'Ayuttayah, le prince et les princesses descendent de leur embarcation. Wanee est-elle là-bas ?

Le consul poursuit sa litanie sans voir que le jeune homme ne l'écoute plus :

— ... Ils sont arrivés lentement. Avant même qu'ils n'apparaissent, on entendait leurs chants rauques en mineur. C'étaient comme des voix désincarnées, venues du fleuve, le chœur des défunts royaumes de Siam, Sukhotaï et Ayuttayah. Ils glissaient vers le temple de l'Aurore avec la splendeur tranquille qui fait la Thaïlande. Il y avait cette rive de béton — il désigne la berge de Thonburi —, ce fleuve pollué et ces hommes en costumes du XVIIe siècle, sur leurs bateaux d'un autre âge, qui chantaient et ramaient sans effort à contre-courant...

Santerre se soucie peu des paroles de son ami. Il essaie de discerner les visages des trois princesses qui se tiennent maintenant sur le ponton où est amarrée Suphannahongs, le Cygne d'or, à la proue altière. L'une d'elles a la taille de Wanee, mais les jumelles sont trop médiocres. Il se crève les yeux en vain. Il interrompt les explications d'Anders en lui rendant son bien. Les membres de la famille royale se sont dirigés vers le prang central et sont pour l'instant hors de vue. Il regardera à nouveau tout à l'heure, quand ils graviront le monument. Se pourrait-il que ce fût Wanee ?

— J'ai été pris dans un embouteillage, explique-t-il distraitement.

Le consul hausse les épaules. Peu lui importe la ville moderne en ce moment, il est encore sous le charme de la Thaïlande immémoriale.

— Quand je pense que c'est une telle procession qui apporta le message de Louis XIV au roi Naraï !... Les rameurs observaient le même rythme, comme un geste appris depuis des millénaires. De certaines barges provenait une musique grêle et plaintive qui donnait au chant des matelots une extraordinaire mélancolie. Vous savez ce qu'elle me rappelait ?... tout ce que j'attachais au mot « Siam » lorsque j'étais enfant. Une couleur vieil or, un parfum capiteux comme l'exotisme, le souvenir imaginé de combats à dos d'éléphant blanc, de batailles ponctuées de coups de cymbales et de gong. Le Siam, c'était un paradis possible et lointain, un royaume pour rêves de gosse ! Dire que j'ai fini comme fonctionnaire à Bangkok !

— Vous avez suivi l'itinéraire de vos rêves d'enfant, sourit Santerre.

— Pas un chemin à conseiller ! trop d'impasses...

Les haut-parleurs crachotent quelque chose en thaï puis en anglais. Le prince et les princesses, précédés de la reine, vont gravir le prang du temple de l'Aurore. Anders observe quelques minutes.

— Rien, dit-il à Santerre, voyez vous-même.

Le jeune homme braque les jumelles sur la majestueuse colonne khmère. Il distingue parfaitement la base massive formée d'un hexagone dont chaque côté se compose d'une multiplicité de petits angles aigus. Elle est sillonnée de rangées horizontales de mosaïque à dominante verte soutenues par des garudas dorés dont la taille va s'amenuisant à mesure qu'on se rapproche du sommet. Quatre escaliers aux marches étroites et très hautes courent le long du monument, face à de minuscules pavillons dans le style d'Ayuttayah qui renferment chacun une image dépeignant un épisode de la vie du Bouddha. Après la seconde terrasse, le prang s'affine nettement, puis apparaissent quatre niches symétriques renfermant un personnage divin (Çiva ?) debout sur un éléphant à trois têtes. L'ensemble donne à Santerre une impression de majesté sereine, comme la manifestation d'un pouvoir conquis sans passion.

— Ils passent de l'autre côté !

Il ne peut réprimer un geste de dépit, les personnes royales ont choisi de monter par l'escalier ouest, celui qu'on ne peut apercevoir de Bangkok.

— C'est égal, répond Anders, nous les verrons quand ils arriveront sur la deuxième terrasse.

— J'espère !

Il regarde à nouveau. Le prang est désert pour le moment, mais il sait que bientôt, elle va y faire son apparition. Il tente de l'imaginer telle que le consul la lui décrit : « vêtue des habits de la cour d'Ayuttayah. Sari brodé d'or laissant l'épaule droite nue, sarong tissé de la soie la plus fine, lourde ceinture d'argent et bracelets d'or ciselé, feuilles d'or sur les bras et rivières de perles et de pierres précieuses au cou, bagues de jade et chapeau royal. Digne princesse d'un pays dont la beauté des habitants est le trait dominant... » Mais était-ce bien elle ?

Enfin, une silhouette apparaît sur la terrasse, un bonze. Probablement le patriarche du royaume. Il s'avance et fait un waï très respectueux en direction de Bangkok. La mort dans l'âme, Santerre tend les jumelles à Anders qui les réclame.

— Le prince et les princesses ne sont pas encore là, souligne-t-il en espérant qu'à cette nouvelle, le consul va les lui rendre rapidement.

Les haut-parleurs laissent entendre une triste mélopée, la prière du vieil homme au sommet du temple. La foule commence à lui répondre. A chaque silence du bonze, des milliers de voix chantent dans un langage moins guttural que le thaï. « La langue sacrée, le pali », souffle Anders. Une émotion violente parcourt le jeune homme comme une lame de fond. Il a reconnu dans ce chœur spontané et monocorde toute la ferveur du peuple pour le malade du temple du Bouddha d'émeraude.

Anders lui donne un coup de coude.

— La reine !

Il essaie vainement de distinguer les personnages qui se tiennent là-bas, très loin au-dessus du fleuve. Il ne perçoit que la masse verte et grise du monument sans en voir les détails.

— Et voilà les princesses !... le patriarche se retire à l'extrémité de la terrasse... elles font le waï, elles saluent le temple du Bouddha d'émeraude et son hôte.

Le jeune homme commence à comprendre la cérémonie. La reine et les princesses, incarnations d'un rituel désuet fait de majesté vaine et d'hommages vides, se sont rendues à Thonburi, ancienne capitale du royaume, pour honorer le roi car lui seul dans Bangkok possède le pouvoir, une puissance qui survivra tant que les hommes et les femmes qui chantent au bord du fleuve lui accorderont leur confiance... Comme Anders avait raison de prétendre que toute autorité possède une dimension mystique en Asie !

Le consul lui tend enfin les jumelles. Il ne se presse pas de regarder, il est presque certain désormais que c'est Wanee qui, là-bas, adresse une prière muette au monarque malade, par-dessus le fleuve et le peuple. Il les porte néanmoins à ses yeux, comme pour vérifier son intuition.

Tous les membres de la famille royale font un waï qui leur donne une attitude de suppliants et cache leurs visages. A droite, le patriarche lève la main pour une bénédiction et commence une longue récitation en thaï. La princesse qui se trouve à gauche retient l'attention de Santerre. Elle a le port de tête, la silhouette et les cheveux de Wanee. Il sent que c'est elle, cet être d'un autre âge, d'un monde révolu, Wanee !

Anders demande à son chauffeur, assis à leurs côtés, de traduire le discours du bonze. Le Thaï s'exécute dans son français hésitant, ponctué de soupirs et de balbutiements :

— Le vénérable s'adresse au roi. Il dit tous les titres de Pra Bouddha Rama IX... « Pra Chao Yu Hua », ce qui signifie « le dieu au-dessus de nos têtes ».

— Un souvenir de l'époque d'Ayuttayah où le roi était regardé comme un être divin, fait remarquer Anders.

— « Pra Chao Pen Din » : « le maître des terres ». Le roi est le propriétaire de toutes les terres du royaume, il veille à ce qu'elles soient protégées, bien cultivées, fertiles... « Chao Jivit », c'est-à-dire « maître de la vie ». Depuis Sukhotaï, le pouvoir de vie et de mort est entre les mains du roi mais il l'a délégué à ses armées et à ses cours de justice.

— Que de titres ! s'exclame Anders.

— « Dhammaraja » signifie « le roi qui détient la loi, la science et la morale ».

— Il est donc le gardien de tout ! s'étonne Santerre.

— De tout, khun, tout lui est attribué... Le vénérable le nomme à présent « Pra Mahakashatriya », « le grand guerrier ». Le roi est le chef des armées. ... « Nai Luang » signifie « celui qui dirige sagement les affaires de l'Etat »... Le vénérable supplie Pra Chao Yu Hua, Pra Chao Pen Din, Chao Jivit, Dhammaraja, Pra Mahakashatriya, Nai Luang Rama IX de ne pas abandonner son peuple.

Anders se tourne vers le jeune homme qui n'a pas renoncé à son observation.

— Bien sûr, le roi n'a aucun de ces pouvoirs « en réalité », mais il les possède tous « en spiritualité ». Les Thaïs voient dans sa personne celui qui *inspire* chaque activité du pays.

— Un cercle dont le centre est partout..., plaisante Santerre.

— Je ne crois pas qu'il faille rire de cela, dit le consul

avec sévérité, c'est un mythe sans doute, mais les mythes permettent de mieux vivre.

Le jeune homme, qui n'avait nulle intention d'ironiser, ne répond pas. Agacé, il essaie d'apercevoir le visage de cette femme qu'il ne peut déjà plus appeler autrement que Wanee. Le bonze n'en finit pas d'énumérer les titres de Rama IX et les princesses de saluer Bangkok et le temple du Bouddha d'émeraude. Enfin, la mélopée s'arrête.

La reine cesse la première de faire le waï. La main de Santerre se crispe. Il ne songe même pas que peut-être le consul voudrait regarder. Wanee vient d'achever sa prière, il tente désespérément de régler les jumelles. Il ferme un instant les yeux puis observe à nouveau. Elles sont trop faibles, beaucoup trop faibles ! Et pourtant !... il pense au dialogue qui se noue entre les princesses et l'homme enfermé dans le lieu le plus sacré de Thaïlande, à ces prières dites pour le dernier monarque bouddhiste du monde. La silhouette majestueuse du prang se confond pour lui avec le temple du Bouddha d'émeraude, les architectures de Sukhotaï et d'Ayuttayah se mêlent à celle de Bangkok, « la même volonté de ce peuple pour survivre ». Ce que la face de Wanee peut avoir de trop flou à cette distance, il le compense par la netteté incroyable de son esprit en cet instant. Il efface toutes les légères déformations dues à l'incurie de l'objectif, les zones d'ombre et les traits qui s'éloignent de ses souvenirs. Enfin surgit pour lui seul, dans toute la gloire de sa beauté et de sa naissance, le visage tant désiré. Il ne se permet plus le moindre doute, cette femme là-bas qui semble sourire au demi-dieu du temple du Bouddha d'émeraude a bien pour nom Wanee Rajadon Na Ayuttayah.

VIII

Santerre a été convoqué par Fournier. A l'autre bout du fil, la voix du chef de travaux était si pressante que l'attaché d'ambassade s'est senti obligé d'arriver sur-le-champ. Son taxi le dépose à l'angle de Ploenchit et de Ratchadamri, près du Brahma doré de l'Erawan. Ce vieil hôtel avait en effet connu tant de malheurs durant sa construction que les entrepreneurs avaient décidé d'ériger une statue au Suprême afin de clore la série noire. Dès les premières semaines, un joueur de loterie qui était venu se recueillir devant celle-ci avant de choisir son billet, avait décroché le gros lot ; depuis, tous les joueurs — et, à Bangkok, il y en a presque autant que d'habitants — viennent honorer l'image du Brahma au moindre pari qu'ils engagent.

Santerre passe rapidement, sans s'arrêter aux danseuses en costume du *Ramakien* qui chantent pour le dieu tandis que les dévots brûlent de l'encens et lui offrent colliers de fleurs blanches et mauves ou éléphants en teck. Quelques touristes, importunés par les vendeurs de souvenirs, photographient le spectacle. Il s'engage vivement dans Ratchadamri, dominée par l'énorme silhouette du Bangkok Intercontinental. L'eau lui arrive aux genoux et charrie les débris des offrandes faites au dieu.

L'hôtel a l'allure de quelque immense parking pour voitures de géants. La carcasse est achevée, les dalles de béton et les piliers qui les soutiennent sont au complet mais, au sommet, quelques tiges d'acier destinées à renforcer la construction se dressent comme des touffes de cheveux hérissés. Sur les vingt étages que comprendra l'hôtel, les murs ont déjà été montés jusqu'au cinquième. La construction s'est depuis quelque temps arrêtée là.

Une bâche bleue sur laquelle est écrit BANGKOK INTERCONTINENTAL, surmontée d'une inscription en thaï qui doit signifier la même chose, a été dépliée le long de la façade ; elle a la hauteur de trois étages et court sur toute la largeur du bâtiment. Aux premier et deuxième étages, Santerre aperçoit les tentes de plastique vert et les baraques de bois montées par les ouvriers pour se loger. Originaires pour la majorité du Nord-Est, ceux-ci n'ont pas de domicile à Bangkok, ils vont de chantier en chantier, se façonnant à chaque fois un nouvel et misérable abri. Le nombre des baraques a diminué depuis la dernière visite du jeune homme, beaucoup d'ouvriers sont partis, écœurés par les méthodes brutales de Fournier ou effrayés par la réputation de l'hôtel.

Autour du terrain qui occupe la place du défunt Erawan Hotel et de feue Peninsula Plaza, deux des endroits les plus courus de la Bangkok flamboyante des années quatre-vingt, on a dressé une palissade de plastique vert couverte d'inscriptions en thaï. Devant celle-ci, les ouvriers ont élevé de hauts tas de terre pour contenir les eaux. En vain. Il a fallu construire de nouvelles digues à l'intérieur du chantier, disposer des pompes dans tous les coins, élever jour après jour ces digues, sans résultat. Alors, on s'est résigné à travailler dans l'eau. Très vite, chacun a compris qu'il était impossible de continuer à monter les murs entrepris juste avant les inondations. Il ne s'agit même plus de progresser mais d'empêcher la destruction de ce qui a été fait. Ainsi, les ouvriers passent désormais le plus clair de leur temps à colmater les brèches qui s'ouvrent dans la base de l'édifice et à pomper aux endroits les plus critiques sans que la construction avance d'un pouce.

Santerre aperçoit Fournier près d'un pilier ; à son habitude, le chef de travaux discute avec force gestes, montrant quelque chose à deux ouvriers. Lorsqu'il voit l'attaché d'ambassade, il se dirige prestement vers lui, lui prend le bras et l'entraîne vers l'intérieur du bâtiment sans même une salutation.

— Merci d'être venu, dit-il lorsqu'ils se trouvent dans le hall de l'hôtel.

— J'ai fait aussi vite que j'ai pu. Qu'est-ce qui se passe ?

Le jeune homme aperçoit Toshiro Nippon qui parle à des ouvriers. Lorsqu'il voit le Français, il lui fait un signe de la main mais ne vient pas le saluer, soucieux d'éviter Fournier.

— Putain de Jap ! grommelle ce dernier, toujours en train de défaire ce que je fais !

Santerre se garde de tout commentaire. Il observe le futur hall du Bangkok Intercontinental, « une vraie gare ! ». La pièce fait bien cinq cents mètres de long, elle est flanquée de deux terrasses qui en font le tour et sur lesquelles Fournier attire l'attention de Santerre :

— Sur l'une, on mettra un orchestre de musique classique qui animera les soirées et les week-ends ; sur l'autre, on ne sait pas bien... je pensais à un zoo d'animaux exotiques mais Nippon est contre, à cause de l'odeur...

Un courant d'air tiède parcourt la salle, il mêle à l'odeur tenace du ciment celles, brassées, de la moisissure, de l'encens et du jasmin offerts à Brahma. Sans attendre, Fournier dirige Santerre vers le fond du hall. Un passage donne sur une seconde salle, un peu plus étroite que la première. la future merveille de l'hôtel.

Dans chaque mur ont été percées des dizaines d'embrasures ouvrant sur de petites pièces, les chambres de l'hôtel. Au centre de la salle, des plantes et des arbres tropicaux recréent sur plusieurs centaines de mètres une jungle miniature.

— On les a apportés il y a une semaine, pour la visite des officiels. On va les déplanter maintenant, explique Fournier, ça nous gênerait pour les travaux... Ça ne fait rien, vous auriez vu la tête des huiles devant tout ça.

Santerre sourit. Il avait entendu parler de ce projet, les clients de l'hôtel pourraient ainsi, au sortir de la chambre, goûter aux joies d'un jardin tropical entièrement recréé en atmosphère climatisée. La luxuriance végétale de ces latitudes à la porte de la chambre à coucher, et à une température de printemps européen !

Les palmiers et les cocotiers voisinent avec les bananiers, les manguiers et même les orangers. Au pied d'un grand arbre au tronc noueux, dont Santerre ignore le nom, une petite chute d'eau a été reconstituée. Plus loin, il aperçoit le sommet d'un banyan aux longues racines entrelacées dans les branches ; à gauche, des plantes grasses aux feuilles d'un vert intense et joyeux surplombent un petit plan d'eau où l'on a piqué quelques semences de riz, comme un miroir parsemé de gerbes éclatantes de verdeur. Sur les branches du manguier, une tache de couleur vive : un perroquet lié à une branche savoure la viande séchée qu'on lui a laissée. Un singe se pend négligemment au banyan puis tente en vain de bondir vers le cocotier voisin, la chaîne qui lui tient le pied est trop courte.

— Alors ?

Fournier pose sa question avec dans l'œil une lueur de fierté sans équivoque.

— Surprenant, répond Santerre, probablement unique au monde.

— Bien sûr ! unique au monde ! Vous connaissez beaucoups d'hôtels qui peuvent offrir à leurs clients la jungle à la sortie du lit ?

Le jeune homme s'avance vers la passerelle de bois qui permet d'accéder au jardin. Plusieurs chemins ont été taillés dans l'épaisseur des frondaisons. L'un, plus large et situé vers le centre, semble être le principal. Santerre s'y engage avec Fournier sur les talons. Le sol est fait de cette terre rouge des jungles thaïlandaise et birmane dans laquelle les racines ont tant de difficultés à s'enfoncer.

Après quelques mètres, Santerre est stupéfait. Le chemin

serpente à travers une forêt de rêve où auraient poussé les espèces végétales les plus diverses : aucun arbre n'est de la même variété que son voisin, certaines plantes venues d'Europe partagent la même portion de sol que leurs sœurs de l'équateur ou des tropiques, des fleurs d'une rareté exceptionnelle s'épanouissent au milieu de parterres à cinq sous. Le jeune homme s'arrête devant un bassin empli de nénuphars et de lotus au-dessus desquels sont suspendues des orchidées ; à quelques mètres de là, des cactus d'Amérique centrale se hérissent au pied d'un banyan et d'un tectona. Poursuivant, il découvre un figuier perdu au milieu de plusieurs chênes, puis des hêtres auprès d'un massif de jeunes hévéas.

L'ensemble étourdit Santerre. Il a le sentiment d'évoluer dans la création de quelque magicien puissant mais malade, un démiurge au cerveau frappé d'on ne sait quelle aberration. Des oiseaux, enfermés dans des cages disposées un peu à l'écart du chemin, mêlent leurs sifflements, hululements, cris, modulations, en un carnaval de sonorités qui le laisse pantois. La même confusion règne parmi les odeurs. On a simplement entassé le plus possible afin d'éblouir. Le tout est brillant mais sans âme, comme ces compositions de virtuoses qui ont rassemblé en un seul morceau le fantastique étalage de leurs dons et fatiguent l'auditeur par le spectacle accablant de prouesses sans pareilles.

Il lève les yeux pour chercher le ciel ; au-dessus des cocotiers qui surplombent le sentier, se tient le béton, voûte aussi irréelle que ce lieu est antinaturel, « une pièce montée, un paradis en toc pour enfants de riches, un rêve à gros budget ». Il poursuit sa promenade sans plus se sentir concerné. Au bout de cinq minutes, ils parviennent à l'autre extrémité du jardin. En face s'ouvrent d'autres embrasures, il pense aux futurs occupants de ces chambres : « milliardaires, sans doute américains, grosses bourses et pauvres imaginations ».

— Pas mal, non ? lui demande Fournier en bombant légèrement le torse.

Santerre essaye de manifester son enthousiasme sans grand succès :

— Vous avez fait fort !

— Oui, je suis content de moi. C'est un peu mon œuvre, cet imbécile de Nippon voulait faire un jardin zen ! du sable et des cailloux, vous vous rendez compte !... Bon, assez parlé de ça ! je voulais vous montrer quelque chose, venez ! dit-il en soupirant.

Il entraîne Santerre vers la partie gauche de la salle, la seule qui soit légèrement inondée. Il a de nouveau l'air soucieux. « On dirait qu'il a peur », pense le jeune homme. Ils s'arrêtent devant un pilier. Machinalement, Santerre regarde le sol, l'eau leur arrive au-dessus des chevilles. Sans se soucier de cela, Fournier passe la main sur la colonne de béton, comme pour la flatter, puis demande brutalement :

— Vous le reconnaissez ?

Surpris, Santerre observe le pilier : de par sa taille et sa situation, il s'agit sûrement d'un des principaux soutiens du bâtiment, mais c'est tout ce qu'il peut en dire. Il fait non de la tête.

— C'est le pilier où Noï...

Santerre comprend... Noï, une ravissante ouvrière dont personne n'avait su si elle avait été la maîtresse de Fournier, victime elle aussi du « chantier maudit »... C'était au début des travaux, au moment où les bulldozers creusaient à un bout du terrain pendant que les ouvriers se démenaient dans la terre grasse à l'autre bout. Les méthodes de Fournier marchaient encore : ils avaient construit les fondations en un temps record et il semblait que l'hôtel fût destiné à être achevé très vite. Bientôt, pourtant, chacun allait se lasser de l'autoritarisme du Français. Santerre conservait de cette époque le souvenir d'un vaste terrain vague jonché d'amas de briques, de pierres cassées, de bouts de bois et de déchets où les ouvriers et leurs compagnes, coiffés de chapeaux de paille, le visage enturbanné afin de se protéger du soleil, évoluaient parmi les tiges d'acier groupées en paquets sur lesquels on s'apprêtait à couler le béton pour constituer les colonnes de l'hôtel. Elles se hérissaient méchamment à intervalles réguliers, comme des sagaies vomies par les entrailles de la terre.

Santerre croyait encore que le Bangkok Intercontinental serait une réussite. Les grues lui semblaient tourner joyeusement au-dessus du petit monde bariolé qui s'affairait sans précipitation autour du grand corps à naître. A l'ambassade, on s'amusait des frasques de Fournier ; chaque semaine, Santerre faisait rire Anders et sa femme avec le récit des heurs et malheurs du chef de travaux. Ces soirées de fous rires n'avaient d'ailleurs pas peu contribué à séduire Nathalie...

Sur le chantier, Noï allait et venait avec le même entrain que les autres. Sourire de nacre et finesse de bergère, elle se faisait tout de suite remarquer. Elle était toujours à babiller dans son dialecte du Nord-Est, à lancer des plaisanteries et à en rire la première, mais elle abattait autant de travail qu'un homme. Fournier lui faisait une grosse cour qui n'avait pas l'air de l'émouvoir. Elle l'évitait et rentrait chaque soir dans la cabane de son compagnon, dédaignant tous les rendez-vous que le falang avait tenté de lui fixer pendant la journée.

Un jour, quelques mois après le début des travaux, la poulie d'une grue s'était coincée ; accident banal vu la vétusté du matériel. Pourtant celui-là devait rester dans les mémoires comme l'un des pires qu'ait connus le chantier. Noï se trouvait dans la cabine de commande de la grue, à côté de son compagnon. Elle avait voulu aller réparer la poulie défectueuse. Elle s'était donc avancée lentement sur la passerelle d'acier, à trente mètres au-dessus du sol.

Arrivée à la hauteur de la poulie, elle s'était accroupie et avait commencé à frapper avec un marteau pour la décoincer. « Il n'y avait pas de vent, avait confié Fournier à Santerre, j'étais juste en dessous et je voyais bien que la grue était complètement immobile. Pourtant... la malchance... » Comment cela s'était-il produit ? Le compagnon de Noï lui-même n'en savait rien. Il avait raconté après coup qu'il allumait une cigarette au moment où elle avait glissé. Lorsqu'il avait levé la tête pour voir où elle en était, il n'y avait plus personne sur la grue devant lui. En se levant de son siège, il l'avait aperçue, trente mètres plus bas, empalée sur les tiges d'acier.

Depuis, les ouvriers n'approchent plus ce pilier où, disent-ils, l'esprit de Noï veille, prêt à égorger les vivants qui auraient l'imprudence de le déranger. Santerre se souvient de l'enterrement de la petite ouvrière comme de la seule fois où il ait vu Fournier pleurer. Encore aujourd'hui, se pourrait-il que ce soit son souvenir qui trouble à ce point le chef de travaux ? Il est si pâle dans le demi-jour de l'immense salle.

— Regardez !

Il montre au jeune homme une entaille faite dans le pilier, juste au-dessus de la surface de l'eau. La voix est sourde et il a semblé à Santerre que la main de Fournier tremblait légèrement en désignant le minuscule trait qui zèbre le béton. L'attaché d'ambassade ne comprend pas, cette marque insignifiante ne peut angoisser à ce point le chef de travaux. Il l'interroge du regard, non sans une certaine appréhension. Mais, pour l'instant, Fournier semble l'avoir oublié. D'un geste vif, il extrait un mètre de sa poche, s'accroupit et commence à mesurer la distance qui sépare l'entaille de la surface de l'eau. Puis il se relève en secouant sa main gauche qui a trempé dans le liquide gris. Il murmure pour lui-même : « Un centimètre. »

Santerre commence à craindre le pire.

— Qu'y a-t-il, Fournier ? C'est Noï qui...

Le chef de travaux lui adresse un regard haineux.

— Il s'agit bien de Noï ! la malheureuse, laissez-la où elle est ! Il n'y a que cette bande de superstitieux pour croire que son esprit hante le chantier !

Il suffoque presque :

— Ils n'osent même pas approcher le pilier ! bande de crétins !

— Alors, qu'y a-t-il ? s'écrie Santerre, excédé par l'air à la fois anxieux et mystérieux du chef de travaux.

Celui-ci ferme un instant les yeux et s'efforce de retrouver son calme. Puis, après avoir vérifié que personne ne pouvait entendre, il fixe Santerre droit dans les yeux et murmure gravement, détachant chaque syllabe comme à regret :

— Voilà huit jours que je viens ici... pour prendre des mesures ; chaque fois, vous m'entendez bien, chaque fois, le résultat est le même.

Le jeune homme a cessé de prêter attention aux chants des oiseaux qui peuplent l'extraordinaire forêt à laquelle il tourne le dos. Le visage de Fournier ne laisse pas le moindre doute : ses paroles vont être décisives. L'attaché d'ambassade a l'habitude de la part de théâtre que met le chef de travaux dans tout ce qu'il entreprend, il voit bien qu'elle est absente ici, comme effacée par un événement dont la gravité ne permettrait plus d'autre émotion que la peur. Il laisse errer son regard sur les murs de la salle ; la multitude des ouvertures béant sur une pénombre chargée d'il ne sait quel inexprimable mystère semble répondre à l'anxiété du maître du chantier.

— J'ai fait cette entaille hier, poursuit Fournier d'une voix blanche, à cinq centimètres de la surface de l'eau. Elle n'en est plus aujourd'hui qu'à un centimètre. Vous comprenez ?

Santerre est stupéfait. Il cherche à toute allure une parade, une solution qui contredise l'inacceptable réponse qu'il vient de formuler en lui-même. Il ne voit pas, il n'y a rien, rien que l'angoisse qu'il lit dans les yeux de Fournier.

— Ça signifierait...

— Que l'hôtel s'enfonce. Parfaitement, dit le chef de travaux dans un souffle.

Accablés, les deux hommes contemplent stupidement l'entaille que l'eau vient presque lécher.

IX

A la table de l'ambassadeur, dans l'immense salle de réception de l'ambassade de France, Santerre s'ennuie. Les hauts murs blancs, exempts de tout ornement, le couvert aux allures trop solennelles, la mise recherchée des convives, tout contribue à lui communiquer, comme une légère nausée, le sentiment de n'être pas à sa place. Les serviteurs vont et viennent avec un style sans faille. Ils donnent cette impression de guindé qu'on associe plus volontiers aux repas d'ambassade du début du siècle qu'à ceux de la diplomatie moderne, comme si le fin du fin en matière diplomatique était la culture discrète du « rétro ».

L'ambassadeur, Pierre Paléski, la cinquantaine distinguée, mène la conversation avec un brio courtois. Trente ans d'Asie et une carrière commencée en tant que simple secrétaire adjoint lui ont donné l'air de sagesse aimable qu'ont souvent les Occidentaux vieillis dans cette partie du monde. Près de lui, son épouse, lady Joan, une Anglaise pâle et sèche qu'il avait connue à Saigon, dirige du regard le ballet des serviteurs avec une maîtrise qui révèle son habitude des dîners protocolaires. « La parfaite femme d'ambassadeur, maîtresse d'elle-même comme de la maison. »

Paléski, absorbé dans une conversation avec l'invité qui se trouve à sa droite, un banquier de cinquante ans portant beau, nommé Jean Ferrand, s'avise du silence des convives.

— Le ministre de l'Economie thaïlandaise, dit-il en haussant la voix et en se tournant vers la tablée, m'a conté une histoire pleine d'humour, la semaine dernière... Savez-vous qui était le premier économiste ? demande-t-il à Ferrand en veillant à ce que chacun entende la question.

Le banquier, pour toute réponse, prend l'air perplexe qu'attend son interlocuteur et picore son « larb », plat de viande hachée si mêlée d'épices qu'il est à déconseiller à tout palais sensible.

— C'est Christophe Colomb, sourit Paléski, et comme je suis sûr que vous ne devinez pas pourquoi, je vous l'explique : Colomb ne savait pas où il allait, ignorait ce qu'il trouverait et n'avait aucune idée du prix que cela coûterait, pourtant, il a tout fait aux frais de l'Etat.

Après un bref silence durant lequel l'ambassadeur savoure l'effet de sa boutade et laisse à ses convives le temps d'avaler un peu de vin pour endiguer les assauts du larb, il reprend d'un air plus grave :

— Belle image de nos économistes, n'est-ce pas ?

Anders, plus habitué que les autres aux saveurs aiguës de la cuisine thaïe, est le premier à réagir. Il ne peut résister au plaisir d'aborder le sujet de l'enfoncement de l'hôtel, au risque d'irriter le chef de travaux :

— Les experts qui ont fait l'étude de faisabilité de l'hôtel leur ressemblaient, n'est-ce pas Fournier ?

L'autre se contente d'acquiescer d'un signe de tête accablé en se jurant bien que le consul le lui paiera. Il prend un peu de larb et le regrette aussitôt ; décidément, Anders et les épices, cela fait beaucoup. Il vide son verre tandis que le couplet ironique se poursuit :

— Depuis deux semaines, monsieur l'Ambassadeur, les experts appelés à la rescousse du Bangkok Intercontinental pataugent dans la glaise et dans des théories — oserais-je dire vaseuses ? — sur l'argile dure et l'argile molle. Evidemment, pendant ce temps, l'hôtel continue à s'enfoncer...

— Assez lentement, intervient Fournier, soucieux de ne pas inquiéter Ferrand dont la banque, l'Indo-Suez, finance la construction.

L'ambassadeur rassure le chef de travaux d'un geste de la main :

— Ce n'est pas la première fois que nous avons des problèmes avec cet hôtel. Nous nous en sortirons. N'est-ce pas vous, mon cher Fournier, qui m'avez dit un jour que plus les entreprises sont grandes, plus nombreux sont les problèmes qui les accompagnent ?

Fournier porte son verre à ses lèvres sans répondre. Le silence qui s'ensuit donne un tour ironique aux paroles de Paléski. Chacun se met à considérer la splendide nappe brodée — un souvenir de Saigon — avec un soudain intérêt. L'ambassadeur doit rapidement passer à un autre sujet :

— Vous savez, pour tout ce qui concerne le développement, personne n'est vraiment fixé...

Anders, soucieux de maintenir sa réputation d'iconoclaste, abonde dans son sens : comment une société telle que la nôtre, où vivent cinq à dix pour cent d'agriculteurs et dont le renouvellement démographique est très lent, pouvait-elle prétendre donner des leçons de développement à des pays essentiellement ruraux où la population double tous les vingt-cinq ans ?

Pendant que Paléski répond en défendant le développement autocentré, les serviteurs apportent le clou du dîner : un plat de poissons servis vivants. Seuls les grands chefs chinois — et celui de l'ambassade appartient sans nul doute à cette confrérie — savent concocter cette recette. A Singapour, Santerre avait été invité à en observer la préparation. Le poisson, à peu près de la taille d'une truite, est tiré de son aquarium. Pendant l'ensemble des opérations, il va être maintenu par un aide-cuisinier qui lui protégera la tête, siège des centres vitaux, tandis que le chef lui écaillera, tailladera, pimentera, ébouillantera et enfin lui frira le corps. Puis on apporte le malheureux animal aux clients qui peuvent apprécier à la fois l'incomparable goût de ce mets et son frétillement incongru.

Santerre fait partie de ces âmes sensibles qui, oublieuses des préceptes de l'art culinaire chinois selon lesquels la chair vivante possède une saveur sans égale, détestent que leur nourriture se mette à remuer au moment où l'on s'apprête à la consommer. Il observe un peu écœuré les coups de queue lancés par l'animal qu'un serviteur vient de poser dans son assiette.

— Peut-être, intervient Anders qui, pas plus que Santerre, ne semble priser les frétillements de son poisson, aider le tiers monde à se développer revient-il d'abord à se développer soi-même, moralement s'entend.

La plupart des convives, intrigués par le mets qu'on leur a servi, n'ont pas entendu. Chacun contemple son assiette en se demandant s'il va oser planter sa fourchette dans cette chair qui refuse si ostensiblement de mourir. Mais Santerre a tendu l'oreille, la conversation s'engage sur le terrain qui l'intéresse.

— Notre pratique de la coopération est bien peu *morale,* poursuit le consul, tout le monde ou presque condamne la généralisation des régimes militaires au Sud (voyez la Thaïlande dont la région Nord-Est a été ruinée par l'installation puis le démantèlement des bases américaines au moment du Viêt-nam) mais personne n'y remédie.

Un bruit mou dans l'assiette de Santerre, le poisson vient de décocher son dixième coup de queue contre la porcelaine, le jeune homme l'achèverait bien s'il ne craignait de paraître ridicule. Il repose sa fourchette, dégoûté.

Anders en est à son classique couplet sur la diplomatie, relation établie entre les classes privilégiées de deux pays, dont il ne fallait rien attendre puisque le diplomate n'irait jamais à l'encontre du système qui assure le pouvoir à des gens comme lui. L'ambassadeur écoute en souriant d'un air bénin : Anders avait raison, mieux valait en rire.

Santerre attrape le récipient qui contient le « nam pla », une saumure de poisson noirâtre à la très forte odeur, et en verse abondamment sur l'animal qui s'agite dans son assiette. Il espère ainsi le calmer. Il s'amuse intérieurement de la bizarrerie de son acte : « Ça doit être ce qu'on appelle " noyer le poisson ". »

— Autre problème, continue le consul décidément en verve, qui envoyons-nous dans le tiers monde ? Des spécialistes engagés pour des projets limités, telle la construction d'une route ou d'une usine « clé en main ». Ils se passionnent souvent pour leur tâche, bravo ! mais ils en arrivent parfois à ne plus voir qu'elle, et à oublier qu'elle est seulement le fragment d'une politique globale de coopération. D'autres, les mêmes quelquefois, vont d'un pays sous-développé à l'autre pour conserver le luxe, le salaire, la villa et la bonne qu'ils ne pourraient s'offrir en France. Voilà le tableau à peine caricatural de la coopération française. Tout s'y passe comme s'il ne pouvait exister en la matière que l'alternative désespérée promise par Max Weber à notre vieille civilisation entre le spécialiste sans vision et le voluptueux sans cœur.

Le silence s'est fait plus hostile à chaque phrase du consul. Son ironie cinglante flotte dans l'immense salle blanche, hantant chaque convive, lui parlant méchamment de sa propre personne. Les mots « coopérant », « expert », « diplomate » leur sont trop proches pour qu'ils supportent les sourires moqueurs dont Anders les accompagne. Même l'ambassadeur a perdu sa gaieté de commande. Quant à Fournier, Santerre n'ose plus le regarder tant il doit écumer de rage. Troublé, le jeune homme pique sa fourchette dans la chair du poisson qui ne réagit pas, le nam pla l'a-t-il anesthésié ? Il porte la bouchée à ses lèvres en essayant de ne pas trop penser à la créature qui gît dans son assiette : c'est salé, il a mis beaucoup trop de sauce. Néanmoins, il avale sans autre forme de procès.

— Il est toujours facile de théoriser sur les hommes qui agissent, dit Fournier en agitant furieusement sa fourchette, c'est le privilège des gens de papier. Mais ils sont muets quand il s'agit de proposer des remèdes efficaces.

— Les ONG, les Organisations non gouvernementales, sont peut-être une solution, répond le consul.

Le chef de travaux hausse les épaules. Santerre l'avait entendu un jour parler des ONG en souriant, les meilleures ne faisaient pas un travail différent des coopérants, quant aux autres, « des néocolonialistes naïfs, mauvaise conscience et bonnes actions pour se refaire une santé morale. Bref, sauveur du tiers monde au petit pied ».

— Ce qui m'intéresse chez elles, reprend Anders avec aigreur, c'est ce que leur existence suppose de mauvaise conscience occidentale.

Dans l'assiette de Santerre, l'animal s'est remis à bouger. Le jeune homme y prend à peine garde, fasciné de voir son ami abonder dans son sens. A l'autre bout de la table, Ferrand, qui vient de finir son poisson, sourit ironiquement puis prend la parole d'une manière pateline, sur le ton doucereux qu'il adopte lorsqu'il ne s'adresse plus à des subordonnés :

— Vos absolus moraux, vos convictions ne servent qu'à désespérer les gens. Moi qui suis banquier, j'essaie toujours de ne pas pleurer sur les tares des hommes mais de travailler avec ce qui les meut.

— Une pratique qui ne serait pas guidée par une conviction ne vaudrait pas grand-chose, répond le consul d'un ton cinglant.

Lady Joan, qui trouve que la conversation devient un peu vive, demande en souriant à Nathalie si elle a aimé le poisson. Santerre, s'apercevant qu'on n'attend plus que lui pour passer au plat suivant, s'efforce d'avaler une seconde bouchée après avoir torturé le pauvre animal. Toujours ce terrible goût salé... il décide de renoncer. Il pose ostensiblement ses couverts sur son assiette, un serviteur la lui enlève aussitôt.

On évoque désormais les recettes chinoises, mais les propos sonnent faux. Chacun pense à ce qui vient d'être dit, au débat inévitablement passionné sur le tiers monde. Le jeune homme comprend qu'il peut parler. Il n'ignore pas que c'est en Occidental qu'il condamne l'Occident, mais loin d'y voir une faute, il trouve que ce sentiment est tout à l'honneur des Européens.

— Je crois qu'Anders a raison, dit-il en interrompant

Nathalie qui parlait de la façon d'accommoder les nouilles chinoises, à défaut de notre connaissance du tiers monde, nous devons au moins cultiver notre conscience...

L'attention est soudain devenue meilleure. La salle s'est réduite pour lui à quelques lumières trop violentes, à des regards trop humides, à des yeux rougis par l'alcool et la fumée des cigarettes. Un peu étourdi par le vin et le silence qui accueille ses paroles, il poursuit son discours, à la recherche d'une vérité qui n'apparaîtra pas forcément dans les mots qu'il emploie, bien qu'elle soit absolument claire en lui :

— Je ne cherche pas à prôner je ne sais quel renouveau moral, je veux simplement fonder ma vie sur des convictions, et il m'apparaît que l'aide au tiers monde est la nécessité de notre époque...

Déjà, les serviteurs apportent le gâteau, une imitation thaïe des charlottes occidentales. Tous savent, pour en avoir fait l'expérience, que la crème en est rance et la pâte bien trop sucrée ; les Asiatiques ne sont guère doués pour les desserts. Tout au plus parviennent-ils à réaliser, comme pour ce gâteau, des alliances de coloris originales où le rose se marie au mauve et au vert, mais l'apparence est trompeuse : c'est joli, rarement bon. Santerre, lancé dans de longues explications, n'en a cure.

— ... tous ceux qui se cherchent une raison de vivre en Occident devraient considérer ceci : nous appartenons à la société la plus riche, non à la plus importante. Les changements essentiels viendront des pays sous-développés. Nous avons le pouvoir de les favoriser ou de les retarder. C'est tout.

— Un programme bien vague, sourit Fournier en enfonçant sa cuillère dans la tranche mauve et rose qu'on vient de lui servir.

A l'instant où le jeune homme va répondre, Anders lève la main pour prendre la parole comme s'il se trouvait dans une conférence. Santerre comprend qu'il va de nouveau chercher noise au chef de travaux.

— Je suis sûr que Christian pourrait nous parler des heures du développement en termes plus précis, ne serait-ce que parce qu'il est l'ami de Perrin qui est intarissable sur ce sujet... mais... tenez, Fournier, si nous parlions de l'urbanisation ! Vous serez d'accord avec moi pour dire que c'est l'élément crucial du développement ?

Surpris par la question, le chef de travaux hausse les épaules en considérant le consul sans aménité. Il pose sa cuillère et commence à jouer distraitement avec sa serviette tandis qu'Anders expose ses thèses.

— Prenons l'exemple de Manchester au XIXe siècle, dit le consul en souriant, la ville la plus riche du monde, la fierté de la Grande-Bretagne. Qui aurait prédit qu'un siècle plus tard, ce serait Liverpool qui la supplanterait ?

» Il est advenu à Manchester ce qui arrive à toute ville en déclin : une grande partie des habitants est incapable — en raison de la misère — d'utiliser le capital produit par la ville. Celui-ci s'en va donc et n'est plus utilisé pour créer de nouveaux produits, services ou industries. Voilà comment meurent les cités...

Santerre, qui s'efforce d'avaler une bouchée au goût rance, voit où le consul veut en venir. Bangkok aussi...

— Maintenant, considérez Bangkok. C'est le type de ville qui a été construite et développée par les capitaux occidentaux. La plupart des grandes entreprises de Bangkok sont étrangères, et si elle attire tant d'industriels, c'est grâce aux bénéfices que permet le coût dérisoire de la main-d'œuvre. Mais, croyez-vous, Fournier, que ces bénéfices sont réinvestis en Thaïlande ?

» Bangkok est devenue en fait une extraordinaire exportatrice de capitaux, une ville qui s'use à réaliser des bénéfices sans que ceux-ci garantissent en quoi que ce soit son avenir...

Anders attend quelques secondes avant de porter le coup de grâce. Il reprend un peu de gâteau, s'essuie la bouche avec la serviette brodée, puis dit à Fournier :

— ... et ce n'est pas en construisant des hôtels qui seront

gérés par des compagnies étrangères qu'on arrangera les choses. Vous imaginez le Manchester Intercontinental vers 1890 ? Quelle erreur ç'aurait été !

Le chef de travaux repose sa cuillère dans son assiette. Il blêmit sous l'insulte. Santerre se croit obligé d'enchaîner rapidement :

— On pourrait aussi évoquer un autre point important, l'agriculture...

Il parle en essayant d'éviter de voir le regard haineux que Fournier pose sur le consul, mais, par la faute d'Anders, l'atmosphère du repas s'est modifiée. Personne n'écoute vraiment ce que dit le jeune homme. Il continue néanmoins, soucieux d'opposer à la colère des deux hommes et à l'indifférence des autres sa part de vérité :

— Il y a en Occident une grande pitié pour le sort des hommes du tiers monde. La pitié est absurde, elle n'aide ni ne console. La compassion serait plus efficace. Le jour où les Occidentaux considéreront ces souffrances comme les leurs, les problèmes seront en passe d'être résolus. Je n'ai pas envie de me faire l'apôtre de cette conviction, elle s'imposera fatalement.

Il se tait. Il n'espère même pas avoir convaincu qui que ce soit. Tandis que les serviteurs apportent un café très noir mais insipide, il songe à tout ce qui vient d'être dit et qui le touche de si près. Dans quelques années, dans moins peut-être, il sera devenu aussi indifférent que tous ces professionnels du développement. Mais, à présent, quelque chose en lui a été gratté, mis à nu, un point douloureux que la colère ou la résignation ne peuvent masquer. Déjà, l'on parle d'autre chose, les serviteurs évoluent doucement, comme des chats, autour de la table, et il est le seul à penser encore aux hommes misérables du Sud.

X

Le lendemain, après une journée de travail monotone, Santerre s'assied à la terrasse de l'Oriental, face à la Chao Praya. Le vieil hôtel n'est plus qu'une ruine qui se soutient comme elle peut en dépit de la désaffection chronique des clients. Le jeune homme a bien du mal à trouver une table et une chaise pas trop rouillées. Maugham et Conrad ont séjourné à l'Oriental au début du siècle, ils ont connu la jeune Bangkok, cité que Malraux nommait la « sœur d'Ispahan et de Pékin, l'une des villes les plus irréelles du monde ». S'il voyait la Bangkok d'aujourd'hui.

L'endroit garde néanmoins un charme certain. En cette fin d'après-midi, l'eau boueuse du fleuve se couvre d'une poussière d'or ; de temps en temps, entre les herbes de Java qui dérivent tranquillement, des bulles viennent percer l'effervescence dorée et éclatent à la surface, respiration légère du lit de la Chao Praya. En face, les berges de Thonburi offrent leurs quais moisis à des bateaux dont l'énorme panse roule doucement sur l'eau. La dernière fois que Santerre les a contemplées, il a trouvé le cadavre de ce jeune Thaï dont Somchaï a fait un être de légende.

Des orchidées, aussi communes ici que les pâquerettes en France, ont été disposées autour de la terrasse pour le plaisir des rares clients ; à gauche, un petit jardin fait de pelouses mal taillées et d'arbres tropicaux d'essences diverses offre aux touristes une promenade sans surprise. Mais ce n'est pas cette végétation, pour ainsi dire domestique, qui attire l'œil de Santerre, c'est l'herbe de Java, omniprésente à la surface du fleuve comme dans tous les cours d'eau thaïlandais. Elle va parfois jusqu'à en interdire l'accès à la navigation tant elle a proliféré. Il sent mieux, en la voyant engorger la Chao Praya, que la nature tropicale est d'un autre ordre que sa sœur occidentale, elle possède un degré supérieur de présence, une permanence qui lui permet de dominer les autres vivants. Si on avait demandé à Santerre de donner la qualité première qu'il attachait aux tropiques, il aurait répondu : « L'évidence. » Celle de la végétation mais aussi celle des couleurs, de la lumière... tout y chatoie invariablement. Il n'y a pas de clair-obscur dans ce monde ; l'énigme de l'obscurité pas tout à fait complète en est absente. La lumière du soleil écrase tout, puis la nuit tombe en quelques instants de flamboiement inoubliable. On chercherait vainement l'heure où la terre oscille entre chien et loup et les lueurs spectrales qui s'allument alors sur les landes d'Europe du Nord. Le mystère qui s'affiche sous les tropiques est d'une beauté qui dépasse de beaucoup les vivants, il est grandiose et solennel, jamais, comme en Occident, allusif et insinuant.

Seul le moment du coucher du soleil satisfait Santerre. Le ciel s'enflamme alors, hurle en couleurs violentes et donne à Bangkok l'aspect d'un immense théâtre pour des Shakespeare déments. La ville bruissante et fumante se transforme, pour un bref instant, en une cité de carton-pâte où les Occidentaux n'ont jamais fini de se faire du cinéma. Combien de ces artistes ratés, se débattant contre ce qu'ils nomment l'absurde, errent dans les rues de cette ville au plaisir facile en cultivant un bonheur de pacotille ? Ils s'extasient sur la jeunesse, la sauvagerie, la perversité de l'Asie en observant, sous la lumière romantique du couchant, l'agonie des pauvres du tiers monde.

Certes, Santerre ne se fait aucune illusion, son mode de vie l'apparente à ces hommes venus tirer un profit maximal de leur argent en pays sous-développé. Simplement, son enthousiasme pour Bangkok ne l'aveugle pas. Au contraire de ces pantins qui se cherchent une raison de vivre à l'autre bout du monde, il ne métamorphose pas, le temps d'un joint ou d'un whisky, les mendiants de Bangkok en princes déchus et les prostituées en Cendrillon. La tragédie de cette ville le touche, même si — et c'est là une source continuelle de stupéfaction pour lui — elle est en grande partie occultée par le courage et la dignité avec lesquels ses victimes la subissent.

A présent, cette cité qu'il aime est menacée, et la tâche à laquelle on l'a chargé de veiller, la construction de l'hôtel, risque de sombrer. Partout on parle de vieillards pris par les eaux qui ont monté très rapidement, de bus ou de camions renversés après avoir tenté de passer en des endroits où les inondations ont atteint des proportions extraordinaires. On ne compte plus le nombre de taxis, de samlos et d'automobiles qui ont noyé leur moteur dans les rues engorgées. Désormais, personne ne se risque à circuler en voiture, hormis de rares imprudents. Les trains et les avions n'arrivent plus, Bangkok est presque totalement coupée du monde.

On annonce bien pire. Les quatre grandes rivières du Nord, les affluents de la Chao Praya, s'apprêteraient à déverser leurs eaux démesurément grossies dans le fleuve. Bangkok recevrait le produit des plus grosses crues de ces cinquante dernières années alors que les barrages sont déjà saturés et que les canaux de diversion débordent. « Personne ne sait ce qui arrivera, lui a dit Perrin, de toute façon, Bangkok sera une ville sinistrée. »

Quant au Bangkok Intercontinental, qui s'enfonce irrémédiablement, comme Fournier l'a révélé, il n'est guère en meilleur état. Les experts internationaux, appelés d'urgence pour en déterminer la cause, ont rendu leur verdict ce jour même sous la forme d'un énorme rapport où il apparaît que deux facteurs sont responsables de l'accident : le pompage des nappes d'eau souterraines entrepris dans le cadre des travaux, et l'énorme poids du bâtiment qui a provoqué une compression de la couche d'argile molle du sous-sol.

« Pour les remèdes, a confié l'un d'eux à Santerre, il n'en existe pas de connu et d'entièrement efficace. Nous ferons notre possible... »

Depuis le début de la catastrophe, Fournier a vieilli de dix ans. Il passe cependant ses journées à harceler les ouvriers qui construisent fébrilement des soutènements à l'hôtel. Dans l'eau qui ne cesse de monter, le travail est rien moins que facile.

Tout cela advient au moment où Santerre se sent plus proche que jamais de ce pays, de ce nœud de forces dont le roi est le dépositaire. Chaque jour, il pense à Wanee, s'imaginant sans trop y croire qu'elle aussi désire le revoir. Il songe à ce qu'il lui dirait s'il lui était donné de lui parler encore une fois, à la conviction avec laquelle il évoquerait cette distance intérieure, ce sentiment qui, en France, le forçait à considérer toute chose avec une arrière-pensée et à jouer la vie comme un rôle déjà appris quoiqu'un peu oublié. Etait-ce la Thaïlande ou elle, Wanee, qui lui avait fait perdre ce regard d'homme fatigué ?

Il lui parlerait aussi de cet égoïsme occidental dont il a réussi à se dépouiller, de cet égoïsme asiatique, qui lui paraît une solution imparfaite mais plus enviable. En Occident, les gens n'ont pas seulement le désir de s'occuper exclusivement d'eux-mêmes, ils ont aussi celui de rabaisser, de salir ceux qui ne leur ressemblent pas. L'Asiatique, lui, ne se consacre qu'à lui-même, sans chercher à nuire aux autres ; par là, il suit la leçon bouddhiste : les choses et les gens ne sont qu'illusions, pourquoi s'en occuper ?

Mais il préciserait, avant qu'elle ne se moque de lui, qu'il établit une distinction entre l'indifférence du riche et celle du pauvre. Pour l'un, elle est un choix et une précaution, pour l'autre, elle est un fardeau de plus. A observer les misérables des rues de Bangkok, voilà longtemps qu'il a compris que les pauvres ont ces airs d'indifférence absolue parce que des milliers de refus leur ont prouvé qu'il n'y a rien à attendre des autres. Les pauvres dorment pour oublier et les riches en profitent pour les oublier.

Il lui conterait sa fascination pour ses congénères, hommes et femmes au visage impassible, qui ont tout accepté de la vie par avance. Il admire qu'on subisse avec cette douce patience la mort et la douleur et qu'on sache prendre joies et plaisirs sans importuner les dieux de demandes ou de remerciements indus. Il continuerait en parlant de l'harmonie sociale préservée par le peuple thaï et dont le roi demeure le centre. Connaître ses limites en tant qu'individu et s'effacer devant le groupe, voilà ce qui manque à l'Occidental. Avant de venir en Thaïlande, il croyait qu'exister était suffisant, désormais, il sait qu'il faut exister *et* appartenir.

Le soleil est une énorme boule rouge qui lorgne sur Thonburi, les eaux du fleuve s'embrasent. Santerre a beau tendre l'oreille, il n'entend pas le grondement familier de Bangkok. Les voitures ne peuvent plus circuler dans les rues où l'eau a encore monté. Pour la première fois depuis sans doute une centaine d'années, la ville s'endort en silence.

Il se lève et s'approche de la balustrade rongée qui donne sur le fleuve. L'eau arrive presque à la hauteur du sol de la terrasse. Il se penche et regarde vers la droite, vers ce Nord d'où s'apprêtent à déferler les crues les plus importantes que la ville ait connues. Là-haut se trouvaient les royaumes de Sukhotaï et d'Ayuttayah, de là-bas sont venus les Thaïs, toujours repoussés plus au sud par leurs ennemis. Quoi qu'il arrive, tout cela survivra, ces hommes qui ont spontanément coupé le moteur de leurs bateaux à l'instant où le soleil disparaissait, ces enfants qui nagent et plongent en riant, ces vieilles qui pagayent lentement et ce roi, dépositaire de leur confiance depuis Sukhotaï. Les nuages de l'ouest détachent leurs moires violacées sur un ciel vert et rose, l'ombre s'accroît rapidement. Il pense à Wanee en contemplant ce ciel sublime et succombe complaisamment au romantisme qui ne manque jamais de saisir les falangs au couchant des tropiques.

Une nuit étrange est revenue sur Bangkok, une nuit faite de chants et de cris d'animaux là où le hurlement des moteurs déchirait les oreilles. La ville s'endort, bercée par les crapauds et les geckos, troublée seulement par les aboiements de chiens inquiets de tant de calme. Bientôt, la pluie va revenir apaiser la peau des bêtes brûlées par le soleil. Dans les temples, les bonzes prient au son de gongs qui résonnent à des kilomètres. Pour la première fois depuis des années, les chants sacrés quittent l'enceinte des temples et gagnent les maisons, les places où les mendiants sont écrasés de sommeil, les rues où les enfants désœuvrés ne savent plus à qui vendre leurs colliers de fleurs, les soïs inondés où les gens avancent prudemment ; ils planent sur la ville comme naguère le tumulte moderne. Des hommes, bercés par la psalmodie, s'arrêtent au coin des rues et attendent on ne sait quoi. Parfois, la litanie leur semble receler quelque chose de monotone et de vaguement menaçant, comme si elle ressemblait au murmure des eaux du fleuve qui montent sans arrêt, prêtes à engloutir Bangkok. Et alors, pendant un instant, cet apaisement bizarre leur apparaît comme le signe avant-coureur de la mort.

Sur un lit, dans le noir, vêtus de tee-shirts et de sarongs, Perrin et Finn s'étreignent. La voix du Belge s'élève comme une intruse parmi les chants, les coassements et les coups de gong :

— Quand ferons-nous l'amour ?

— Tu as eu l'illusion de le faire avec moi, ça ne te suffit pas ?

— Comment est-ce que ça pourrait me suffire ?

— Je ne pourrai jamais faire mieux que cette illusion, tu sais.

— A t'entendre, on croirait que les femmes doivent être les magiciennes des hommes !

— Sans doute ! les hommes ont tellement peur de la réalité !

Il se relève légèrement. Sur un coude, il essaie d'apercevoir le beau visage de Finn perdu dans cette nuit sans lune.

— La réalité ?

— Je distingue entre l'amour et la vanité, Laurent ; je fais l'amour pour jouir, simplement, tandis que les hommes...

Il sent que ses yeux se sont posés sur lui, intensément, comme une accusation.

— Ils croient toujours me posséder, c'est ça qui les... exalte. Leur plaisir est moins physique que vaniteux.

— Ils te possèdent bien, ces hommes, non ?

— Posséder est un mot d'homme, de sauvage... Ils doivent penser que mes gémissements de plaisir ressemblent à des cris de douleur.

Il perçoit sa respiration, un souffle tiède et parfumé venu de cette lueur vague et blanche qui ne ressemble pas au visage qu'il a tant embrassé.

— Il peut donc y avoir un amour sans plaisir ?

— Aimer est le vrai plaisir. Une Chinoise ne se donne pas, elle aime, complètement.

— Nous pourrions essayer d'associer amour et plaisir ?

Elle sourit dans le noir, puis ferme vivement la bouche de peur qu'il n'aperçoive l'éclat narquois de ses dents. Les falangs sont tous les mêmes, comme des enfants abandonnés venus demander l'asile de bras accueillants.

Il prend la main de Finn et ferme les yeux, comme pour se sentir encore plus seul. Il se penche maladroitement vers son visage et l'embrasse. Il choisit de parler pour dissiper son angoisse :

— Tu ne m'as toujours pas dit quel est ton métier.

— Amoureuse, ça ne te suffit pas ?

— Pas avec moi, en tout cas !

— Toi, tu fais partie de mes loisirs.

— A ce compte-là, je préférerais être une relation de travail !

— Bah ! tu ne sais pas ce que tu dis !

— Mais je sais ce que je sens !

Elle s'esclaffe et son rire jaillit comme une source vive dans la nuit de chants et de cris.

— Je te garde pour mes loisirs parce que tu es drôle. Ce que j'aime bien, c'est que tu ne me dis pas trop souvent « Je t'aime ». Il n'y a rien de plus énervant, il faut garder son sérieux dans ces moments-là. Une fois, j'ai éclaté de rire quand un type m'a dit ça, j'ai dû passer le reste de mon après-midi à le consoler.

— On te le dit souvent ?

— A moi non, à mon corps oui.

— Tu arrives à distinguer entre les deux ?

— Mari dit qu'alors, les uns me regardent dans les yeux et les autres plus bas... Ça n'est qu'à moitié vrai, d'ailleurs, il y a des menteurs qui vous regardent dans les yeux en vous imaginant plus bas.

— En ce moment, je suis un menteur qui te regarde plus bas en rêvant à tes yeux...

— Il va falloir que je devienne sérieuse ?

— Que te dire d'autre ?

— Parle-moi de toi !

— Je voudrais te parler de nous...

— Quand un homme dit nous à une femme, c'est un mari, ou un amant bien sûr de son affaire.

— Il n'y a pas d'amant moins sûr de lui que moi !

— Ou bien, il n'y a pas d'amant moins sûr de moi que lui, dit-elle en pointant le doigt vers Perrin.

Elle éclate de rire ; comme tous les Thaïs, elle aime jouer avec les mots.

— Ah ! au diable ! je te désire plus que je n'ai jamais désiré qui que ce soit !

— Alors, tu m'auras, Laurent, tu m'auras, lui dit-elle à voix plus basse. Mais m'avoir n'est rien si je ne me « donne » pas, pour parler ton langage.

Leurs paroles et leurs soupirs retournent à la nuit. Ils s'avisent que les chants des bonzes ont gagné en puissance et semblent désormais l'emporter sur toute chose. Allongés l'un à côté de l'autre, ils attendent la pluie. Sa main dans la sienne, Perrin éprouve la force de ce contact, plus violent que la nuit, que leurs corps, que la mort peut-être qu'évoquent au loin les psalmodies des temples, et il sombre lentement au son des trombes d'eau qui commencent à déferler sur la ville noyée.

XI

Samitivej Hospital est le plus luxueux hôpital de Bangkok. Il se trouve au fond d'un soï de Sukhumvit, le quartier résidentiel de la ville. Fournier et Anders, quelque peu en froid depuis leur algarade à l'ambassade, ont décidé d'y venir ensemble rendre visite à John Bower gravement malade. Ils obéissent ainsi à la loi de leurs relations qui constituent une curieuse suite de rapports cordiaux et de ruptures brutales. Pour l'instant, c'est l'accalmie dont ils ne savent pas très bien si elle va durer.

La chambre de l'Australien est de couleur pastel, assez petite mais dotée de tout le confort américain : télévision, chaîne stéréo et coin toilette avec douche et baignoire. Bower ne semble pas en état d'apprécier ; allongé, un épais bandeau de gaze sur les yeux, il est pâle et très amaigri. Il reconnaît les Français au son de leurs voix ; un sourire, le sourire pathétique des aveugles, lui éclaire le bas du visage.

— Welcome guys ! How are you ?

— C'est plutôt à nous de te poser cette question, John ! dit Fournier en fronçant les sourcils.

— Pas trop bien, avec ce satané microbe... même les médecins d'ici ne savent pas le soigner !

Les coins de sa bouche se crispent un peu. Les Français peuvent lire toutes ses émotions dans le jeu des muscles de la face. Comme tous les aveugles, Bower ne contrôle plus très bien les expressions de son visage.

— Il paraît que c'est une saloperie de mouche venue d'on ne sait où qui colporte cette maladie. Il y a une sorte de taie sur mes yeux, un voile de lymphe qui les recouvre complètement. Je ne peux plus rien voir, guys !

— Les soins ? demande Fournier.

— Quels soins ? Ils en sont encore au stade de l'étude du microbe. Je leur sers de cobaye, ça sera peut-être utile pour les autres mais pendant ce temps, je crève doucement, moi !

— Ça ira, John, dit Anders en lui prenant la main, les médecins d'ici sont des as.

— Ne m'approchez pas, boys, détail amusant : ce virus est extrêmement contagieux et ne semble frapper que les falangs.

Fournier jure à voix basse. L'Australien, dont l'ouïe s'est affinée sourit faiblement :

— Est-ce que ça va aussi mal qu'on le dit, dehors ? Je n'y voyais déjà plus quand ils m'ont amené ici, mais j'étais heureux qu'ils m'y amènent en barque, autrement j'aurais dû venir à la nage.

Il parle avec difficulté, entrecoupant ses mots de souffles rauques, malsains. La chair de son visage et de son cou est bleuie par endroits et de grosses veines apparaissent, attestant l'effort qu'il fait pour converser.

Fournier n'ose pas lui parler de l'hôtel et de ses problèmes. Anders fait une réponse vague qui paraît le satisfaire.

— Alors, tant mieux si je dois crever, je garderai l'image de la vraie Bangkok, pas de cette piscine dégueulasse qu'elle devenait.

— Toujours fasciné par ce pays qui vous rend si malade ! essaie de plaisanter le consul.

Il a senti le malaise de Fournier. Il voudrait dissiper l'atmosphère de morgue qui plane sur cette chambre.

— Thaïlande signifie « pays des hommes libres », fait Bower avec effort, c'est quelque chose d'important pour moi. Un pays qui n'a jamais été colonisé, qui a conservé son authenticité à travers un long combat pour l'indépendance commencé voilà sept siècles.

Il s'essouffle. Anders, qui craint de le fatiguer, voudrait qu'il s'arrête mais le sujet le passionne visiblement.

— A mon avis, c'est ce qui explique l'intérêt des Occidentaux pour ce pays. Mon livre traite — aurait traité — de ça... Il y a un conte thaï qui est unique au monde, celui de la création du bananier. Vous le connaissez ?

Les visiteurs se taisent. On n'interrompt pas un homme qui va peut-être mourir et qui vous parle de ce qui lui est cher. L'Australien commence son histoire avec la voix d'un coureur qui vient de finir le marathon :

— C'était il y a très longtemps, dans le sud du pays. Une jeune beauté de la région rencontra un jeune homme dont elle tomba amoureuse, près d'une grotte enchantée. Après quelques rendez-vous, il lui avoua qu'il était un esprit et qu'il devait la quitter pour regagner son monde. Evidemment, elle ne voulut pas le laisser partir. Elle était si passionnée. Alors, au moment où il disparaissait, elle s'accrocha à lui, de toutes ses forces. Tant et si bien qu'il ne put se libérer entièrement et qu'il lui laissa la main qu'elle tenait si fermement... Horrifiée de voir qu'il ne lui restait plus rien de son amant sinon ce morceau de chair, elle alla l'enterrer au fond de la forêt en versant toutes les larmes de son corps.

» Le matin suivant, une plante étrange avait poussé à cet endroit, elle avait de longues feuilles douces d'un vert intense et personne n'en avait jamais vu de semblable. La jeune fille lui consacra tous ses soins et bientôt, entre les feuilles, apparurent des fruits qui avaient la forme d'une large main aux nombreux doigts. Elle comprit que son amant, de là où il était, pensait à elle et cherchait à l'atteindre... Ce fut le premier régime de bananes.

Bower reprend son souffle, la narration l'a épuisé. Il se passe la langue sur les lèvres. Fournier lui met un verre d'eau dans la main, la chambre a beau être climatisée, la température y est presque insupportable. L'Australien boit puis tend le récipient au chef de travaux d'un grand geste maladroit.

— Je ne connais pas d'histoire illustrant mieux la générosité de la nature tropicale, cette abondance de fruits et de fleurs donnée aux Thaïs. Les hommes vivent mieux et sont meilleurs dans ce cadre magnifié.

Anders songe à ses premiers jours en Asie. Vivre, c'était s'avancer parmi les fleurs, les fruits, les plantes grasses épanouies, un monde végétal enchanteur où il glissait comme un poisson au milieu des algues. Il s'était demandé si son euphorie ne venait pas d'une certaine magie du vert, omniprésent sous ces latitudes, « couleur de l'espoir peut-être, mais plus fortement, projection de la terre vers les hommes. Les plantes sont comme des caresses que nous prodigue le sol ».

— Il y a de ça, John, dit-il, les Thaïs bénéficient d'un *don* de la nature qui les accompagne au long de leur existence. Pensez au cocotier, qu'on a surnommé « l'arbre des paresseux », il suffit de planter une graine et d'attendre que ça pousse. Aucun soin à donner...

— L'élégance innée des Thaïs vient de là, ils se sentent en harmonie avec la nature.

— Ça n'est guère bouddhiste !

— Le bouddhisme n'a considéré que le point central de la condition humaine, la souffrance et ses causes.

Il se renfrogne.

— Mon livre... j'expliquais ça... Bouddha a laissé de nombreuses questions sans réponses parce qu'elles ne lui paraissaient pas importantes. Mais les hommes ont toujours eu besoin d'interpréter les forces de la nature et la destinée. Alors, les Thaïs ont eu recours au brahmanisme et à l'animisme pour ces points essentiels.

— Cette élégance innée ?

— Dans mon livre je parle — parlais — du « cœur froid », cette attitude qui permet le calme et la sérénité des relations humaines. Elle est fille des quatre états sublimes de Brahma : affabilité, compassion, joie sympathique, égalité d'humeur. Il y a quelque chose de cela dans la « meta » bouddhiste.

— Maintenir vis-à-vis de l'émotion un... détachement ?

— Oui.

Anders et Fournier se regardent. Faut-il continuer à converser avec cet homme visiblement épuisé ? Ils ont pitié de ce corps brûlé par la fièvre. Mais c'est peut-être la dernière fois que l'Australien parle de ce livre qui ne paraîtra jamais. Il continue en faisant un effort évident pour ne pas sombrer dans l'inconscience :

— Mais c'est le bouddhisme qui a donné sa coloration à la morale thaïe... cette morale flexible comme un roseau, ce détachement serein envers les problèmes de l'existence, comme je les aurai enviés ! Les Thaïs m'auront fait comprendre cent fois que la vie n'est pas grave, qu'elle est un jeu que nous avons tous gagné dès lors que nous sommes là, à y participer. Je n'ai jamais pu considérer cette idée autrement que... comme une idée. Pour eux, la morale est l'écrin de la vie, non son carcan ; mais, moi, je ne connais d'elle que les devoirs.

Ils l'ont laissé parler encore longtemps. Ses propos étaient parfois incohérents, parfois inaudibles. Au détour d'une phrase à peine murmurée, l'intelligence des mots étonnait Anders, « dommage qu'il ne puisse achever ce livre ! ». Ce qui gênait le consul était l'absence de regard de Bower, comme si ses mots en acquéraient un poids définitif. Enfin, au moment où il s'endormit, ils se levèrent. Ils ouvrirent doucement la porte de la chambre, c'est alors qu'il leur dit :

— C'est cela la Thaïlande, l'Asie restée elle-même, à l'écart des conquérants du Nord... l'Asie qui aurait pu être.

Lorsqu'il sort de ce sommeil qui ne repose pas, plusieurs heures après le départ des deux Français, Bower a la tête pleine de visions, le soleil éclatant, la nature exubérante entre les tours bétonnées de Bangkok, les hommes et les femmes qui avancent lentement dans la lumière. A tâtons, il saisit un livre qu'on a déposé à sa demande sur sa table de nuit, l'histoire de la Thaïlande dans une grosse édition anglaise. Il presse le bouton d'appel et attend l'infirmière. Il voudrait chasser ces visions qui l'obsèdent maintenant qu'aucune image ne vient plus frapper ses yeux.

Il sent un léger courant d'air chaud sur sa joue au moment où elle ouvre la porte. « Elle doit être jolie... et moi qui ne peux plus rien voir ! »

— Je m'ennuie un peu, mademoiselle...

— Madame !

La sécheresse de sa voix ! il en est déçu, comme si cette sévérité était le signe d'une femme laide.

— Je voulais vous demander un service... je ne peux plus lire pour me distraire, alors, si vous vouliez bien, dit-il en lui tendant le livre, rien qu'un passage...

Elle ne soupire pas, « bon signe ! » Elle ferme la porte, prend une chaise et s'assied près de lui.

— Quel passage voulez-vous ? demande-t-elle d'une voix qui n'est décidément guère aimable.

— Celui qui suit la destruction d'Ayuttayah par les Birmans, s'il vous plaît, c'est vers le milieu...

Il aime particulièrement cet épisode. En 1767 (année du calendrier occidental), les Birmans détruisent la seconde capitale du Siam après Sukhotaï : Ayuttayah, la Venise de l'Orient. On croit les Thaïs finis, en fuite, sans plus de ville royale, c'est mal les connaître...

Elle commence à lire de cette voix suave dont l'accent, compagnon fidèle des dernières années de Bower, atténue les consonnes les plus brutales de l'anglais. « Voix des fées ! »

> Quand les Birmans, ivres de vengeance, eurent entièrement détruit Ayuttayah, la capitale qui faisait l'orgueil des Thaïs, ils voulurent combattre un groupe de fidèles qui marchait du sud vers eux. Le général Taksin était à leur tête, il avait rassemblé tous les

soldats thaïs que les ennemis n'avaient ni tués ni emmenés en captivité et s'apprêtait à chasser ceux-ci hors du royaume. La veille du combat final, conformément à la tradition, il envoya un groupe, dont le chef était un brahmane, à la recherche d'un Chayapreuk, c'est-à-dire d'un arbre habité par un esprit qui donnerait la victoire à l'armée qui l'aurait. Ils le trouvèrent non loin des remparts est de la ville. Ils le consacrèrent le soir même au terme d'une longue cérémonie. Le lendemain commençait la bataille qui devait permettre à Taksin de chasser les Birmans et de rester maître du sud du pays... Mais les Birmans laissaient derrière eux ruine et désolation. Ayuttayah, la plus belle ville du monde, le joyau du roi Naraï, était désormais inhabitable et tous les Thaïs capturés avaient été emmenés en esclavage. Taksin comprit qu'il ne pourrait jamais reconstruire une cité à l'emplacement d'Ayuttayah, il décida de trouver une autre ville plus au sud, pensant sûrement à l'exemple des fondateurs d'Ayuttayah qui, quatre siècles plus tôt, étaient venus du nord pour inaugurer une nouvelle capitale à l'abri des conquérants khmers... La légende rapporte que le général demanda alors qu'on lui amène le Chayapreuk qui avait permis de remporter la victoire. Il fit placer le tronc sur le fleuve Chao Praya et jura que là où il s'échouerait serait sa nouvelle capitale. Tous embarquèrent pour le suivre. Quand le Chayapreuk eut parcouru soixante-dix kilomètres environ, il s'arrêta sur les berges d'une obscure ville chinoise nommée Thonburi. Taksin décida d'y fonder la nouvelle capitale du royaume de Siam. En face de Thonburi, sur l'autre rive, se trouvait une ville encore plus humble et obscure ; elle se nommait Bangkok. Voilà la légende de la fondation de Thonburi en tant que capitale du Siam, quant aux faits...

Elle s'arrête ; comme tous les Thaïs, elle ne manifeste guère d'intérêt pour les faits.

— Merci, madame. Je crois que je peux dormir à présent. Sawatdi klap.

— Sawatdi ka.

Dès qu'elle a refermé la porte, il arrache le bandeau qui lui couvre les yeux. La lumière lui fait verser quelques larmes. Il ne voit guère qu'une sorte d'écran lumineux d'un blanc laiteux, il a mal mais ne peut fermer les yeux car le voile qui lui couvre la cornée s'est épaissi jusqu'à déborder la paupière. Il s'allonge sur le côté, l'écran se ternit un peu, le jour vient le frapper moins directement. Il pense à l'extraordinaire épopée des Thaïs depuis Sukhotaï, « ce dédain des conquérants auxquels ils échappaient sans cesse pour renaître », à ces femmes pour qui il a tout sacrifié, à cette petite serveuse qu'il a rencontrée un jour. C'était dans un restaurant, il notait une réflexion à propos de la tendresse sur un bout de papier. La petite Chinoise passe et lui sourit sans que son patron la voie. A toute vitesse, il avait inscrit son numéro de téléphone sur le papier et le lui avait donné. Le lendemain, la fille lui téléphonait en l'appelant « tendresse ». Elle avait cru que c'était son nom.

Tout lui revient, en vrac, comme au moment des adieux. « Sans doute les aurai-je aimées, ces filles-oiseaux, mais mal. Je leur ai offert du rêve, maison luxueuse, voiture climatisée, confort inaccessible à leurs maigres bourses en échange de leur corps, de leur tendresse, de leur présence qui allège le monde. Mais soyons lucide : ce qu'elles entrevoyaient en moi, c'était le mariage, la vie de luxe et la fuite hors de l'enfer surpeuplé qu'elles connaissaient sous le nom de Bangkok. Bien sûr, j'avais soin par mes silences de ne rien leur laisser espérer de cela, mais que leurs yeux étaient éloquents ! et comme elles devaient souffrir quand le falang, l'illusionniste et ses beaux gadgets modernes, l'idole fortunée qui avait l'élégance que permet la richesse, disparaissait dans un dernier sourire. Pour moi, ces ruptures ne représentaient qu'un doux vague à l'âme, pour elles, c'était la mort de ce rêve déchirant, échapper à Bangkok... Bangkok, ville faite de femmes, comme tu m'auras tenu ! »

Une dernière fois, il revoit cette femme aperçue devant le Brahma de l'Erawan, les yeux de Susu au moment où elle jouit et le seul passé qui vaille, sa vie à Bangkok. Il pense à son livre sur la culture thaïe, « tant d'efforts pour éclaircir une évidence ! », à Fournier, à la rencontre de Perrin et de Finn sous le gloo ay tanee ; le jour colle à ses yeux comme une braise ; le visage de Finn, « si je ne devais revoir qu'un visage... » ; il se retourne, le jour le brûle atrocement, un dernier visage, qui ?... celui d'une femme qu'il ne connaît pas... enfin vient la nuit, une nuit glaciale et sans rêve, bien éloignée de celles de Bangkok.

Après sa visite à Bower, Fournier est reparti chez lui déprimé. La maladie de son ami, bien sûr, mais aussi l'enfoncement inexorable (?) du Bangkok Intercontinental, son idéal, ce qui doit être le chef-d'œuvre de sa carrière. Il n'a plus qu'un espoir, la découverte d'une solution miracle par les experts, ou la décrue subite — bien improbable à cette époque — de la Chao Praya.

Dans la barque qui le ramène chez lui, il songe avec mélancolie à tout ce que Nippon et lui ont imaginé pour la future merveille. Les mille chambres qui en feraient l'un des plus grands hôtels du monde, le jardin climatisé, la salle de conférence dotée du matériel électronique japonais le plus sophistiqué, le business center avec son staff de secrétaires prêtes à taper le moindre rapport des hommes d'affaires, les six restaurants (français, japonais, chinois, allemand, indien et thaï), la boîte de nuit et son éclairage au laser qui enfoncerait le vieil appareillage du Diana's, la shopping arcade aux deux cents boutiques toutes plus luxueuses les unes que les autres ; il ne parvient même pas à se rappeler tous les perfectionnements du plus fabuleux hôtel qui serait... le jardin tropical en plein air pour lequel un spécialiste en agronomie a parcouru toute l'Asie, la piscine, olympique bien sûr, les tennis sur gazon, la salle de culture physique, la rivière artificielle devant courir à travers le parc, et toutes les décorations — statuettes, bronzes, tambours, tables laquées, paravents japonais, porcelaines chinoises —, la fine fleur de l'art asiatique donnant sa réelle dimension à ce sublime écrin.

Cet hôtel, il le voit comme le mariage de l'Occident et de l'Orient, de la technique et de la culture. Une débauche de formes, de couleurs, de motifs précieux posés sur la réalisation technologique la plus imposante du monde. Un hall de gare digne de l'Orient-Express, un pays à la mesure d'Alice, une nouvelle architecture où Walt Disney aurait prêté main forte à Le Corbusier. C'était Fantasia au pays de l'industrie, une œuvre d'art aux dimensions de la planète dont lui, Fournier, serait le maître d'œuvre.

Non, il faudrait que tous les éléments se liguent contre lui pour le faire renoncer. Bangkok pouvait crever pourvu que le projet vît le jour. Combien de fois la construction avait-elle failli capoter à cause d'un financier timide ou d'un gratte-papier qui ne comprenait pas à quel point cet hôtel était nécessaire sinon à la ville, du moins à lui, Fournier ? N'était-ce pas la chance de sa vie ? Il avait dû se battre, cela importait peu du reste, il aimait ça ; mais que de fois il avait tremblé de voir tel responsable bloquer les travaux parce qu'il était effrayé par le gigantisme de l'entreprise ! Désormais, les bureaucrates comme Anders pouvaient ricaner, tout était trop avancé pour qu'on renonçât. Les banques, qui râlaient tous les jours, étaient bien obligées de verser de nouveaux fonds pour ne pas perdre ceux qu'elles avaient déjà engagés. Plus rien ne pouvait arrêter la construction sauf... l'accident absolument inattendu qui venait d'arriver.

Oh, certes ! il n'était pas naïf. Au fond, il savait que le projet était dément. L'hôtel n'aurait sans doute pas de clients. Anders avait raison. Mais que lui importait ? Ç'avait été son génie de convaincre tant de gens sérieux et durs en affaires d'investir dans une entreprise sans avenir. Après tout, on n'engloutirait pas plus d'argent dans le

Bangkok Intercontinental que dans Concorde et il aurait eu la satisfaction de réaliser un prodige technologique, une merveille qu'on visiterait comme un musée.

C'était sa chance, cet hôtel. Personne... ni rien ne l'empêcherait de mener la construction à bien. Il suffisait d'attendre, tout s'arrangerait, l'enfoncement, les crues... Mais l'eau recouvre peu à peu ses certitudes.

Troisième partie

L'ASIE QUI SERA

I

A la lueur des torches, les danseurs en habits chamarrés de Sukhotaï oscillent au son d'une musique aigre et têtue produite par quelques musiciens agenouillés un peu plus loin. Les couples forment un cercle géant puis les femmes s'accroupissent devant leur partenaire et frappent régulièrement leurs cymbales tandis que les hommes évoluent gracieusement autour d'elles. Danse de félins qui laisse deviner la souplesse et la force plutôt qu'elle ne les montre.

En ce soir de pleine lune, toute la Thaïlande célèbre la fête du Loy Kratong, donnée en l'honneur de la déesse des Eaux et inspirée par la reine de Sukhothaï, Nang Nopamat. Il est de tradition, en cette nuit de novembre, de lancer sur l'eau d'un étang ou d'une rivière, une minuscule embarcation confectionnée avec des feuilles de bananier et des fleurs de papier, le kratong. Sur celui-ci, on allume des bougies en hommage à la déesse qui assure la fertilité du royaume. Le kratong emporte avec lui les péchés de la personne qui l'a lancé, mouvante absolution peuplant chaque novembre l'eau noire des klongs de lueurs vacillantes qui sont comme le bûcher des fautes de l'année écoulée.

Dans ce quartier misérable de la ville chinoise, la foule des grands soirs de Bangkok est au rendez-vous, un peuple amaigri, scoliotique, mal rasé, le monde des miséreux à qui les membres de la famille royale — à l'exception du roi — ont annoncé qu'ils rendraient visite, cette nuit.

Santerre aussi est là, un peu perdu au bord de ce klong

où il est le seul Européen. Il a reçu une lettre de Wanee l'invitant à venir, ce soir. Il évite l'anneau de spectateurs qui s'est formé autour des danseurs, déambule lentement parmi les tables de plastique sale où de nombreux Thaïs engloutissent avidement leur portion de nouilles et de boulettes de viande, longe le trottoir au bord duquel sont accroupis des marchands de fruits qui murmurent obstinément le prix du kilo de ramboutans ou de durians, penchés sur des paniers d'osier crasseux, et arrive sur les berges du klong, ou plutôt sur ce qui en tient lieu depuis qu'il a débordé une centaine de mètres. De nombreux Thaïs se trouvent près de l'eau et s'affairent autour de leurs kratongs.

Un autre groupe de danseurs évolue en cet endroit. Les hommes à genoux frappent leurs tambourins tandis que les femmes ondoient, se plient, prennent des positions fantastiques de souplesse sans donner la moindre impression d'effort. Puis elles s'accroupissent face à leur partenaire et ondulent seulement du buste et des bras qu'elles tiennent écartés à hauteur des épaules. L'effet est prodigieux, leurs membres sont des vagues, des flammes humaines, des caresses de la brise matérialisées. Leurs mouvements infimes incarnent on ne sait quel invisible, unissant la femme et sa dimension privilégiée, le surnaturel.

Soudain, un vaste mouvement de foule se fait dans le dos de Santerre qui regarde l'étrange danse. Sans doute les personnes royales qui arrivent. Les berges se vident, chacun se mêle aux curieux qui cherchent à apercevoir la reine et les princesses. Les danseuses continuent leurs ondoiements de fées pour quelques spectateurs moins curieux ou moins agiles. Il en profite pour aller jusqu'à un coin obscur de la berge où se trouve un ponton vermoulu, l'endroit où elle lui a donné rendez-vous.

Au loin, des flambeaux qui illuminent le chedi d'un temple remuent faiblement sous le vent nocturne, peuplant la lourde masse d'ombres fantastiques ou grotesques. Sur le klong, les lumières tremblotantes sont de plus en plus nombreuses à glisser à la surface de l'eau, emportant tous les péchés de Bangkok.

Une main se pose, légère, sur son épaule. Wanee, en habit de Sukhotaï, princesse sortie des légendes médiévales. Il devine son sourire dans la nuit qui les entoure.

— J'avais peur de ne pas vous trouver, le ponton près duquel je vous avais donné rendez-vous a été englouti.

Elle lui tend la main, il la prend doucement. Dans leur dos éclatent les cris de joie et les rires de la foule. La brise porte jusqu'à eux une odeur de poudre, celle des pétards et des feux de bengale brûlés par les gamins.

— Le roi est dans un état critique, dit-elle à voix si basse qu'il a peine à entendre.

Il voit qu'elle tient quelque chose de la main gauche, un kratong sans doute.

— Réellement critique ?

Déjà, il regrette d'avoir parlé, sa voix s'accorde mal à la douceur de la nuit.

— Les médecins n'excluent pas la possibilité de sa mort.

— Mais, même si c'est le dernier roi de Thaïlande, quelle importance, à notre époque ?

Il a dit cela sans le penser, comme pour vérifier l'absurdité de tels propos. Il n'est pas surpris par la violence de sa réaction.

— Comment pouvez-vous dire cela ?

Elle parle d'un souffle, absolument stupéfaite. Il sent qu'il lui faut au moins se justifier :

— Je veux dire... au XXe siècle, un roi...

— Il ne s'agit pas de la survivance d'une coutume moyenâgeuse, dit-elle d'un ton aigre, le roi figure la... persistance des Thaïs à travers les âges. Il y a eu Sukhotaï, Ayuttayah, Thonburi, Bangkok, et toujours le roi, le roi de Thaïlande !

Il se retourne, agacé par sa colère. La foule oscille de manière incompréhensible. Au centre, un seul noyau plus compact, figé par le respect, le cercle qui entoure la famille royale.

— Vous comprenez ?

La voix est presque plaintive, comme si elle s'adressait à un enfant chéri mais incapable d'appréhender une réalité trop vaste pour lui.

— Peut-être... En Europe, une démocratie où le roi aurait un pouvoir réel est inconcevable. C'est pour ça que j'ai du mal...

— Devez-vous pour autant condamner la monarchie en Thaïlande ? l'interrompt-elle. Je ne veux pas la monarchie pour la monarchie, mais le pouvoir donné à une autorité en qui tous les Thaïs se reconnaissent... Faites vos calculs, il n'y a que le roi pour remplir ce rôle.

Il ne répond pas. Il songe au mot de Rama IX à Baudoin, roi de Belgique : « Nous seuls, les rois, sommes encore capables d'être démocrates. » Une boutade en Occident mais peut-être la vérité dans le dernier royaume bouddhiste du monde.

— Qu'arrivera-t-il s'il meurt ?

Elle garde un long silence avant de répondre. Ils regardent sans parler le peuple des miséreux venu rendre hommage à la déesse des Eaux et à son souverain selon un cérémonial datant de Sukhotaï.

— Il ne peut pas mourir maintenant, je veux dire en tant que symbole. Sa destinée est d'assurer l'unité de son peuple, avec tous les abus inhérents à sa condition, puis de retourner au néant, lorsque le pays n'aura plus besoin de lui. Mais c'est beaucoup trop tôt.

Elle lève l'objet qu'elle tient à la hauteur du visage de Santerre.

— J'ai apporté un kratong.

A la clarté de la lune, il distingue les longues feuilles savamment pliées de manière à former un cercle d'environ vingt centimètres de diamètre. Au sommet, d'autres, plus petites, sont disposées en une sorte de créneau constitué de triangles réguliers aux angles piqués d'une gemme qui a l'apparence du diamant. La base est ornée de fleurs de papier jaunes et vertes au pliage minutieux ; sous chaque triangle se trouvent d'autres fleurs moins élaborées dont le cœur est formé d'une étoile de papier métallisé. Wanee a disposé deux bougies de cire rose à l'intérieur de l'embarcation miniature.

Elle s'accroupit et pose doucement le kratong sur l'eau.

— Vous avez un briquet ?

Elle allume l'une des bougies et lui rend le briquet.

— A vous !

En allumant, il aperçoit le fond du kratong, minutieux entrelacs de feuilles sur lequel on a collé deux fuseaux de papier crépon pour tenir les bougies. Somme toute, c'est assez sobre par rapport à ce qu'on réalise d'habitude.

— Vous devez faire un vœu avant de lâcher le kratong.

Tandis qu'il libère la minuscule embarcation, il lui saisit la main et la porte à ses lèvres. Elle s'écarte sans brusquerie et lui fait signe de regarder le bateau de feuilles. L'eau l'emporte tranquillement vers ses semblables.

« Et tandis qu'il s'éloigne, nous prions pour que demain soit meilleur. »

Bientôt, il n'aperçoit plus de leur kratong qu'une ombre minuscule et deux flammes jaunes un peu insignifiantes, perdues sur la vaste surface du klong, où se confondent en un ballet de feux follets les espoirs et les péchés de la foule qu'emporte la déesse des Eaux.

Lorsqu'il se retourne, elle a disparu.

Le lendemain, au moment de sortir de chez lui, Santerre aperçoit le petit vendeur de journaux qui lui apporte chaque matin le *Bangkok Post*.

— Sawatdi klap, Vitoon ! sabaï di lou [1] ?

— Sawatdi klap, khun. Sabaï ma [2].

Le Français tente toujours de baragouiner quelques

1. *Bonjour, Vitoon, ça va?*
2. *Bonjour, monsieur. Ça va bien.*

phrases en thaï, avec peu de succès, il n'a aucun talent linguistique et le gamin est timide. Ce matin pourtant, l'enfant a l'air plus enjoué.

— Les nouvelles sont bonnes ?

— Je ne sais pas, khun, je ne sais pas lire l'anglais mais il paraît qu'on reparle de Nang Loy... C'est vrai que c'est vous qui l'avez trouvé ?

— C'est moi, Vitoon.

— C'est bizarre qu'il soit allé là... chez les falangs. Ne le prenez pas mal, khun !

L'enfant ne peut pas lui dire que les falangs sont devenus un sujet de conversation constant pour sa famille, un peu comme les communistes il n'y a pas longtemps. Les malheurs de la Thaïlande leur sont attribués en bloc.

— Je ne le prends pas mal. Tu sais, il serait allé échouer un peu plus loin, ça aurait été aussi bien !

— Bah ! pour une fois que les falangs parlent d'un Thaï, dit le gamin en désignant la grosse sacoche de journaux qu'il tient contre sa hanche.

— Nous en parlons souvent. Nous sommes dans votre pays pour vous aider, répond le Français qui pense aussitôt à Fournier et se mord les lèvres. La vie a dû changer pour toi depuis les inondations ?

— Un peu. Avant je vendais des... magazines aux conducteurs...

Santerre se demande pourquoi il a hésité sur le mot « magazine ».

— Maintenant, il n'y a plus de voitures, alors j'ai plus le temps.

— C'est mieux pour toi ?

— Ça fait moins d'argent pour mes parents, répond le gamin en haussant les épaules, ils sont souvent de mauvaise humeur... Par contre, je vais un peu à l'école maintenant.

— Tu aimes ça ?

Il regrette immédiatement sa question, une idiotie à ne pas poser à un enfant qui travaillait quatorze heures par jour avant que ne surviennent ces inondations, providentielles pour les petits esclaves de Bangkok. Vitoon s'en va sans lui répondre, il aime autant ça.

Aussitôt arrivé à son bureau, il ouvre le *Bangkok Post* à la page où se trouve un article intitulé « Nang Loy, la véritable signification » et commence à lire :

> Tous les lecteurs connaissent la légende de Nang Loy, la dame flottante, et la signification que lui a donnée un journaliste à la suite de la découverte d'un cadavre en habits du *Ramakien* sur la berge de la Chao Praya. Plus soucieux de propagande que de justesse dans l'exégèse, celui-ci a prétendu que la présence du corps de ce jeune Thaï à proximité de l'ambassade de France était comme un avertissement donné aux falangs. A l'image de Nang Loy, ce guerrier de légende, symbole de la jeunesse thaïe, ne serait mort qu'en apparence. Il se réveillerait bientôt et mettrait fin aux « entreprises de conquête » des falangs. Explication superficielle et fausse.
>
> Je veux bien croire que certaines entreprises des falangs sur le territoire thaï ne sont pas du goût de tous les Thaïlandais. Moi-même, je ne défendrais pas certains projets pourtant décidés en commun par le gouvernement thaï et les falangs. Je veux bien concéder aussi que certains Occidentaux travaillent dans ce pays mais non pour ce pays, mais je dis que ceux-là sont l'exception et que les autres — l'immense majorité — sont venus pour aider le peuple thaï à sortir de ce ghetto universel qu'on nomme tiers monde.
>
> Quant à la légende de Nang Loy, j'irai dans le sens de ce journaliste : le corps de ce jeune Thaï retrouvé sur les berges de la Chao Praya incarne peut-être cette personne fabuleuse, la dame flottante. Toutefois, je donnerai une autre interprétation de l'histoire. La mort de Sita apporte la douleur mais aussi la paix à Rama. Il n'est plus besoin de continuer la lutte puisque la cause

en a disparu. C'est Hanuman qui ressuscite le conflit en rendant la vie à la fausse Sita. Il détrompe ainsi Rama mais replonge le monde dans le déchirement et la guerre, ces maux qui s'éloignaient tant que le héros croyait à la mort de son aimée.

De même, nous devons accepter sans passion ce corps, symbole d'un passé douloureux qui subsiste en quelque endroit mais n'a pas d'importance en regard de cette richesse capitale, la paix. Sans doute la présence des falangs en ce pays bouleverse-t-elle de nombreuses coutumes thaïlandaises, sans doute est-il difficile de s'arracher à des traditions séculaires, mais le progrès est à ce prix. A quoi bon susciter une querelle entre le peuple thaï et les falangs puisque tous deux travaillent à la même tâche, le développement de ce pays ? Laissons dormir Benjakaï puisque son sommeil est garant de paix.

Laurent Perrin.

Santerre décroche aussitôt son téléphone et compose le numéro du Belge.

— Laurent ? Bonjour, c'est Santerre. Epatant votre article sur Nang Loy, mon vieux !

— Salut, Christian ! merci, j'en avais marre d'entendre les Thaïs approuver ce vieux fanatique de Somchaï. Et comme personne ne se donnait la peine de lui répondre... Mon interprétation est un peu tordue, je sais, mais enfin, pas plus que celle de ce vieux renard. En fait, ce que ni lui ni moi ne disons, c'est que Totsakan est aussi trompé que Rama par l'apparence de Benjakaï. Quand sa nièce vient le trouver, il se précipite sur elle et l'enlace en croyant que c'est Sita. Il n'y a qu'Hanuman pour deviner la vérité, comme si c'était le guerrier qui menait le jeu. Pas des choses à dire en ce moment !... Ce qui m'ennuie un peu, c'est qu'avec le *Bangkok Post,* je ne touche que la bourgeoisie thaïe.

— Et encore, seulement une partie, celle qui travaille avec nous.

Santerre n'ose ajouter : « Ceux, donc, qui sont déjà convaincus de ce que vous dites dans votre article. »

— C'est mieux que rien. Comment vous est venue l'idée ?

— Vous n'avez pas remarqué à quel point les Thaïs sont remontés contre les falangs en ce moment ? Je ne sais pas ce qui se passe, une sorte de bouche à oreille qui ne nous est pas du tout favorable. Comme s'ils étaient fatigués de nous...

— Xénophobie ?

— Plus que ça. Les Thaïs sont l'un des peuples les plus tolérants du monde, ça aurait plus à voir avec le fait qu'ils veulent être eux-mêmes.

— Ça va dans votre sens, non ?

— Dans le sens de ce que je dis depuis une vingtaine d'années, oui. Si l'Occident continue à tenter d'imposer un « nouvel ordre international » fondé sur des valeurs purement occidentales, ça ne marchera pas. Et justement, j'ai peur d'assister ici au début de cette rupture totale entre le Nord et le Sud.

— Bien pessimiste, en ce moment !

— Je n'ai pourtant aucune raison de l'être. J'ai fait la connaissance de la femme la plus... la plus... enfin vous voyez !

— Thaïlandaise évidemment ?

— Evidemment !

Santerre sourit. En trois années à Bangkok, il a déjà vu bien des hommes succomber aux charmes des divines petites Thaïes, et lui-même, à vrai dire...

— Il n'y a pas de mots pour la décrire. Son visage... vous savez, ces visages d'Asiatiques sans rides, sans cette histoire de passions et de désirs qu'on lit sur les visages occidentaux ; une peau, des yeux, des dents où l'enfance a été préservée. Et puis ses gestes, pleins d'une dignité inattaquable, mesurés, lents et précis ! Elle possède la grâce sans le savoir, et cette ignorance me la rend plus précieuse. Ce sont des clichés, mais figurez-vous qu'avec elle j'y crois. Je souriais de ces vieux coloniaux, ces types qui restent dix, vingt, trente ans en Asie à cause des femmes ; maintenant, quand je pense à eux, je ne me trouve plus si malin.

— Difficile de vivre dans ce pays sans tomber amoureux dix fois par jour ! dit Santerre avec un manque de tact que sauve l'entrain de ses paroles.

— Oui, mais là, c'est bien autre chose. Les Thaïes sont la nature à son meilleur, ou du moins ce qu'elle peut faire de mieux, vous connaissez la formule ? Eh bien, j'ai trouvé la plus thaïe de toutes !

Santerre lui parlerait volontiers de Wanee s'il ne craignait d'entrer dans une joute verbale ridicule pour déterminer les mérites respectifs des deux femmes. Il se contente de souscrire à cette vérité générale, les Thaïlandaises n'ont pas de rivales de par le monde.

II

Le Chinois tourne en rond dans son antre. La situation actuelle ne lui dit rien de bon, les inondations ne s'arrêtent plus, réduisant les affaires, les falangs quittent Bangkok, effrayés par cette maladie qui semble les choisir principalement comme victimes, et même le Bangkok Intercontinental, l'un de ses grands espoirs, commence à battre de l'aile. Quant à Eg, qui devait le mettre en relation avec le policier chargé du quartier de l'hôtel, il ne l'a plus revu. Aimerait-il moins Finn qu'il ne le croyait ? Mauvaises questions auxquelles il aimerait bien pouvoir répondre.

Lorsqu'il entend l'interphone annoncer le mot de passe, il se lève et accueille son visiteur, Saïn, l'un des plus célèbres astrologues de Thaïlande. Comme tous ses confrères de renom, Saïn est régulièrement consulté par les hommes politiques et les business men ; ceux-ci n'auraient pas l'idée d'entreprendre quelque chose d'important sans avoir pris connaissance de son opinion. On raconte que les gens du palais même...

Depuis trente ans qu'il exerce, Saïn a eu le temps de perfectionner sa technique. Il a commencé comme simple bonze, devin dans un obscur village du Nord. Puis il a vite compris qu'il y avait beaucoup d'argent à gagner dans le commerce de l'irrationnel. Le désir de connaître la destinée lui semble aussi fort, et pour ainsi dire aussi naturel, que le désir sexuel. Les gens ont besoin d'hommes habiles qui leur donnent à espérer ou à craindre les forces mal connues de l'univers.

Son art est un mélange d'astuce, notamment en ce qui concerne la mise en scène propre à impressionner les naïfs, d'intelligence — souvent il sait ce que les clients veulent entendre et il se borne à le leur répéter en termes obscurs — et d'un authentique « don » qui se manifeste bizarrement. Sous l'effet de l'opium, il peut deviner ce que pensent certaines personnes ; parfois, il est comme possédé par des individus à la volonté ou aux dons médiumniques très forts, des témoins lui ont raconté qu'il parle alors avec leur voix, disant des choses dont il n'a jamais eu la moindre idée. Lorsqu'il sort de ces transes, il ne se souvient de rien, pas même de l'être dont il a ainsi capté la personnalité.

Avec Khun Cheen cependant, il n'a besoin que de recourir à son intelligence, toute mise en scène macabre le discréditerait auprès de celui-ci.

Il s'assied sur un coussin de soie posé au sol. Le Chinois en fait autant, en face de l'astrologue. Il apprécie en connaisseur l'apparence à la fois banale et mystérieuse que Saïn s'est composée. Entièrement vêtu de noir, petit, la silhouette grêle mais droite, il a su mettre en valeur le seul élément vraiment remarquable de son corps, le visage. Ses yeux petits, sans paupière, ont un éclat dur qui semble capable de percer les moindres secrets de celui qu'ils fixent ; une barbiche longue et mince prolonge le menton et lui donne l'aspect d'un ancien mandarin ; la bouche et le nez, très fins, laissent deviner un caractère peu intéressé par le monde matériel. L'ensemble évoque à l'évidence un prêtre ou un sorcier. L'unique fantaisie de son habillement est un petit éléphant blanc qu'il a accroché au revers de son col de chemise. N'importe quel Thaï reconnaîtrait l'ordre de l'Eléphant blanc, l'une des plus hautes distinctions du royaume, accordée seulement par le roi à des personnes de très haut mérite.

Khun Cheen s'efforce de lui parler doucement, comme à un égal. Il se souvient de leur première rencontre. C'était au lendemain du départ de son fils, adolescent exalté par les idéalistes des américains, qui était allé jusqu'à l'insulter et à le traiter de bandit sous les yeux de ses hommes. Il avait aussitôt repris l'avion pour Washington, maudit par son père, et laissant derrière lui un vieillard puissant mais blessé. Lorsque la douleur avait été trop forte pour le Chinois, quand il eut ressassé jusqu'au dégoût la mort qui l'attendait, riche mais solitaire, il avait fait venir ce Saïn dont il avait entendu parler, comme pour se divertir de sa souffrance. L'homme était arrivé, aussi noir et raide qu'aujourd'hui, avec son visage éthéré de magicien. Il ne lui avait rien révélé de son avenir, ils avaient seulement parlé de son sort à lui, Khun Cheen, et Saïn avait dit de telles choses qu'il lui avait fait immédiatement confiance.

Il ferme les yeux pour mieux se rappeler ces paroles qui ne lui avaient pas fait oublier son fils mais l'avaient éclairé sur lui-même : « La Loi est supérieure à tout : à la morale, à la vertu, au rituel. Le bien et le mal n'existent que par rapport à Elle et à Ceux qui L'ont faite. En définissant le bien, le Législateur définit aussi le mal. Il doit y avoir un envers de la Loi : une face noire qui flatte le côté mauvais de l'homme et le console de la sévérité de la Loi... Elle t'a créé, mais tu lui permets de se maintenir, vous êtes liés comme la pensée et l'homme. »

C'est bien Saïn qui l'a amené à considérer la Thaïlande comme un territoire divisé. Il y voit l'exercice antagoniste et complémentaire de deux forces qui régissent la vie des hommes ; d'un côté, la Loi, avec son incarnation reconnue par le peuple tout entier, le roi ; de l'autre, le monde sinistre du jeu, de la prostitution, de la drogue, toutes activités condamnables mais qui ne peuvent disparaître parce qu'elles appartiennent à la nature humaine. Et c'est lui, Khun Cheen, qui régit ce côté ténébreux. L'astrologue a dit vrai, c'est bien la Loi, par son système d'interdits et de tolérances, qui a créé les crimes et les criminels. Lui-même n'existe que grâce à Elle, grâce aux activités qu'Elle a bannies, lui permettant ainsi de réaliser des bénéfices optimaux. Jusqu'alors, il s'était cru naïvement l'ennemi du pouvoir légal, du roi, il sait désormais qu'il lui est lié et que sa puissance finira avec celle de son envers.

Saïn l'observe avec un sourire intérieur. Il devine sans peine à quoi pense Khun Cheen : cette histoire de Loi qu'il était allé pêcher dans de vieux livres de sagesse chinoise. Il s'était dit qu'avec son éducation, le Chinois ne pourrait rester insensible à de telles références, à condition, bien sûr, de ne pas mentionner ses sources ; il avait visé juste. Il sait que le chagrin de Khun Cheen n'est pas apaisé, son fils est toujours aux USA, vivant comme si son père était mort. Il décide de commencer par là :

— Il y a des barrières entre toi et ton passé, une suite de digues que tu as su construire afin de te protéger. Prends garde de ne pas les briser. La puissance d'un homme naît de sa capacité à se tenir éloigné de son passé.

Il attend que le Chinois ait interprété l'image avant de demander :

— Que veux-tu savoir ?

— Que signifie cette réapparition de Nang Loy ? Je connais l'homme qu'on a repêché au bord de la Chao Praya...

— Tu ne le connais pas parce que tu ne connais pas sa signification. Il n'est qu'un signe utilisé par les hommes pour désigner des forces qui les dépassent. Je ne peux te donner qu'une explication fragmentaire car l'essentiel est à venir.

Il se tait un instant pour se concentrer. Comme tous les habitants de Bangkok, il analyse moins les événements qu'il ne les subit. Il a seulement constaté l'impact extraordinaire de la légende sur les gens de la ville. Quelque chose de profond, de majeur a été touché, la dame flottante est devenue plus réelle que toute la propagande destinée à convaincre les Thaïs que la voie de l'Occident est la bonne. Qu'en dire de plus ? Il ne peut que proposer à Khun Cheen son interprétation.

— Ni Somchaï ni ce falang n'ont compris le sens de cette légende. Totsakan, lorsque Benjakaï vient le trouver sous l'apparence de Sita, est trompé autant que Rama lorsqu'il découvre le corps au bord du fleuve. Aucun des deux ne parvient à voir qu'il ne s'agit pas de Sita. La leçon est claire : ils font la guerre en aveugles, pour une femme qu'ils ne connaissent pas. C'est-à-dire qu'ils font la guerre...

Ici, il parle très lentement, en détachant chaque syllabe.

— ... pour une cause inconnue, parce qu'une loi obscure, que leur rappellent à demi-mots Benjakaï et Hanuman, les sépare et les oblige à s'entre-tuer.

— Mais, les falangs...

— De même, une loi obscure sépare les falangs de ce pays, il ne pourront plus y rester longtemps... J'ignore ce qui arrivera, mais Nang Loy n'est pas apparue au bon endroit, là où le peuple semble l'attendre, dans cet hôtel qui regagne peu à peu les entrailles de Bangkok. Si elle apparaît là, tout se dénouera.

— Sais-tu des choses qui me concernent ?

— Tu es à la limite. Tu es l'envers de la loi thaïe, tu vis des falangs. La construction de cet hôtel t'enrichirait prodigieusement en amenant de nouveaux falangs à Bangkok...

Saïn, qui jusqu'ici a raisonné, ne peut plus continuer sans parler de l'avenir, il essaie de le faire en termes suffisamment vagues pour que chacun y trouve son compte :

— Méfie-toi de cette situation. Les plus grandes forces tombent souvent à cause des choses ou des êtres les plus insignifiants. La fin est possible et ne viendra pas, si elle vient, sous la forme d'un dragon mugissant et ébranlant l'univers. Défie-toi de l'insignifiant.

L'annonce de sa fin bouleverse Khun Cheen, serait-ce cet hôtel dont il n'avait jamais vraiment voulu ? La dernière idée de khun Sombat, comme si ce lieutenant fidèle avait voulu emporter son chef avec lui, dans la mort. Dès que Saïn est sorti, il s'agenouille devant l'urne de sa femme et prie longuement en s'efforçant d'oublier leur fils. Quand il se relève, soulagé, il sonne Narong pour traiter des affaires courantes. Sa maxime de vie tinte désormais sereine en son esprit, « l'herbe se courbe selon le souffle du vent ».

— Je t'aime, Finn, malgré cette chambre sinistre où Narong nous enferme avant chaque spectacle, malgré ces coussins qui jonchent le sol et où nous sommes obligés de nous vautrer, je t'aime malgré ces journées vides, malgré les nuits que nous passons dans cette triste pièce, malgré cette attente hideuse pour voir la porte s'ouvrir sur un gros homme hautain qui nous libère comme on ouvre leur cage à des animaux. Je t'aime pour Duang, mon frère, qu'on a retrouvé mort dans la Chao Praya et pour son désir fou de vouloir naître falang, pour la lente agonie qui fut la sienne dans une ville dont chaque rue le tuait et pour ma ressemblance avec lui. Je t'aime parce qu'il n'y a que ton amour pour me préserver de cette mort dans les vêtements glorieux d'un passé lointain et je t'aime parce que tu ne dis rien quand je te parle ainsi, parce que tu comprends ma folie.

Les deux Thaïs s'étreignent. Cela fait presque trois semaines à présent qu'ils exercent leurs « talents » dans des live-shows, le temps de tomber éperdument amoureux l'un de l'autre.

— C'est bête, poursuit Udom, mais, comme on dit si absurdement, je n'ai plus rien à désirer de toi. Nous avons fait l'amour tant de fois.

— Nous n'avons jamais fait l'amour, dit-elle en faisant la grimace, nous avons seulement baisé. D'ailleurs, c'est toute mon existence jusqu'à présent, baiser des hommes...

Elle aperçoit la lueur de tristesse dans le regard de son compagnon. Elle lui pose la main sur la joue, s'attardant sur l'énorme grain de beauté.

— Ne te fâche pas, petit frère, je ne te disais ça que pour te montrer que tu n'as pas à être jaloux.

— Je ne suis pas jaloux. Il y a plus d'érotisme pour moi dans le fait de te tenir la main que dans toutes les positions que nous prenons devant les spectateurs. Tu sais ce qui est le plus difficile, sur scène ?

— ...

— C'est de me retenir quand je vois ton visage. Je suis tellement heureux dans ces moments... c'est pour ça que je ferme les yeux pendant notre « numéro », il ne durerait pas une minute autrement.

— C'est drôle comme déclaration !... Donne-moi ta main...

— Finn, si nous partions ?

— Impossible, petit frère, où que nous soyons, Khun Cheen nous retrouverait. J'ai connu une fille qui s'était enfuie et qu'ils avaient retrouvée. Le Chinois l'avait livrée à Narong...

— Et cette femme dont tu m'as parlé ?

Finn lui avait confié que khun Sombat l'avait présentée à une dame du palais royal. Celle-ci avait semblé intéressée par Finn, elle lui avait promis qu'elle l'aiderait, à son heure.

— Pas encore le moment ! elle a des projets pour moi, mais je sens que c'est trop tôt, bientôt peut-être...

— Nous pourrions profiter des inondations. C'est beaucoup plus difficile de rattraper des fuyards en ce moment.

— Je ne sais pas... C'est plus difficile de fuir aussi, murmure-t-elle distraitement.

Udom la prend par l'épaule et la serre contre sa poitrine. Elle semble réfléchir, un léger pli apparaît entre ses yeux.

— Ecoute, c'est très risqué, mais avec toi, je veux bien tenter ma chance. Je connais un falang qui pourrait nous aider. Il est fou amoureux de moi. Nous pourrions nous cacher d'abord chez lui, qu'est-ce que tu en penses ?

Il l'embrasse avec enthousiasme, un peu jaloux quand même :

— Génial ! Contacte-le demain ! sans trop en faire...

— Tu sais, moi, avec ma mine, dès que je regarde un homme, j'en fais trop. Enfin, bon, d'accord !... En attendant, tu sais ce que je voudrais ?

Elle lui adresse un coup d'œil incendiaire ; la tête légèrement penchée, un sourire de publicité pour dentifrice, elle ressemble à la couverture d'un magazine pour femmes très riches. Il se lève brusquement en râlant.

— Mais le show va commencer dans une demi-heure !

— Je sais, je sais, mais ce sera la première fois que nous ferons l'amour ! Tu veux ? lui demande-t-elle en minaudant d'une manière adorable.

— D'accord, soupire-t-il, conscient qu'il joue à l'enfant gâté, mais le spectacle ne sera pas à la hauteur, ce soir !

— Un peu à nous d'atteindre les sommets ! dit-elle en ôtant son peignoir et en se renversant de manière délicieusement impudique sur les coussins.

III

Wanee,

La nuit de folie vient à peine de s'achever, je t'écris comme on se signe, pour laisser s'éloigner le malheur, pour te retrouver, cultiver l'illusion de te parler encore une fois. Ma voix, mes mots sont chaotiques, mais je sais que tu comprendras puisque c'est toi, mon étrange amour, qui as tramé le fil de ce destin qui m'emporte à présent bien loin de tout ce que j'attendais. Je t'écris, comme on se saigne...

Quand j'ai reçu ton billet me donnant rendez-vous au Peninsula Hotel le soir même, je fus ébloui de cet excès de bonheur. Le Loy Kratong m'avait donné à espérer, voici que le temps était venu de rendre leur vérité à ces espoirs. Le soir, je suis parti pour le Peninsula, non sans sourire de ce choix, car cet hôtel jouxte le chantier du Bangkok Intercontinental. J'aurais dû deviner qu'il n'y avait pas de place pour le hasard dans notre amour. Tu avais tout prévu, tout tracé.

Tu m'avais indiqué un itinéraire précis et très long pour y parvenir. Je l'ai suivi exactement. C'était la nuit ; je croyais bien connaître cette ville et les surprises qu'elle réserve aux promeneurs, tu avais raison, je n'en connaissais rien. Tu m'avais dit de ne regarder que le sol durant la marche et j'ai vu Bangkok comme jamais auparavant. Ce ne furent d'abord que des eaux croupies où flottaient de la sciure, des bouteilles vides, des boîtes de conserve, des épluchures, des glaires et des végétaux pourris. (Je sais que tu n'aimerais pas que j'omette ces détails « de mauvais goût ».) J'avançais parmi cette moisissure avec un dégoût insupportable, m'obstinant à la regarder pour voir, vraiment voir, ta ville. Il y avait de nombreuses taches d'huile qui irisaient l'eau et s'accrochaient aux jambes des promeneurs. Dans les endroits un peu plus élevés, des dalles disjointes basculaient dans les trous ouverts sur une terre jaune et grasse qui suintait l'égout et la pourriture. Les mendiants choisissaient de s'accroupir sur ces promontoires après avoir posé devant eux une sébille en étain au fond de laquelle dormaient quelques pièces. Là, j'ai vu un malheureux sans bras ni jambes, réduit à un torse, que sa famille avait posé sur le trottoir le matin dans l'espoir que sa sébille serait garnie le soir. J'ai continué sans quitter le sol des yeux. Les pieds des enfants étaient sales et cornés comme ceux d'adultes à qui on aurait imposé des charges démesurées ; parfois, ils étaient gris comme le béton qu'ils heurtaient en claquant. Plus loin, les pieds des touristes, pris dans des sandales flambant neuves, n'avaient pas cette saleté épuisée, cette corne laborieuse ; ils étaient souvent insolemment gras et se déplaçaient lentement, sans but ni effort. J'ai vu aussi les jambes des Chinoises et elles m'aidèrent à comprendre ce qu'il faut de volonté pour rester propre et jolie dans la pollution de Bangkok. Les hommes, eux, avaient des jambes arquées, déformées par le travail et le manque de nourriture, ils marchaient sur le bord extérieur du pied, d'une démarche chaloupée qui incarnait la pauvreté sans qu'il soit besoin de voir leur visage. Ils allaient entre les journaux, les sacs en papier, les tracts que les pauvres gens ramassaient afin de glaner quelque chose, ou peut-être simplement pour se dire qu'au moins cela leur appartenait. Les poubelles où ils venaient fouiller étaient assaillies par des chiens squelettiques dont la peau était couverte de toutes les maladies imaginables. J'ai vu les yeux des chiens, j'ai alors senti que je n'aurais pu soutenir le regard des hommes qui les écartaient des ordures à coups de pied pour trouver leur pitance. Et tout ce que j'ai vu dans cette ville que je t'ai dit aimer évoquait la maladie, la vieillesse, la mort sale. Et j'ai eu honte de cet amour parce que, *chaque jour,* les Thaïs qui y vivent la vivent comme ce cauchemar que je découvrais pour la première fois. Mais quand j'ai levé la tête, aucun n'avait perdu sa dignité.

Arrivé devant le Peninsula, j'ai longtemps observé la façade, comme tu me l'avais demandé. Cet hôtel, naguère grandiose, n'était plus qu'une ruine. Les murs lépreux, rongés d'humidité et de vermine, attendaient en grimaçant les rares clients assez bizarres pour venir dans cette cité de la pollution et de la misère. Ils avaient dû être blancs avant de prendre cette teinte gris foncé, zébrée de fissures qui suggéraient la fragilité du bâtiment. Presque toutes les fenêtres avaient des carreaux cassés par où s'engouffrait l'air brûlant et sale de Bangkok. Le grand escalier, par lequel on accédait au hall principal, était disjoint, dangereux pour celui qui n'aurait pas regardé où il mettait le pied. Il y avait deux portes successives à franchir pour pénétrer à l'intérieur, un groom m'ouvrit la première mais je dus pousser la seconde de l'épaule pour entrer.

Là, les tapis étaient rongés par endroits, effrangés, les tentures délavées et mitées ; le tout était éclairé par des lustres à moitié brisés qui dispensaient à l'immense hall une lumière glauque des plus sinistres, comme ces éclairages crus de l'aube sur une fête qui s'achève. Les rambardes de l'étage étaient cassées, si bien qu'on voyait les clients passer avec précaution pour ne pas se briser le cou cinq mètres plus bas. Dans les coins, les toiles d'araignée pullulaient, couvertes d'insectes morts que l'araignée dévorerait plus tard ; le long des plinthes couraient d'énormes cafards se hâtant vers on ne savait quel recoin de l'hôtel où leur pitance serait assurée. Je me trouvais là, Wanee, sur ton ordre, le cœur soulevé mais t'attendant. Un orchestre classique, installé au premier étage, jouait faux pour de vieilles Américaines arrivées dans les années quatre-vingt et qui n'avaient pu se décider à repartir. Avec leur fond de teint et leurs lunettes de soleil impuissants à cacher les ravages du temps, elles écoutaient dans un silence religieux cette musique sans cœur ni justesse, installées dans des fauteuils à la toile crevée. Le personnel se mouchait dans la gorge — les crachoirs disposés un peu partout débordaient presque —, vous regardait comme un fou et se grattait la tête en se demandant pourquoi vous veniez prendre pension ici.

Ils m'ont fait remplir une fiche avec un stylo qui collait aux doigts, et c'est derrière ce comptoir délavé que je crois bien avoir vu les Thaïes les plus laides et les plus vulgaires que j'aie rencontrées, des Eurasiennes aux ongles crasseux et aux sourires ironiques. Elles m'ont dit que tu avais donné le nom de Nang et que tu avais réservé la chambre numéro 12. J'ai acquiescé en évitant de croiser leurs regards.

Quand elles ont vu que je n'avais pas de bagages, elles ont ricané puis m'ont indiqué la chambre d'un geste vague en direction du premier étage. J'y suis allé à pas lents, la moquette collait sous ma semelle, l'odeur de sueur, de graisse et de moisi était atroce au pied de l'escalier. Je suis monté tandis que l'orchestre massacrait Mozart et, c'est doux à dire, Wanee, je n'étais même pas surpris du contraste entre cet endroit et toi, princesse. Non, pas surpris, parce que tu rachetais tout cela. Je comprenais bien que tu ne voulais pas être reconnue dans les endroits luxueux où chacun a le souvenir de ton visage, mais surtout, il fallait que ce soit ici parce que tu effaçais la misère de ce lieu et de tout ce que j'avais vu à Bangkok ce soir-là, comme cette noblesse impossible à vaincre qui luisait au fond des yeux des Thaïs.

A cause de la climatisation, la chambre était glaciale. Un peu de fumée s'échappait de la gueule du climatiseur situé au-dessus de la fenêtre. J'ai tenté de le régler mais je n'ai abouti qu'à libérer plus de vapeur encore. Quant à l'arrêter, c'était impossible. J'ai alors ouvert la fenêtre sur la nuit rosâtre ; les crapauds et les geckos gémissaient comme d'habitude ; dans les temples, les bonzes chantaient.

Juste devant moi, au pied d'une énorme masse noire qui trouait le ciel, j'ai entendu des clapotis, des paroles brèves et des rires gutturaux. Bientôt, à travers la moustiquaire crevée, je reconnus le Bangkok Intercontinental et les bruits des ouvriers qui travaillent jour et nuit dans la boue et l'eau croupie pour tenter d'éviter à l'hôtel de s'enfoncer.

L'air tiède et sale de la nuit m'a à peine réchauffé, il faisait si froid dans la chambre. Je suis allé dans la salle de bain et j'ai ouvert le robinet d'eau chaude, le liquide qui en coulait était gris et glacé, je n'y ai pas touché. Quand je me suis regardé dans le miroir de l'armoire de toilette, j'ai vu le visage d'un homme épuisé, avec une barbe de trois jours et des cernes noirs ; mon haleine s'échappait en buée et mes yeux étaient rouges. J'ai compris qu'il fallait que je sorte de cette chambre, mais, quand j'ai voulu me diriger vers la porte, mes jambes n'ont pas répondu. Alors, je me suis raisonné, je me suis rappelé la journée fatigante que j'avais eue, la longue marche à travers la ville, le travail abattu depuis le matin, mais ma peur grandissait à mesure que je sentais qu'aucune de ces choses n'était capable d'expliquer la paralysie totale qui s'était emparée de moi. Quand, enfin, après un moment de panique, je pus à nouveau bouger, je fis un pas vers le lit, un seul, et je m'écroulai sur le couvre-pieds poussiéreux, étreint par une angoisse mortelle.

Je ne songeais même plus qu'il fallait t'accueillir dignement et que je devais changer la face hagarde aperçue dans le miroir, ce visage de criminel dont les yeux verts étaient striés de veinules rouges comme s'ils avaient été exposés à une violente lumière. J'allais sombrer dans le sommeil, hanté par les gongs qui résonnaient au fond de la nuit et qui me rappelaient le Moine dévoré par les flammes, ouvrant les yeux sur moi, du fond de son brasier. Je claquais des dents sans plus savoir si c'était de peur ou de froid, le cerveau englué de pensées morbides. Les cris des ouvrières du chantier d'à côté ramenaient chaque fois la même image, la chute lente de Noï basculant vers les tiges d'acier où elle allait s'empaler. Et toujours, au bout de la chute, le bruit impossible de la chair perforée, cette déchirure qu'on n'entend qu'au plus profond de soi. J'étais trop près de ce chantier maudit dont le moindre souvenir faisait des étincelles de désespoir. Les rires des ouvriers, les clapotements de l'eau dans laquelle ils travaillaient à la lueur de lampes-torches, leur patois guttural du Nord-Est, me rappelaient l'entreprise folle dans laquelle Fournier et tous les autres, moi compris bien sûr, nous étions engagés. Il y avait comme une force en puissance dans la nuit qui interdisait la réussite de ce projet. Personne n'avait la moindre chance contre ce qui grossissait là-bas, recraché par les ténèbres, et qui attendait son heure, comme le Moine, hâve, terriblement seul, mais tenant bon contre la douleur.

Je me bouchai les oreilles, fermai les yeux : mais les éclairs des postes à souder traversaient mes paupières, mes oreilles bourdonnaient comme si le grondement énorme de la Bangkok des usines et des voitures avait de nouveau retenti. Il y avait en moi comme le choc de deux volontés titanesques qui auraient choisi mon esprit pour champ clos ; elles me forçaient à observer leur lutte. Deux démons qui auraient pris les visages plus laids que nature de Fournier et de Somchaï. Le premier, collier de barbe, ce regard qui vous jauge, et la mine atterrée qu'il avait eue au moment de me révéler le naufrage de l'hôtel ; le deuxième, dans la pénombre de l'auberge de Lardprao, détaillant avec un rictus les malheurs de son pays. Et tous deux s'affrontaient, non plus comme des hommes, mais de cette manière colossale qui oppose les êtres de légende. La vision du Moine revint une dernière fois, ses lèvres crevassées, entourées de muscles d'où suintait la graisse fondant sous les flammes, bougeaient. Elles semblaient *me* parler !

Tu surgis comme d'une main gigantesque, libérée par quelque énorme puissance. Tout s'apaisa alors, et une tranquillité d'avant toute chose, pareille à celle qui devait régner dans la Sukhotaï de Rama Kamheng, emplit la nuit. Tu étais vêtue d'un chemisier et d'un sarong noirs. Tu m'adressas un waï. Instantanément, je te revis au sommet du temple de l'Aurore, courbant la tête à chaque titre de Rama IX, saluant le temple du Bouddha d'émeraude où reposait le malade sacré. Je me levai pour t'accueillir, oublieux du ridicule de la situation (on n'accueille pas les princesses dans les chambres d'hôtel). Nous étions à l'automne de Thaïlande, au moment où Bangkok se couvre de nuages de pluie et où les hommes se terrent aux étages de leurs maisons pour échapper à l'eau qui envahit tout. Tu étais là, fraîche et désirable, une joliesse de Thaïlandaise avec assez d'intensité dans le regard et les paroles pour qu'elle devînt beauté, venue de si loin que je pouvais nous croire faits l'un pour l'autre. Chaque pas que tu fis vers moi fut la négation du hasard de notre rencontre, la sentence qui prononçait l'oubli des malheurs de Bangkok.

Ton beau visage impassible d'Asiatique est resté fixé sur moi, sans prononcer une parole. Pour la seconde fois, le poème du roi de Sukhotaï m'est revenu en mémoire. Je t'ai vue au pied du grand Bouddha de pierre, agenouillée à la manière des femmes, les jambes repliées sur le côté, tu priais dans le grand temple de Rama Kamheng. La nuit était calme et froide, et, dans le regard que tu tenais baissé, j'ai deviné ta tranquille certitude d'être ici, à Bangkok, sept siècles plus tard, et d'être la même. Sans le vouloir, j'ai effleuré ton bras, tu étais glacée.

Tu m'as parlé longtemps de ton pays, de ton roi et de ton peuple, mais pas de toi. Tu m'as fait comprendre que votre familiarité avec le sacré est une vision plus aiguë du réel, mais je ne me suis pas pour autant senti plus proche de toi. Tu m'as dit qu'on avait changé le roi de chambre, qu'on l'avait fait entrer dans cette pièce du palais où ne pénètrent que les souverains qui vont mourir. Alors, je t'ai pris la main comme on se jette dans le vide, pour en finir avec l'envie dévorante d'être plus près de toi.

Tu as continué à parler du long exode du peuple thaï. Cette descente du fleuve qui, en sept siècles, l'a mené de Sukhotaï à Bangkok, m'est revenue comme un passé. Des colonnes de paysans et de soldats hagards s'éloignaient de leur cité détruite ; sur de pauvres embarcations, ils gagnaient le Sud pour fonder une nouvelle capitale. Il y avait, dans cette troupe de misérables qui avaient tout perdu, la détermination du Moine qui ne trahit aucun signe de douleur dans les pires tortures. Au milieu de cette vision où des cohortes de gueux suivaient patiemment le fleuve à la recherche de leur vérité, une phrase de toi me hantera longtemps : « Un roi n'est que l'image qu'un peuple se fait de sa grandeur. »

L'amour vient toujours comme la femme le désire. Ton ventre est resté couvert d'un morceau de tissu, infiniment distant. M'as-tu parlé alors, était-ce ton murmure qui m'appelait avec une évidence difficile à soutenir, en ces mots que j'écris pour nous, pour le plaisir de nous ? « Viens, Christian, pour me dire ce qui m'attache à toi. Ne parle pas ! Je te reçois, te prends en moi pour t'écouter, savoir, entendre ta voix la plus intime. Regarde-moi, ne détourne pas les yeux, qu'aucun souffle ne vienne entre toi et moi. Tais-toi et parlons pour nous seuls. » J'ai fermé une à une les barrières de mes sens, indifférent à ce qui n'était pas dans tes yeux, dans ton corps. Oui, plus près de toi, Wanee, plus proche de ce qui existe en nous, de tout ce qui est bienveillant dans le monde, de ce qui n'a ni forme ni couleur ni odeur mais qui pénètre toute chose et influence toute chose, plus près de toi, Wanee.

Quand tu as clos les yeux, toutes les couleurs se sont perdues. Il ne restait que la lumière de la lune qui enrobait nos corps de sa clarté d'au-delà et nos gestes fous dans la nuit silencieuse de Bangkok.

Après un sommeil dont je suis incapable de déterminer la durée, j'ouvris les yeux. Ce fut comme si je donnais un coup de poignard au monde. Tu n'étais déjà plus là. Je n'en fus pas surpris, nous ne pouvions nous éveiller l'un près de l'autre, comme deux amants ordinaires. Dans l'engourdissement du sommeil me parvenait un fracas épouvantable, des voix rauques, des pas précipités, des bruits d'objets qu'on brisait et de rideaux qu'on déchirait. Je restais dans mon lit, me recroquevillant sous les draps comme un enfant apeuré. Brusquement, la porte s'ouvrit et une clarté immense envahit la chambre. Une tête apparut dans l'embrasure, une horrible petite boule qui se découpait sur la lumière aveuglante provenant du hall. Les traits en étaient simiesques, la bouche, petite et ronde, était celle d'un poisson-lune, le nez, écrasé, n'avait pas d'arête et se réduisait à deux narines disproportionnées, le front se plissait d'angoisse et, de chaque côté de cette face grotesque, deux oreilles très écartées accompagnaient la moindre mimique de leurs cartilages déformés. Les pommettes, très hautes, lui donnaient une allure de cavalier mongol, tandis que les yeux, exorbités par la peur, laissaient entrevoir de vastes zones blanches sur lesquelles la lumière de la lune plaquait de bizarres reflets. Je reconnus le groom qui m'avait ouvert la première porte, hier soir. Il hurla quelques mots en thaï que je ne compris pas avant de s'enfuir à toutes jambes, me laissant face à l'extraordinaire clarté. J'entendais d'énormes froissements de soie et des craquements de château hanté ; une chaleur suffocante commençait à envahir la chambre. Je me levai le plus vite possible, pris d'une quinte de toux due aux vapeurs qui m'envahissaient la gorge. L'hôtel brûlait.

Les yeux douloureux, je cherchai mes vêtements. Ils n'étaient plus dans la chambre. Le cœur battant, j'essayais de me souvenir : les avais-je laissés dans la salle de bain ? Ils n'y étaient pas ! Les flammes gagnaient du terrain, les énormes solives du hall s'écroulaient dans un bruit de débâcle. J'étais en danger mais une idée absurde me retenait dans la chambre : je ne pouvais pas sortir sans vêtements. Je sais que tu comptais sur cette réaction, mon étrange amour, car dans un coin, j'ai trouvé un paquet que toi seule avais pu laisser là. J'enfilai vite les habits qu'il contenait. Les flammes atteignaient l'embrasure de la porte, j'étais encore bouleversé par les événements de la nuit si bien que ma stupeur ne fut pas aussi grande qu'elle aurait dû l'être :

les vêtements que je mettais — gilet rouge, pantalon noir brodé d'argent, pagne jaune, lanières d'or et d'argent — étaient exactement les mêmes que ceux du jeune Thaï que j'avais repêché dans la Chao Praya, Nang Loy ! Le feu était si proche que je ne pouvais plus me poser de questions. Je mis même le chapeau de métal doré et en nouai la lanière autour de mon menton, comme si ce détail avait eu une importance quelconque. Ainsi, je parachevais ton plan sans le savoir.

Je me jetai par la fenêtre au moment où les flammes atteignaient le lit. Une chute d'un étage. En bas, un matelas que je n'avais pu voir de la chambre amortit ma chute. J'y reconnus ta main. Le coin où je venais d'atterrir était désert et sombre, le tumulte était en effet localisé à l'entrée principale de l'hôtel. Seul, le jeu fantastique des lumières rouges et jaunes qui dansaient sur l'eau du soï donnait une relative clarté à cette partie du bâtiment. Je ne perdis pas une seconde. Une palissade bordait ce côté du Peninsula, je l'enjambai à la lueur des flammes qui venaient de gagner les fenêtres du premier étage. Mon cœur battait sauvagement. Je n'aime pas les images guerrières, mais mon état d'esprit ressemblait à celui de ce général qui, au soir de sa plus grande victoire, contemple le territoire conquis en songeant qu'après quelques dizaines d'années, on aura perdu jusqu'à son souvenir en ces lieux pourtant siens aujourd'hui. Je ressentais la puissance et la tristesse du conquérant qui ne parvient pas à ôter au bonheur son goût de tragédie.

Alors que je franchissais la palissade, j'aperçus la haute silhouette du Bangkok Intercontinental plaquée contre le ciel rosâtre. Tu sais que je n'avais jamais éprouvé que répugnance pour ce bâtiment aux allures de parking géant, pourtant, à ce moment, quelque chose changea en moi. Un sentiment de fierté pour ce colosse qui dominait la ville m'envahit de manière fugitive.

Puis, pressé par je ne sais quelle intuition, je basculai dans les eaux boueuses du soï.

Je fus tellement surpris par la profondeur de l'eau que je restai bien une minute allongé contre le ciment, la tête sous l'eau. Enfin, je me relevai, à moitié étouffé par le liquide nauséabond, plein d'essence et d'huile mal brûlées, où flottaient des particules de la terre de Bangkok. A ma gauche, une petite maison rouge et or avait été renversée et emportée par l'eau, c'était l'une des innombrables demeures de l'Esprit du sol, cet être plus vieux que Brahma ou que le vieil Immortel du Tao et qui venait d'un âge où les hommes et les pierres, l'eau et les arbres parlaient ensemble. Encore étourdi par le choc, je titubai jusqu'au chantier de l'hôtel. L'orgueil conquérant que j'avais ressenti cinq minutes plus tôt s'était évanoui ; le Bangkok Intercontinental n'était plus qu'une immense ombre vers laquelle je courais me réfugier. Soudain, un malaise atroce m'étreignit. Je continuais en cherchant maladroitement d'où venait ce trouble, mais j'étais trop faible pour raisonner. Dans mon dos, les malheureux touristes coincés en haut du Peninsula hurlaient à l'aide, ils criaient de rage et d'horreur avant que la peur et la souffrance ne les fassent gémir comme des enfants. J'accélérai pour fuir leur agonie. L'hôtel était désormais entièrement dévoré par les flammes, des sirènes commençaient à déchirer la nuit. Je compris brusquement d'où venait mon malaise, je ne parvenais pas à ressaisir mon passé, mon identité. Il y avait toi, Wanee, l'instigatrice de tout ce qui m'arrivait et la coupable de cette douleur hurlée dans la nuit, une présence si forte qu'elle écrasait ma mémoire. Je bégayais : « Wanee, Wanee, Wanee... », ton image me possédait comme les flammes possédaient les malheureux là-haut. J'avais touché au pouvoir qui régissait Bangkok, le nœud d'où rayonnaient toutes les forces que j'avais senties ici, et *cela* m'écrasait comme une vermine.

Des gouttes d'eau boueuse me ruisselaient des cheveux dans les yeux, je les essuyai d'un revers de la main sans parvenir à chasser l'horreur sacrée que j'éprouvais en pensant à toi. J'avais toujours eu la curiosité morbide de m'approcher du pouvoir, plus près, encore plus près, comme les vivants approchent de la mort. Une phrase me revint alors, des mots ridicules dans la situation où je me trouvais, mais ils me causèrent une douleur sans nom, qui m'obligea à me plier en deux alors que je courais. C'était une phrase que tu m'avais dite, lors de notre rencontre, dans la ville chinoise : « Le roi est notre origine, non notre fin, le fondateur et la victime d'un sacrifice millénaire grâce auquel nous, Thaïs, pouvons exister. » Qu'ils me faisaient mal, ces mots ! comme une prophétie que je n'aurais pas comprise. Ils possédaient ta lumière solaire, annonciateurs de quelque chose d'important, mais moi, qui n'avais plus de passé, je fuyais comme un lâche, bon seulement à les crier dans la nuit sans pouvoir m'en délivrer.

Je m'engouffrai dans un trou de la palissade du chantier et me ruai vers le bâtiment. Je hurlais comme si tu m'avais chargé de quelque mission, héraut dévoré par son message. Je montai au premier étage quatre à quatre. J'ignorais ce que j'allais y faire mais j'avais vu des lumières briller à cet endroit. En quelques minutes, j'arrivai en vue des pauvres baraques de planches des ouvriers. J'entendis des bruits de voix effrayées, des grincements de portes. L'incendie du Peninsula les avait éveillés. J'allai vers eux le plus vite possible, étreint par la peur, répétant à mi-voix : « Le roi est notre origine... » Les mots me brûlaient comme ton souvenir. Pourquoi m'avoir choisi ? Pourquoi m'avoir donné ce rôle de dément courant dans les couloirs vides du Bangkok Intercontinental pour accomplir un plan que toi seule avais conçu ? Mais je sais que tu ne répondras pas, et comme tu auras raison, puisque mon amour te justifie en tout.

Soudain, à ma gauche, un bruit de sandales qui glissent sur le béton. Je tourne la tête, c'est une ouvrière qui vient de l'aile du bâtiment. Je m'arrête et tends la main vers elle pour la supplier de m'aider. Son visage ne reflète d'abord que la surprise, puis il prend une pâleur mortelle. Elle pousse un hurlement aigu avant de s'enfuir avec des cris qui me terrifient. Je reste planté là, étonné. Un homme, qui arrivait derrière elle, m'aperçoit à son tour. Il demeure bouche bée pendant quelques secondes puis disparaît à grandes enjambées. Il n'y a pas de pire solitude, Wanee, que celle de l'être qui demande de l'aide et qu'on fuit. Personne ne peut imaginer ma détresse en ces instants.

Je compris en m'examinant. Je portais les habits de Nang Loy, ils me prenaient pour un fantôme !

En me retournant, je vis un groupe d'ouvriers aux traits décomposés qui me suivaient à bonne distance. Ils reculèrent dès que je les regardai. Je levai un bras en signe de paix, ils reculèrent encore. Certains étaient armés de pioches et de pelles. Je bondis alors vers l'escalier qui se trouvait à ma droite et le dévalai à toutes jambes. Ils me poursuivaient en hurlant. Arrivé dans l'immense hall où se trouvait la jungle reconstituée selon les plans de Fournier, je tournai à droite, m'épuisant à courir dans l'eau qui avait encore monté. La voûte de béton renvoyait leurs cris de manière effrayante. Soudain, une douleur aiguë m'envahit l'épaule puis les reins. Ils me lançaient des pierres. Quelque chose éclata à ma droite, un bruit de verre fracassé. Terrorisé, j'accélérai encore. Je me souvins confusément qu'on avait entreposé là les vitres destinées aux fenêtres de l'hôtel, certaines des pierres qu'ils m'avaient lancées avaient dû les atteindre. J'étais à bout de souffle, ils se rapprochaient à chaque seconde, avec leurs pioches et leurs pelles. Enfin je gagnai le mur du fond de la salle.

Je réussis à leur échapper en m'enfuyant par l'arrière de l'hôtel. De là, je pus rejoindre un petit soï très sombre où je repris mon souffle. Je me dépouillai de ces vêtements maudits et partis à la recherche d'un asile. Je m'arrêtai au seuil d'une maison chinoise où je m'assis pour pleurer, nu et pitoyable comme un enfant. C'est là que m'a trouvé le vieillard que tu m'as envoyé.

Je sais, mon étrange amour, qu'il est vain de t'interroger. Peut-être voulais-tu simplement m'apprendre Bangkok et ce qui nous sépare, je m'incline, battu d'avance par les forces que tu as choisi de suivre. Je ne reverrai pas la Wanee que j'ai connue, j'adresse ma lettre au palais du temple du Bouddha d'émeraude comme on fait une prière, la tête basse mais le cœur plein d'espoirs fous. Notre nuit, sache-le, fut à en mourir.

Christian Santerre.

IV

Après l'avoir avisé, nu et sanglotant comme un bébé, Saïn lui a fait signe de le suivre, la femme du palais qui l'avait payé l'a bien décrit : un falang, très beau, sans doute nu, avec cet air perdu qu'ils ont tous quand ils ont découvert les bas-fonds de Bangkok. Le soï était faiblement éclairé par les lueurs de l'incendie, on entendait les craquements du brasier tout proche et les sirènes des pompiers. Derrière la palissade du chantier, des ouvriers armés de barres d'acier frappaient sauvagement le moindre buisson. Quand le dernier cri de souffrance des victimes de l'incendie s'est éteint, suivi deux secondes plus tard du choc d'un corps contre la terre, Santerre s'est levé et a suivi le vieillard.

Ils ont marché longtemps dans des soïs étroits et sans lumière où toute une faune louche s'agitait le long des murs et contre les poubelles. Santerre apercevait parfois le museau vibrant d'un rat et ses yeux qui renvoyaient la lumière de la lune. Le sol était gluant, eau de coco, jus de fruits pourris et écrasés, saumure de poissons, gelées multicolores diluées s'y étaient agglutinés pendant la journée et collaient aux pieds nus du jeune homme. De temps à autre, une fenêtre s'ouvrait sur un intérieur qui puait la graisse brûlée et un homme crachait dans le soï après s'être bruyamment raclé la gorge. Le vieillard s'immobilisait alors contre le mur suintant et Santerre, sur son signe, en faisait autant afin que le Thaï ne vît pas leur couple singulier. Des chiens, plus maigres que la mort, les suivaient, la langue pendante, ils avaient des gueules zébrées de cicatrices et des pelages troués par les ulcères. Le Français imaginait ce que devait être le supplice de caresser ces animaux dont la colonne vertébrale semblait presque crever la peau du dos, «la pire réincarnation, chien en Asie ». Il ne connaissait pas cette partie de la ville, aucun falang n'osait s'y aventurer, comme si la richesse exhibée dans ce trou de misère dût porter malheur à son possesseur. Mais sa promenade de la veille l'avait un peu familiarisé avec la Bangkok des ténèbres, cette ville où les pauvres, harassés par vingt heures de travail, se couchent sur des parquets moisis et sombrent dans le sommeil au milieu de rats, de cafards, de crapauds et de chiens plus laids que l'enfer, rêvant obscurément à l'ultime délivrance, combien plus douce que cette vie gangrenée, la mort qui ôterait son importance à toute l'horreur subie.

Saïn est enfin parvenu à une petite maison chinoise, semblable à celle devant laquelle Santerre s'était assis pour pleurer.

A l'intérieur, Santerre, éreinté, s'est allongé sur le pauvre lit que le vieillard lui a désigné. Saïn s'est approché, lui a fait signe de se mettre sur le ventre et l'a massé doucement, savamment, jusqu'à ce qu'il s'endorme. « Pourquoi un falang ? » Quand il a été sûr que le Français dormait profondément, il s'est levé pour aller s'agenouiller devant un Bouddha — le Bouddha à l'air belliqueux d'Ayuttayah — situé dans un recoin de la pièce, et a fait le triple salut. Puis il s'est allongé au pied de la statuette, a pris sa pipe à opium et a préparé tranquillement le matériel. Il n'aimait pas ces expériences de transmission de pensées, il en ressortait épuisé. Mais il était trop tard pour se défiler. Quand tout a été prêt, il a allumé la pipe.

Santerre s'est éveillé moins d'une heure plus tard. C'était l'aube, le ciel rosâtre prenait peu à peu une teinte plombée, un vent frais soufflait à travers les soïs et faisait battre la moustiquaire. Le petit vieillard qui l'avait amené là gisait sur le dos, les yeux clos, à proximité d'un matériel d'opiomane. Il s'est levé et a fermé la fenêtre. Il a regardé le soï avec une vague sensation de malaise : une eau grise, des poubelles en osier qui flottaient çà et là, renversées par les pillards nocturnes, plus loin des rats qui s'empressaient de regagner à la nage leur abri du jour. Une misère banale qui ne justifiait pas ce trouble croissant. Frissonnant, il s'est emparé de la couverture brune et l'a enroulée autour de lui. Le vieillard pourrait peut-être expliquer l'où venait ce malaise, il s'est tourné vers lui.

Il a alors compris : ses lèvres bougeaient ! Depuis quelques instants, elles marmonnaient quelque chose d'à peine audible, un imperceptible murmure qui avait suffi à glacer Santerre dans cette aurore de fin du monde. Il s'est approché vivement. L'homme paraissait profondément endormi, son visage avait la sérénité de l'opiomane qui vient de se livrer à son vice, seules ses lèvres prononçaient des mots que le Français ne comprenait pas. Il a approché l'oreille, l'a presque collée à la bouche du vieillard, mais il ne comprenait toujours pas. Brutalement, l'autre a ouvert les yeux ; il demeurait immobile, avec la même respiration profonde du sommeil, mais il dardait sur Santerre des yeux qui l'ont fait frémir car ils étaient blancs, entièrement. Les prunelles en avaient disparu ! Le Français, béat, a reculé en hurlant, « il ne m'aura pas avec ses trucs de vieux fakir ! ». Il est resté à trois pas du dormeur, le regard fixé sur le visage monstrueux, dégoûté. Enfin, les murmures sont devenus audibles, presque familiers. Il se raisonnait : « Ça n'est pas possible ! je les connais avec leurs tours, magie, esbroufe et compagnie ! » Pourtant, il lui semblait reconnaître cette voix qui sortait de la gorge du vieux, une voix de femme...

Il a surmonté sa peur. En évitant les yeux sans regard, il a placé son oreille près de la bouche du sorcier. C'est alors que, stupéfait, il a reconnu la voix de Wanee :

— Christian, je suis près de toi... Je n'ai que peu de temps, Christian, je veux te dire pourquoi il faut nous séparer... Souviens-toi de Nang Loy : ni Totsakan ni Rama ne parvinrent à voir qu'ils n'étaient pas en présence de Sita mais de Benjakaï métamorphosée. Cela signifie qu'ils luttaient pour rien, pour une femme qu'ils ne connaissaient même pas et qui était seulement le signe de la force obscure qui les poussait à se combattre. Les Thaïs et les falangs sont régis par la même loi, mal connue, mystérieuse, mais qui leur impose de se séparer.

— Wanee, a dit Santerre d'une voix étranglée, en se redressant.

Mais il n'avait devant lui que les yeux d'aveugle et les lèvres follement secouées du magicien. La voix a poursuivi, lui imposant de se rapprocher à nouveau. C'est alors que le corps du vieillard a eu un soubresaut hideux.

— ... mais ce n'est que la première signification de la légende. Ce corps, que Rama aperçut sur la berge, était le fait des forces du mal, mais il était aussi le signe de la voie à suivre. Rappelle-toi : le courant allait vers Longka, l'endroit où était détenue Sita. Si Rama s'était décidé à suivre le cadavre, il aurait atteint sa bien-aimée... c'est ce qu'ont toujours fait les Thaïs quand on les donnait pour morts : suivre les ruines de leur capitale, qui descendaient le fleuve, jusqu'au lieu de la nouvelle capitale. De Sukhotaï à Ayuttayah puis d'Ayuttayah vers Thonburi et Bangkok, suivre l'illusion jusqu'à la découverte de la vérité...

— Wanee !

Santerre a hurlé encore une fois, comme pour faire barrage, dans cette aube de spectres et de misère, au jour sinistre qui se lève, mais la voix s'obstine :

— Nos cités meurent mais pas notre peuple. Un éléphant blanc a été aperçu dans la jungle de Kanchanaburi, à l'ouest de Bangkok, c'est le signe d'un règne prospère, d'un futur règne. Il me faut me préparer pour mon peuple. Adieu, Christian.

Puis le vieillard a rabattu les paupières sur ses yeux d'outre-monde, ses lèvres ont arrêté de bouger pour laisser passer à nouveau un souffle profond et régulier. Santerre s'est levé et, enveloppé dans la couverture de laine rêche, il est sorti, fendant les eaux du soï encore désert, tandis que l'énorme boule rouge du soleil s'arrachait à l'horizon pour vomir sa chaleur de serre sur la ville.

V

— Il faut reprendre le travail, Somsak !
Les paroles de Fournier claquent sous la voûte de béton du hall du Bangkok Intercontinental. L'écho les emporte jusqu'à l'autre bout de la salle, où les ouvriers sont massés dans l'attente du résultat de la conversation entre leur leader et le patron.

L'interprète thaï, un fonctionnaire mis à la disposition de Fournier et Nippon par le ministère des Affaires étrangères, traduit brièvement, avec le ton arrogant du grand cadre s'adressant aux misérables de Bangkok. Un peu en retrait, mais ostensiblement du côté des chefs, Toshiro Nippon, crispé par cette dispute qui offense son sens de la courtoisie, observe le plafond gris d'un air en apparence distrait.

Somsak, un Thaï de quarante ans qui en paraît bien plus à cause de la vie d'ouvrier qu'il mène depuis l'âge de dix-huit ans, reste impassible. Il comprend mieux le mépris de l'interprète ou le simulacre d'indifférence de Nippon — ce qui ne signifie pas qu'il les excuse — que la colère de Fournier. Le falangsé [1] vient de lui répéter pour la dixième fois un ordre que ni lui ni les ouvriers ne veulent exécuter. Somsak ne répond pas cette fois, à quoi bon ?

Venu du Nord-Est, comme la plupart des ouvriers de la ville, ce vétéran des chantiers possède la confiance de ses pairs. Dans les situations graves, ils se rassemblent autour

---

1. *Falangsé : français.*

de lui, comme dans leur village natal ils se groupaient autour du chef désigné par la communauté des anciens. Evitant avec soin de regarder Fournier dans les yeux, il lui oppose un silence lourd de paysan sûr de ce qu'il ne veut pas.

— Mais, bon Dieu ! qu'est-ce qui leur prend ?

Voyant qu'il n'obtiendra plus rien de Somsak, Fournier se tourne vers l'interprète qui, lui, est bien obligé de répondre à la sempiternelle question. Il explique humblement, bouillant en son for intérieur contre le falangsé à qui il faut tout répéter dix fois :

— C'est ce fantôme aperçu la nuit dernière... Nang Loy... Je crains qu'ils ne travaillent vraiment plus.

Son ton est hésitant. Pour ne pas déplaire au patron. Mais, pour lui, Thaï, tout cela va de soi. Il n'est pas loin de souscrire aux raisons des ouvriers. S'il était à leur place — risible supposition ! —, il hésiterait à braver les puissances surnaturelles.

— Alors, qu'on en fasse venir d'autres ! explose Fournier.

— Ils auront la même réaction, khun. Tout Bangkok est au courant de ce qui s'est passé ici la nuit dernière.

— Et qu'est-ce qui s'est passé ici, la nuit dernière ? Le Peninsula a pris feu et un zozo est venu se promener par ici... et il faudrait arrêter les travaux du plus grand hôtel du monde pour ça !

— Un zozo ? demande doucement l'interprète. Vous appelez un fantôme « un zozo » ?

Il ne va pas plus loin, car Fournier n'a pas l'air disposé à enrichir sa liste de synonymes. Il vient de se prendre la tête à deux mains et souffle violemment comme pour essayer de garder le contrôle de sa personne. Tous les interlocuteurs baissent pudiquement les yeux ; pour eux, le Français est en train de perdre la face. Il expose l'une de ses faiblesses intimes, de celles qu'un dirigeant a le droit d'avoir mais pas de montrer.

Fournier se fiche bien de ce qu'ils pensent. Son rêve va peut-être s'effondrer (ils ont arrêté tous les pompages depuis la nuit dernière, l'hôtel est en train de s'enfoncer) à cause de macaques superstitieux et ils voudraient qu'il reste calme ! Ils n'auraient pu trouver une raison plus bête pour stopper les travaux ! Dans le silence général, on entend les clapotis que font les experts en prenant eux-mêmes les mesures dont ils ont besoin. Ils s'efforcent fébrilement de trouver une solution puisque les ouvriers n'ont plus l'air de vouloir travailler et que la rage du chef de travaux dit assez la gravité du conflit. Fournier n'espère plus rien d'eux, ils ont pondu des tonnes de papier depuis leur arrivée, rien d'autre... A ses côtés, Nippon tente une dernière manœuvre :

— Dites aux ouvriers que nous doublons leurs salaires, demande-t-il à l'interprète dans son mauvais anglais.

Le fonctionnaire traduit. Somsak garde le même silence têtu. L'autre hurle alors à l'adresse des ouvriers groupés à l'autre bout du hall. Aucun ne dit mot. Nippon hausse légèrement les épaules, se tourne vers Fournier, qui, les cheveux dans tous les sens, est devenu cramoisi, puis s'en va à pas lents et dignes. « Va te faire hara-kiri, connard ! » Le Français l'observe d'un air méprisant, puis il continue le marchandage, se raccrochant à l'idée du Japonais.

— Nous triplons les salaires !

Silence de tombe, les ouvriers regardent tous le sol.

Cette fois, Fournier s'avoue une chose qu'il n'aurait jamais crue possible, « l'hôtel est foutu ! ». Il regarde le plafond grisâtre, les murs tachetés, le grand escalier majestueux, avec un air d'amoureux tragique, puis il se précipite vers la sortie pour dissimuler des larmes de rage.

Somsak fait signe aux ouvriers. Ils gravissent en silence l'escalier menant à leurs baraques. Quelques femmes, qui se sont coupé les cheveux en signe de pénitence, restent à prier près de la maison de l'Esprit du sol. En haut, les hommes commencent à démonter les cabanes de planches qui les ont abrités pendant ces deux ans. Sur leurs visages, aucune trace d'amertume. Leur travail n'a servi à rien... mais les dieux l'avaient écrit... et les dieux gagnent toujours en Thaïlande.

Le lendemain, Santerre, prévenu par un coup de téléphone de l'interprète, se rend au chantier. Il descend de la barque qui l'a conduit jusque-là, et avance sur la passerelle de bois qui mène au bâtiment. Tous les pompages ont cessé et déjà l'eau arrive presque au niveau des fenêtres du rez-de-chaussée. Plusieurs fissures apparaissent dans la façade pas même achevée.

Dans le hall, Fournier se promène comme un fou. L'attaché d'ambassade constate qu'il ne reste plus un seul ouvrier.

— Déserté, ils ont déserté ! Ils ont tous foutu le camp cette nuit ! Tout mon travail est foutu à cause de cette bande de superstitieux ! hurle Fournier dès qu'il l'aperçoit.

Il se tourne aussitôt vers l'escalier, il semble parler à l'hôtel.

— Ce bâtiment grandiose... Il écarte les bras du corps et fait un rapide tour sur lui-même en gardant les yeux rivés au plafond : Grandiose !

Santerre s'approche, un peu gêné. Qu'offrir à Fournier ? Sa compassion ? Le chef de travaux n'en voudrait sûrement pas. Sa pitié ? Encore pire ! Et puis, lui, Santerre, regretterait-il tant que cela le Bangkok Intercontinental ? Décidément, il n'a que les gestes de l'amitié à offrir à Fournier. Mais, arrivé près du chef de travaux, alors qu'il s'apprêtait à lui poser la main sur l'épaule, c'est l'autre qui s'empare de son bras et l'entraîne vers le milieu du hall. Sa respiration est précipitée, le souffle court qui suit les nuits d'orgie, il n'a pas dû beaucoup dormir. Il regarde Santerre droit dans les yeux.

— Vous croyez en Dieu ?

Il n'attend pas la réponse de l'attaché d'ambassade.

— Moi pas. Dieu a moins d'importance que les bonshommes qui se baladent dans Bangkok la nuit, et que les Thaïs transforment en fantômes... Je n'ai jamais vu, de ma vie, vous entendez ! d'entreprise humaine stoppée parce que c'était contraire à la volonté de Dieu. Mais, aujourd'hui, ce que j'ai entrepris de plus grand... peu importe, d'ailleurs !

Il serre davantage le bras de Santerre, ses yeux se plissent légèrement, deviennent malicieux.

— Cette nuit, j'ai baisé quinze filles. Je n'aurais pas cru en être encore capable... en une seule nuit ! vous vous rendez compte ? Et ce matin je ne suis même pas fatigué. Las, oui, mais pas fatigué, j'aurais pu continuer ; ça ne menait à rien... comme le jour où j'ai eu cette fille, Finn, vous ne la connaissez pas, Finn ? Si vous aviez vu son visage une seule fois... je pouvais la baiser autant de fois que je voulais, elle gardait son visage de Chinoise, impassible ou faisant semblant de jouir que c'était à vous en dégoûter. Tout ça lui passait au-dessus... je la grimpais, mais ça lui passait au-dessus, vous comprenez, ah, ah, ah !

Son rire sonne faux, il a l'air de l'entendre et se renfrogne. Il cesse de dévisager Santerre pour regarder la voûte de béton, voyant quelque chose qui n'est que pour lui, l'endroit où sont nichés ses rêves les plus obstinés. Il semble attendre, tenant toujours l'attaché d'ambassade par le bras. Il parle d'un air absent, « un monologue de cocu allongé près du corps de sa femme endormie ».

— Ces femmes, elles appartiennent à la même race, la race de celles qu'on ne possède pas. Tous, ils sont beaucoup plus forts que nous. Ils vous font croire qu'ils ne se sentent pas concernés par vous mais par des forces, des esprits. Ils jouent aux initiés, hurle-t-il avec la volonté délibérée de provoquer un écho. Et ils sont doués pour ce jeu-là ! La superstition, Santerre, c'est la plus grande force du monde. Je suis d'un pays de montagne, vous savez, les guérisseurs étaient les rois, là-bas, dans ma jeunesse, les rois ! Ils vous jetaient des sorts, vous faisaient croire que deux et deux ne font pas quatre, que noir c'est blanc, et vous les croyiez ! Pourquoi ? Ça, je ne saurais pas le dire...

Il se tait pour reprendre son souffle. Santerre en profite pour observer l'étrange allure de l'hôtel totalement déserté, « le temple d'une croyance révolue ».

— Leurs fantômes, les successeurs des farfadets de mon enfance, des gnomes qui couraient dans les forêts de ma jeunesse. Moi qui tenais ces chimères pour des trucs de gosses !... leurs femmes, ces Chinoises intouchables, je veux dire moralement, non, pas moralement... en esprit. Enfin, vous voyez, elles savent se réduire dans vos bras à un bout de chair tiède, l'essentiel nous échappe... elles auraient dû me faire comprendre ! On ne lutte pas avec des gens qui savent ainsi se mettre hors de portée. Ils ne se détournent même pas de vous, ils sont ailleurs. Plus près des esprits, qu'ils disent, plus près des dieux ! ! !

Sa voix s'est cassée sur le dernier mot, avec un drôle de petit rire, presque un sanglot étouffé. Santerre est de plus en plus gêné.

— J'ai demandé à ma femme de rester en France un ou deux mois de plus. Je la connais, toujours à se taire devant moi, parfaite épouse, elle me croit tellement mieux qu'elle... Et alors, maintenant ? Me voilà battu par quelques tours de passe-passe qui ont pris la force de légendes. De quoi est-ce que j'ai l'air ? Je riais de leurs cérémonies de bénédiction, vous vous rappelez ? Eh bien, ils sont tellement forts que je me suis demandé si ce n'est pas à cause de ça que tout a foiré. J'ai eu la faiblesse de me le dire cette nuit : « Si tu avais respecté leur tralala, est-ce que tout ça serait arrivé ? »

Il baisse la tête, comme un coupable.

— Vous vous rendez compte ? Ça n'a pas été long, le temps de baiser une de ces filles, le temps de fermer les yeux et de sentir que je ne jouissais pas, j'ai cru avoir offensé leurs putains d'esprits... vous direz ce que vous voudrez, ces gens-là ont la force !

— Comme tous ceux qui se savent, ou s'imaginent (mais, en l'occurrence, la distinction est caduque) proches du sacré.

Santerre s'arrête, il sent à quel point ce genre de propos sonne faux en ces circonstances.

— Et moi, je ne croyais pas en quelque chose ? Je ne travaillais pas en fonction d'une réalité qui, vous pouvez rire ! était bien près de ce que vous appelez le sacré !

Santerre ne répond pas, on n'explique pas à un homme qu'il s'est fourvoyé en choisissant la cause qui fonde sa vie.

— Venez voir !

Le chef de travaux l'entraîne vers le fond du hall, dans un coin où une plaque de ciment longue d'environ vingt mètres émerge encore de l'eau.

— Là, ç'aurait été le comptoir de réception, un ensemble entièrement sculpté dans le teck par l'un des plus grands artistes thaïs contemporains. Et, là-bas, à l'étage, un orchestre classique de vingt musiciens avec, en dessous, des plantes grasses à ne plus savoir qu'en faire, des tables qui auraient été ornées des laques japonaises les plus précieuses (une idée de Nippon) et un luxe à couper le souffle... parmi tout ça, des hôtesses en sarongs, sélectionnées pour leur beauté et leur éducation, belles comme des cœurs et classe comme des élèves du Trinity College, circulant avec l'aisance de poissons dans l'eau au milieu d'une clientèle de milliardaires. Et la jungle que vous avez vue, cette internationale des plantes, ce Mille et Une Nuits des fleurs. Il n'y a pas de force dans tout ça ? Ce sont des mots ?

Il tire violemment le bras de Santerre et l'entraîne vers l'escalier. Dans la pénombre, il s'arrête :

— Une nuit d'enfer, mon vieux ! putes et alcool... la vieille recette qui ne marche jamais. J'ai enterré je ne sais combien de bouteilles de Mékong, dès que je n'étais plus malade, j'en entamais une nouvelle. Il paraît que l'alcool aide à oublier ! Je voudrais rencontrer le fils de pute qui a pondu une telle ânerie, je le ferais boire jusqu'à ce qu'il voit sa bêtise et en pleure... J'ai pleuré aussi, sans honte ! ça soulage beaucoup plus que l'alcool, vous savez.

Il a un ricanement qui fait froid dans le dos à Santerre, chagrin et rage mêlés. Il reprend sa marche vers le premier étage en s'appuyant davantage sur Santerre qu'en le tirant. Leurs visages sont à quelques centimètres l'un de l'autre, l'attaché d'ambassade grimace en sentant l'haleine de Fournier. Parvenu à l'étage, celui-ci retrouve son énergie et entraîne son compagnon vers le fond du couloir, là où les ouvriers avaient monté leurs cabanes.

Il ne reste plus de leurs habitations qu'un tas de planches disposées avec soin et, à l'écart, renversée sur le côté, la petite maison rouge et or qui figurait la demeure de l'Esprit du sol. Près d'elle, se trouvent de nombreux colliers de jasmin qui commencent à pourrir et des offrandes multiples, riz, plantain ou noix de coco, argent, soie et or, disposées dans de minuscules bols de porcelaine bleue et blanche. Fournier s'approche de ces pauvres restes. « Son vainqueur », pense Santerre. Le chef de travaux s'agenouille sur le béton poussiéreux et redresse la maison de poupée. Puis, du même air respectueux, il montre à l'attaché d'ambassade les murs gris.

— Là, il y aurait eu des boutiques, joailleries, soieries, artisanat et art asiatiques. Nous avions déjà contacté les plus grands noms du commerce mondial... Quand je pense que Nippon n'est même pas venu, ce matin. Le fatalisme oriental !... Et là, le business center, tout le modernisme de l'Occident pour servir nos clients, si seulement — il regarde la petite maison qu'il tient — ... ils...

Il s'arrête subitement. Un craquement énorme suivi d'une secousse qui a ébranlé tout le bâtiment vient de se produire. Santerre se retourne d'un seul coup, claquant presque des talons.

— ... n'étaient pas si forts.

Il a achevé sa phrase en grommelant, comme si le tremblement du building était passé dans sa voix.

La vibration reprend, ininterrompue cette fois. Les deux hommes échangent un coup d'œil anxieux.

— La fin serait donc si proche, murmure Fournier, accablé.

C'est au tour de Santerre de lui prendre le bras et de l'entraîner vers l'escalier. Ils dévalent les marches de béton à toute allure tandis que le tremblement ne cesse de s'amplifier, ponctué de craquements de plus en plus bruyants. Quand ils arrivent au bas de l'escalier, un choc, comme un coup de poing colossal donné contre l'hôtel, leur fait perdre l'équilibre. Santerre tombe le long du mur et s'y égratigne le visage tandis que Fournier bascule la tête la première dans l'eau boueuse qui emplit le hall. Pendant une bonne minute, ils restent ainsi prostrés, étourdis par le tumulte grandissant. Santerre est le premier a retrouver ses esprits. Il se relève avec peine en s'adossant au mur, la partie gauche du visage le brûle. En jetant un coup d'œil autour de lui, il voit que la surface de l'eau est ridée par la trémulation qui secoue l'hôtel. Il comprend qu'il faut à tout prix sortir de là le plus vite possible.

Il s'arrache au mur et tire Fournier de l'eau dans laquelle il est allongé, face contre le sol. Il semble inconscient. Santerre lui donne une gifle violente pour le ranimer. Les vibrations se sont encore accrues, ils ne doivent plus perdre une minute. Sous le choc, Fournier recrache lentement une salive noirâtre ; ses yeux bleus, un peu globuleux, reflètent une extrême lassitude. Santerre, terriblement conscient du danger, est excédé par l'apathie du chef de travaux. Il hurle :

— Il faut sortir d'ici !

D'instinct, il a tourné la tête vers la porte. L'un des piliers s'est déjà écroulé. Il regarde vivement le plafond, s'attendant presque à voir un bloc de béton arriver sur eux à une vitesse fulgurante. Fournier secoue la tête en signe d'abandon.

— Personne n'a compris, ç'aurait été le mariage de l'Orient et de l'Occident...

— Santerre se rend compte qu'il n'avancera pas sans aide. Il met son bras sous ses épaules et l'emporte comme un grand blessé. Le tremblement est si violent qu'il a du mal à garder son équilibre. Des bruits sourds, inquiétants parcourent la carcasse de l'hôtel comme des spasmes d'agonie.

— Le mariage de l'Orient et de l'Occident, bafouille stupidement Fournier.

Soudain, toute l'eau qui emplissait le hall reflue. Stupéfait, Santerre se retourne. Une fissure énorme s'est ouverte dans le sol, elle vient d'avaler le produit des inondations et s'élargit, avançant rapidement vers les deux hommes. Ecœuré par cette monstruosité qui semble s'agiter comme un animal prêt à les engloutir, il relâche un peu Fournier qui, ne pouvant se soutenir, tombe sur le béton humide. Le début de la crevasse n'est plus qu'à un mètre d'eux, le chef de travaux est allongé sur le ventre, incapable de se relever. La crevasse s'élargit encore, Santerre y aperçoit une terre jaune, brillante et grasse comme des viscères. La tête de Fournier est au-dessus de cette glaise, au-dessus du vide, Santerre se tient un peu en retrait. Au dernier moment, il attrape le chef de travaux par la ceinture et le tire à lui. Ils se plaquent contre la paroi afin d'éviter le sillage de la fissure. Trempés de sueur, le dos meurtri par les aspérités du béton, ils contemplent dégoûtés l'abîme suintant dont les bords gondolés passent à quelques centimètres de leurs pieds. Il faut sortir d'ici ! ! ! Mais quand ils regardent la porte, une mauvaise surprise les attend.

Ils n'aperçoivent plus qu'une masse de béton bouchant complètement l'ouverture. Fournier, qui a retrouvé sa lucidité, hurle :

— L'escalier d'accès, c'est l'escalier d'accès. L'hôtel s'enfonce !

Santerre comprend. Les fenêtres aussi sont obstruées progressivement par la terre jaune qu'il avait aperçue au fond de la crevasse. La masse énorme de l'hôtel, entraînée par son propre poids, gagne peu à peu le sous-sol de Bangkok, sombrant comme un navire terrestre. Bientôt, l'obscurité est complète.

Dans cette nuit de tombe, ils se ruent vers l'escalier qui conduit au premier étage. Santerre perçoit la terreur de Fournier, la révolte de son corps contre la mort la plus atroce, l'enterrement vivant. Leurs pas résonnent sous la voûte sombre tandis qu'ils gravissent quatre à quatre l'escalier qui doit les mener au salut. Le tremblement a cessé, on n'entend plus un bruit ; déjà, leurs gestes de vivants troublent le silence de l'immense cercueil. Une fois en haut, ils courent vers les fenêtres. Fournier halète derrière Santerre mais ne ralentit pas, obnubilé par la volonté de vivre. Hélas ! ils sont à peine arrivés au milieu de la salle que les fenêtres sont déjà plus qu'à moitié bouchées. Tout en courant, ils voient la masse de terre grasse monter lentement le long des ouvertures et réduire peu à peu la portion d'air libre — et de vie ! — qu'ils aperçoivent, jusqu'au noir complet qui leur cause une angoisse encore plus vive que la première fois, c'est leur seconde chance qu'ils ont laissée échapper.

Ils se prennent la main et se précipitent vers l'escalier. Atteindre le deuxième étage ! De cette course dans la nuit du cercueil, ils retiendront sans doute longtemps l'image de ces fenêtres peu à peu condamnées, comme autant d'adieux à la vie prise au piège dans le ventre de Bangkok.

Deuxième étage. Les fenêtres sont encore à demi ouvertes sur la lumière. Santerre lâche la main de Fournier et court de toute la force de son corps. Les fenêtres se réduisent, fermetures ironiques sur l'espoir et la vie. Vite, plus vite vers la liberté ! Plus de la moitié de la fenêtre qu'il a choisie est obstruée. Il ne lui reste que vingt mètres à parcourir. Les trois quarts de la fenêtre ! encore cinq mètres... Que fait Fournier ? Impossible de s'arrêter pour voir, pas maintenant ! Le monde est si simple en cet instant, cette terre jaune qui veut dissoudre sa chair, ses os, aspirer sa carcasse haletante, et, de l'autre côté, le salut. Il plonge.

L'instant d'après, il est allongé dans la lumière des tropiques et la boue du chantier, au milieu des gravats et des planches. Cinq mètres plus loin, Fournier se relève. Ils s'éloignent à toutes jambes ; dans leurs dos, une cacophonie de craquements et de bruits de succion. En se retournant, ils constatent l'ampleur de la catastrophe. L'hôtel a complètement disparu au fond d'un immense trou empli d'eau boueuse. Un seul pan du bâtiment, à gauche, ne s'est pas enfoncé. Unique relique du plus grand hôtel du monde, il subsiste, plus penché que la tour de Pise ; les dalles qui constituaient le sol de ses étages sont hideusement coupées, laissant apparaître des tiges de métal tordues comme des veines sectionnées.

Santerre entend le chef de travaux étouffer un sanglot ; la prodigieuse architecture qu'il avait rêvée est retournée aux entrailles de Bangkok.

VI

— Est-ce que tu vieillirais, Narong ?

Assis sur son trône de pacotille, Khun Cheen foudroie du regard son homme de main. Il a ses yeux des mauvais jours, ceux d'un homme seul au pouvoir.

— A genoux !

Sans hésiter, Narong s'agenouille sur le ciment recouvert d'une mince nappe d'eau arrivée jusqu'ici en dépit de l'impressionnante série de digues disposées dans le couloir. La première fois que Khun Cheen a aperçu cette eau envahir ce qu'il a de plus intime comme la moindre ruelle de Bangkok, il y a vu un mauvais présage, avant-coureur des calamités annoncées par Saïn. Voici que c'est au tour de Narong, son plus fidèle lieutenant depuis la mort de khun Sombat, de faillir ; de graves changements sont donc à venir ? Les signes se multiplient dans la ville, les prophètes des temps mauvais ont fait leur apparition dans les rues, les rixes sont devenues innombrables, on rapporte les actes les plus insensés, des miracles incroyables, ne dit-on pas que la statue de Rama V, près de Ratchadamnoen Nok, a versé des larmes de sang ? Narong a-t-il été distrait par la folie ambiante ?

— Sors ton rasoir !

Tête baissée, le tueur extrait l'instrument de sa poche et le pose devant lui. Il connaît mieux que personne la liste des forfaits perpétrés par le Chinois dans un but d'efficacité. Il faut qu'on se souvienne et qu'on craigne Khun Cheen.

C'est ce souci du « rentable » qui le condamne, lui, Narong, aujourd'hui. Son rasoir est posé sur le sol, il songe à tous les maladroits qu'il a châtiés avec sa lame. Est-ce son tour ?

— Tu connais le châtiment réservé aux samouraïs qui ont failli ? Le seppuku japonais...

— Maître !

— Tu es loin du samouraï, Narong, loin même du serviteur efficace. Tu ne réussirais pas à te tuer avec ce rasoir... Ouvre-le !

La voix du Chinois est glaciale, Narong fait apparaître la lame au fil plus fin que du papier. Il sent que tout est possible. Cette arme qu'il maniait avec une délicatesse d'amoureux va-t-elle servir à l'égorger ? Il analyse rapidement la situation. A la porte, deux hommes de main, ses « collègues », sont prêts à intervenir au moindre signal du Chinois. Il n'a aucune chance de tuer celui-ci avant qu'il n'ait pressé le bouton qui se trouve sous le bras droit de son trône et qui avertirait les autres. Inutile d'y penser. Il se souvient d'un homme qui avait trahi Khun Cheen et qui lui était tombé vivant entre les pattes. Il ne tient nullement à parcourir ce chemin de souffrances. Le plus sage est d'attendre le châtiment, avec une patience craintive, comme vivent les pauvres gens, le rasoir ouvert devant soi...

— Il a fallu annuler le live-show, hier soir... et mécontenter les clients ! Comment ces deux insectes ont-ils fui ?

— Je ne sais pas, maître ! ils étaient enfermés dans la chambre, à l'étage, comme d'habitude avant les shows. Ils étaient arrivés une heure plus tôt, normalement...

Le Chinois ne bouge pas, ne dit rien, Narong n'ose pas lever les yeux pour voir ce qu'il pense. Il poursuit son explication, le regard posé sur le ciment recouvert d'eau et sur son rasoir qui pourrait bien rouiller.

— Quand je suis venu les chercher avec le patron du club, cinq minutes avant le spectacle, ils étaient partis.

— La porte était fermée ?

— Nnnnon, maître, s'étrangle-t-il, nous étions tous tellement sûrs qu'ils n'oseraient pas s'évader.

— Tellement sûrs, porc ! C'était toi qui étais chargé de les surveiller, pas les autres, qui étaient « tellement sûrs » ! ! ! C'est toi qui vas payer !

Le Chinois savoure la peur de Narong.

— Prends le rasoir !

La lame danse dans la main du tueur comme si c'était un vieillard qui la tenait. Une seconde, le Chinois a la velléité de demander à Narong de s'égorger comme un Japonais, pour voir... Il sourit à demi, il est certain que Narong ne le ferait pas, c'est un homme redouté mais pas un samouraï...

— Tu n'avais rien remarqué ces derniers temps ?

— Rien, maître, sinon ce que je vous ai dit. Udom était moins bon durant les shows, malgré nos menaces... Je crois qu'il se passait quelque chose entre eux.

— Quelque chose ?

La lame tremble toujours autant dans la main de Narong, Khun Cheen joue sans déplaisir au chat et à la souris, un jeu qu'il faut savoir faire durer.

— Ils semblaient amoureux l'un de l'autre.

Pour le coup, le Chinois manque éclater de rire. Une brute comme Narong parler d'amour ! Il s'y connaît mieux en rasoirs qu'en femmes... Comment ce petit imbécile d'Udom aurait-il pu tomber amoureux d'une fille qu'il baisait dix fois par jour ? Finn était belle, d'accord, mais elle lui avait tout donné par avance.

— Tu es stupide ! C'est tout ?

— Maître, je crois qu'ils faisaient l'amour ensemble... en dehors des shows. Sinon, comment expliquer les performances... faibles d'Udom ?

— Imbécile ! Il se fatiguait simplement de Finn. Tu as tout compris à l'envers !

— Oui, maître.

Il pose le rasoir, comme pour éloigner de lui le châtiment, et touche le sol du front en signe d'obéissance. Il ne connaît pas de méthode pour amadouer le Chinois, mais la soumission la plus absolue lui paraît le meilleur moyen.

— As-tu une idée de l'endroit où ils sont ?

— Chez Udom, peut-être..., maître.

— Stupide ! Ils y sont sûrement allés dans un premier temps. Mais, s'ils raisonnent un peu plus que toi — et, pour ça, je fais confiance à Finn —, ils n'y sont plus.

— Alors, j'ignore où ils se trouvent, pardonnez-moi, maître.

Il plaque à nouveau le front contre le ciment inondé. Il sent à quel point son ignorance irrite Khun Cheen. Il se rappelle qu'un jour où celui-ci était content de lui et de khun Sombat, il les avait félicités en leur disant qu'on reconnaissait la valeur des chefs à celle de leurs adjoints. Et le Chinois déteste avoir une mauvaise opinion de sa personne...

— On m'a dit — des gens qui travaillent pour moi et qui sont efficaces ! — que Finn fréquentait un falang, depuis un certain temps, un nommé Perrin. Tu en as entendu parler ?

— ...

— Imbécile ! Et je te payais pour les surveiller !

— Pardon, maître !

Narong touche encore une fois le sol du front. Il a senti une légère hésitation chez le Chinois, comme un chien fidèle décèle l'humeur de son maître. Il reprend d'une voix précipitée :

— Je m'offre pour aller voir chez ce Perrin s'ils y sont. Je vous jure de les ramener vivants et prêts à être punis. S'il vous plaît, pardonnez-moi !

La lâcheté de Narong déplaît encore davantage à Khun Cheen que sa stupidité. Avec le temps, il en était venu à le considérer comme un compagnon plus que comme un subalterne, il s'en veut à présent de sa complaisance pour un homme veule. Il répugne pourtant à le punir.

— Prends ton rasoir !

Que lui demander maintenant ? Il ne se mutilera pas lui-même, trop lâche. Khun Cheen hésite. Attendre ? Chaque instant qui passe accroît ses tremblements. La peur sera sa punition. Narong connaît assez de tortures pour faire de ce moment un enfer. Il doit repasser dans sa mémoire toutes les mutilations qu'il a fait subir et les souffrances insupportables qu'elles entraînaient. La lame tremble de plus en plus. Le Chinois ne dit mot. Il lui semble logique de punir Narong de façon éclatante, comme tous ceux qui ont failli avant lui. Mais pour quoi ? et surtout pour qui ?... Deux créatures insignifiantes, Finn et Udom, du menu fretin ! bien que Finn... Khun Sombat ne lui avait jamais dit si elle était bien sa fille naturelle, comme on le racontait...

Dans la main de Narong, la lame frémit comme un pendule. Le Chinois attend, appréciant et méprisant la peur qu'il lit sur le visage du tueur. La sueur lui coule du front et des tempes dans les yeux. Il bat nerveusement des paupières pour la chasser. Le Chinois attend encore. Enfin, quand il est sûr que Narong aura à cœur (et à corps) le désir de ne plus échouer, il prononce une phrase d'absolution en savourant son pouvoir :

— Lève-toi, j'ai horreur de voir mes hommes à genoux !

Le tueur se relève vivement. L'impossible s'est réalisé, Khun Cheen s'est montré clément !

— Tu dois les retrouver, où qu'ils soient, et me les amener *vivants*. Sinon, tu subiras leur sort.

Narong s'agenouille devant le Chinois et touche ses pieds avec le front, signe ancestral de complète soumission. Puis il sort à reculons, la tête basse, farouchement décidé à ramener les deux fuyards et à leur faire payer cette humiliation. « D'abord, aller chez ce Perrin ! »

Dans son appartement de Paholyotin, au nord de la ville, Perrin consulte les rapports qu'on vient de lui communiquer. Les quatre grandes rivières du Nord, la Ping, la Wang, la Yan et la Nan, qui se jettent dans la Chao Praya à Nakorn Sawan, connaissent des crues records qui vont encore augmenter. Tout indique que, cette fois, Bangkok ne pourra supporter l'afflux d'eau qui se prépare. Le fleuve décharge déjà à Bangsaï, en amont de la ville, 3 500 m^3 d'eau par seconde. Le canal de diversion construit à cet endroit s'avère inutile en de telles circonstances. En outre, les deux barrages qui ont pour fonction habituelle de réduire le débit de la Chao Praya, celui de Chaïwat et le Rama VI sur la rivière Pasak, sont pleins à craquer. Avec le pire à venir ! L'enfoncement régulier de Bangkok depuis des années n'arrange rien, la ville est trop basse pour supporter de nouvelles crues.

« Tous les rapports concordent, la ville est condamnée. » Perrin tire la conclusion qu'aucun de ces documents n'a osé rendre explicite : l'évacuation de Bangkok va être décidée d'un jour à l'autre. « Il n'y a que cette solution ou un miracle. Les Thaïs n'auront bientôt plus de capitale. »

Il se lève. La sonnerie du téléphone vient de retentir. Il ne sait pas trop s'il est triste ou content du naufrage de cette ville de fous.

— Allô, ici Perrin.

— Laurent ? C'est Finn, sabaï di lou [1] ?

— Bonjour, sabaï ma [2], et toi ?

— Bien, merci. Je voudrais te demander un service...

— Tout ce que tu voudras ! et bien plus encore...

— Je... voilà, j'ai un gros problème, il faut que je me cache quelques jours. Ce serait possible chez toi ? Ça ne t'embêterait pas ?

— Que tu viennes habiter chez moi ! Mais, Finn, c'est exactement ce que je désire !... De graves problèmes ?

— Je t'expliquerai... heu... j'ai un, un ami avec moi. Il peut venir aussi ?

— Les amis de mes amies... Il sera le bienvenu !

— Alors, nous arrivons tout de suite, bye-bye !

— Bye-bye.

Il se frotte les mains. Avoir Finn près de lui pendant quelques jours ! fou de joie ! La seule ombre au tableau, c'est ce mystérieux compagnon... et si c'était ?... non, il a

1. *Comment ça va ?*
2. *Très bien.*

confiance en Finn, elle ne lui imposerait pas ça. Il retourne à sa table de travail en grommelant tout de même, « les petits amis de mes petites amies ne sont pas mes amis ».

Puis les rapports cataclysmiques qu'il a sous les yeux l'absorbent à nouveau.

Narong pousse un soupir de soulagement, il est enfin arrivé. L'immeuble de Perrin se trouve très loin de la ville chinoise. Il lui a fallu près d'une heure pour y parvenir. Il paie le conducteur de la pirogue-taxi et descend. Les boîtes à lettres ont été transférées au premier étage où elles sont posées par terre, le long du mur. Il aperçoit celle du Belge : troisième étage gauche. Il monte l'escalier quatre à quatre sans remarquer la couleur des murs, un bleu électrique du plus mauvais goût. Avant de sonner, il sort son rasoir, paré à toute éventualité. Il ne s'agit pas de décevoir Khun Cheen cette fois.

Perrin sursaute, « damnée sonnerie, beaucoup trop forte ! ». Il repense à Finn, c'est elle ! N'y a-t-il pas quelque chose d'allègre, une harmonie inhabituelle dans le timbre surpuissant de la sonnette ? Il omet de vérifier dans l'espion de la porte s'il s'agit bien de son amour. Il ouvre avec un enthousiasme adolescent. Son sourire ne tarde pas à mourir sur ses lèvres. Il se trouve nez à nez avec un Thaï moustachu d'une carrure plus que respectable, qui ne semble pas lui vouloir du bien. Toutefois, soucieux de se conformer aux traditions thaïes, il prend un air aimable. Apparemment, l'autre ne respecte guère les coutumes de son pays, il garde sa mine constipée.

Narong ne s'arrête qu'un instant au visage du falang. Il tente de voir si ces deux microbes de Finn et d'Udom ne se dissimuleraient pas derrière. Mais le Belge est trop grand, le tueur ne peut apercevoir les autres pièces. Il s'apprête à repartir pour réfléchir quand un objet attire son attention : l'agrandissement d'une photo de Finn que Perrin a accroché bien en évidence dans l'entrée. Il n'hésite plus. Le souvenir de son humiliation de tout à l'heure, aux pieds de Khun Cheen, lui revient. Il faut que quelqu'un paye. Au moment où Perrin va parler, il le repousse brutalement dans l'appartement après avoir vérifié que personne ne les observait. Il claque la porte derrière lui et la main qu'il tenait cachée dans son dos jaillit, armée du rasoir. D'un geste fulgurant, il efface la honte subie en tranchant la gorge du Belge. L'instant où la lame déchire la peau du falang lui est doux, réconfortant.

Perrin bascule contre le mur, tout près d'une canne ouvragée qu'il avait suspendue là pour décorer l'entrée. Le sang envahit son arrière-gorge, il ne peut plus parler, encore moins crier pour appeler à l'aide. Il porte la main à son cou et ne trouve qu'une énorme coupure gluante. Dans un vertige, il s'affale sur le sol. Il a fermé les yeux mais il comprend que le Thaï ne lui prête plus attention, il doit examiner les autres pièces pour voir si quelqu'un s'y trouve. Au moment où la douleur commence à se manifester, une idée le traverse. Il comprend vaguement que la mort va bientôt venir, alors autant jouer son va-tout, le dernier geste.

Il saisit la poignée de la canne accrochée au mur ; un poignard, qui y était dissimulé, apparaît. L'homme ne fait toujours pas attention à lui. Alors, avec ce qui lui reste de forces, il élève l'arme des deux mains au-dessus de sa tête et d'un large mouvement circulaire l'enfonce dans le ventre du Thaï. Puis il s'écroule, mort.

Narong n'a que le temps de porter les mains à son estomac. Le couteau y est enfoncé jusqu'à la garde, une brûlure atroce lui dévore les entrailles. Il pense à Khun Cheen auquel il vient de faillir une fois de plus avant de basculer à son tour dans la mort.

VII

Le quartier de Lardprao est silencieux en cette fin d'après-midi. Seuls les clapotis de l'eau contre les murs des maisons au passage des barques et, de loin en loin, la déflagration provoquée par un enfant plongeant dans l'onde grise troublent le silence de l'avenue transformée en rivière. Les rares arbres ne dépassent plus guère la surface de l'eau qu'à la façon de gros fourrés. De temps en temps apparaissent les toits de camions ou de bus aux moteurs noyés qui restent là sans que personne songe à les secourir, selon ce fatalisme asiatique qui dissuade les hommes de s'opposer aux catastrophes du destin. Des oiseaux, perchés sur le dense réseau de fils électriques qui ne se trouve plus guère qu'à un mètre cinquante de l'eau, égayent un peu la journée finissante, tandis qu'à la même hauteur, les commerçants ont reconstitué leurs boutiques, dans les étages qui sont désormais la seule partie habitable des demeures. Coincés entre des façades où fleurissent les talismans les plus divers, ils vendent les fruits, viandes séchées, nourritures ou quincailleries de leurs échoppes improvisées aux barques et aux pirogues qui passent.

Bangkok est redevenue la ville des klongs, les hommes y vivent sur une eau grise d'où émergent des temples de rêve et des maisons chinoises aux balcons entortillés. Au détour des ruelles inondées, on y voit des visages d'enfants joyeux et de vieillards apaisés par la fin du tumulte. Le grondement des machines et des moteurs n'est plus qu'un souvenir, comme dans une ville que le déluge aurait menée à l'Eden.

Dans la pirogue dirigée par l'un de ces vieux aux rides immémoriales et aux membres tendineux dont la ville est prodigue, Santerre a du mal à évoquer l'autre Bangkok, la ville chaotique, ravagée de pollution et de bruit. Son image n'est pas tout à fait estompée, mais quelque chose de plus important est venu, comme le corps d'une femme aimée lorsqu'elle s'est dépouillée de ses vêtements : « Tout ce qui précédait n'était que signaux, balayés par l'évidence de ce qui se joue à présent. » Les eaux ont enfoui ce que la cité comportait de superficiel, d'imprécis, ce qui n'était pas purement thaï. Le calme qui règne à présent vient de loin, c'est le noble silence de la descendante de Sukhotaï et d'Ayuttayah, la ville aux mille activités artisanales déployées dans la sérénité d'un matin d'Asie.

Le vieillard guide la pirogue d'une main sûre en ridant à peine l'eau. Les deux colonnes de sa nuque aux plis épais inspirent confiance à Santerre qui savoure la descente de l'avenue, naguère l'une des plus bruyantes de la ville, glissant entre les toits des camions et les fils électriques de poteaux plus qu'à demi engloutis. Un nom lui revient, enclos dans chaque goutte d'eau, caché au détour de chaque rue, « Wanee ». Comment croire à cette loi qui les sépare et dont Nang Loy est le signe ?... Pourtant, il est indéniable que la ville change et que les choses qui ont formé l'essentiel de son existence ici se dissolvent. De grands changements se préparent et son amour pour Wanee lui impose d'aller à leur rencontre, de s'y disposer pour en sortir digne d'elle, moins occidental et plus serein. Car, il n'en doute pas, il la reverra.

Dans son désir de « s'apprêter », comme il se le répète, lui est venue l'idée d'aller trouver Somchaï. Pour lui dire quoi ? Il grimace, les balafres à peine cicatrisées, souvenir de sa nuit au Bangkok Intercontinental, le brûlent un peu. Chaque coup de pagaie du vieillard le rapproche de son but et accroît son incertitude. Toute la journée, il a songé à cette lubie, aller révéler au journaliste le vrai sens de la légende de Nang Loy, comme s'il n'avait pas eu assez à faire avec la disparition de l'hôtel (celle de Fournier aussi) et les mille et un rapports qui circulent sur l'état catastrophique de Bangkok. Tous les falangs fuient la ville s'ils le peuvent, effrayés par cette maladie qui les touche aux yeux et par l'ampleur des inondations, lui seul va se promener chez un nationaliste farouche qui le déteste. S'il n'y avait pas Wanee... mais il se sent plus proche d'elle en allant ainsi porter ses paroles à quelqu'un de son peuple ; et cette magnifique promesse, « suivre l'illusion jusqu'à la découverte de la vérité », le hante comme la formule même résumant toute l'histoire thaïe.

A présent, on pénètre dans la maison du journaliste par une grande fenêtre du premier étage à droite de laquelle est disposée une plaque portant le nom de Somchaï. Santerre fait signe au vieillard de s'en approcher. Il frappe au rebord pour signaler son arrivée puis entre en enjambant l'appui.

Un serviteur, qui a vu le falang s'introduire sans plus de manières, veut lui barrer le chemin. Santerre le repousse sans ménagement. Le Thaï, qui arrive à peine à l'épaule du Français, n'insiste pas, il se tasse dans un coin, le regard mauvais, et laisse le jeune homme entrer dans la chambre transformée en salle à manger. Déception, Somchaï est absent ! Seul, au milieu de la pièce, un enfant travaille sur une table de teck. Devant lui, étalés dans tous les sens, ses livres et ses cahiers. « Probablement le fils de Somchaï. »

Dès l'entrée du falang, le gamin a abandonné son stylo pour venir examiner l'intrus. Il contemple Santerre avec la curiosité naïve et exempte de toute gêne du Thaï moyen. Il a une dizaine d'années et porte les vêtements de tous les écoliers du pays : chemisette blanche immaculée, short bleu foncé, chaussettes et chaussures d'un impeccable noir. Santerre aime bien la propreté thaïe, « une religion dans ce pays ». L'enfant a le crâne rasé des bonzes et des élèves modèles.

Santerre lui sourit et lui demande :

— Sawatdi klap, khun tchu alaï[1] ?
— Jiap, répond le gamin avec un pâle sourire.

Il semble terrorisé par ce représentant d'une espèce dont son père dit tant de mal. Il tourne vite le dos au falang et retourne à ses livres. Mais comment travailler en présence d'un démon ?

Le Français s'approche et regarde par-dessus l'épaule de Jiap ce qu'il est en train de faire. Il s'agit d'un poème, à en juger par la disposition des lignes, mais il ne comprend rien de ces lettres magnifiques :

"ตามรอยเท้าพ่อ"

ฉันเดินตามรอยเท้าอันรวดเร็วของพ่อโดยไม่หยุด
ผ่านเข้าไปในป่าใหญ่ น่ากลัว ทึบ
แผ่ไปโดยไม่มีที่สิ้นสุด มืดและกว้าง
มีต้นไม้ใหญ่ใหญ่เหมือนหอคอยที่เข้มแข็ง
พ่อจ๋า ... ลูกหิวจะตายอยู่แล้วและเหนื่อยด้วย
ดูซิจ๊ะ ... เลือดไหลออกมาจากเท้าทั้งสองที่บาดเจ็บของลูก
ลูกกลัวงู ... เสือ และหมาป่า
พ่อจ๋า ... เราจะถึงจุดหมายปลายทางไหม
ลูกเอ๋ย ... ในโลกนี้ไม่มีที่ไหนดอกที่มีความรื่นรมย์
และความสบายสำหรับเจ้า
ทางของเรามิได้ปูด้วยดอกไม้สวยสวย
จงไปเถิด แม้ว่ามันจะเป็นสิ่งบีบคั้นหัวใจเจ้า

1. *Bonjour, comment est-ce que tu t'appelles ?*

พ่อเห็นแล้วว่า หนามตำเนื้ออ่อนอ่อนของเจ้า
เลือดของเจ้า เปรียบดั่งทับทิมบนใบหญ้าใกล้น้ำ
น้ำตาของเจ้าที่ไหลต้องพุ่มไม้สีเขียว
เปรียบดั่งเพชรบนมรกตที่แสดงความงามเต็มที่
เพื่อมนุษยชาติ จงอย่าละความกล้า
เมื่อเผชิญกับความทุกข์ให้อดทนและสุขุม
และจงมีความสุขที่ได้ยึดอุดมการณ์ที่มีค่า
ไปเถิด ... ถ้าเจ้าต้องการเดินตามรอยเท้าพ่อ

— Alaï klap [1] ?

Jiap sursaute mais refuse de répondre. Il continue de faire semblant de lire le texte et de le recopier très lentement. Toutefois son écriture le trahit, alors qu'il a commencé la page avec de belles lettres rondes et pleines, il ne forme plus que de petits gribouillis, et à une allure si lente ! Santerre sourit de l'application puérile qu'il met à respecter les consignes de son père. Somchaï lui a appris à ne pas parler aux falangs, comme certains Français conseillent à leurs enfants d'éviter les immigrés. Il s'éloigne donc de la table et regarde par la fenêtre, tout en s'intéressant discrètement au gamin. Celui-ci, dès qu'il croit que le falang ne l'observe plus, se met à fixer le bizarre animal aux cheveux filasse et à la hauteur impressionnante ; sans compter les yeux, d'un vert incroyable ! et ces poils sur les bras ! quelle étrange race ! De surprise, il en laisse tomber son stylo. Santerre se retourne. Jiap, pris en flagrant délit, plonge vivement le nez dans ses cahiers, pour constater, vexé, qu'il n'a plus rien pour écrire. Il reste donc, tête baissée, la mine grise, peut-être le falang croira-t-il qu'il relit ce qu'il vient de

1. *Qu'est-ce que c'est ?*

noter ? Mais, déjà, celui-ci s'approche en souriant triomphalement.

— Alaï klap ? dit-il en désignant le poème que le gosse a sous les yeux.

— Maha Chakri Sirindhorn..., répond Jiap sans lever les yeux.

Santerre comprend. Il s'agit du poème écrit par la princesse Sirindhorn, la fille aînée du roi, à la gloire de son père, *le Pas de mon père.* Un texte assez faible — la princesse l'avait écrit toute jeune — mais célèbre dans toute la Thaïlande, car les instituteurs n'ont rien de plus pressé que de le faire apprendre à leurs élèves de préférence aux chefs-d'œuvre de la poésie thaïe. Santerre l'avait tellement entendu qu'il se souvenait des derniers vers :

> En face de la douleur, sois tenace et sage
> Et sois heureux d'avoir un idéal si cher.
> Va ! si tu veux marcher dans le pas de ton père.

Il suppose, sans se faire trop d'illusions, que le jeu des sonorités en thaï donne un peu d'originalité à ces mots banals.

Jiap, de moins en moins intimidé, le regarde franchement et se hasarde même à toucher sa peau, blanche donc digne d'admiration. Le Français profite de ces bonnes dispositions pour lui demander de lui montrer ses cahiers et ses livres. Sans plus se faire prier, le gosse lui tend son cours de morale, sur les « devoirs du bon élève » et son manuel d'histoire. Santerre ne peut rien en comprendre si ce n'est les dates, écrites en chiffres arabes. Il a tôt fait de vérifier que la période contemporaine est presque entièrement occultée. Il a entendu parler de cette tendance de l'enseignement thaïlandais à se nourrir d'idéologie plutôt que de faits. Le XXe siècle, se plaignent les étudiants, n'est pratiquement jamais abordé durant les cours, ou, s'il l'est, les événements les moins conformes aux thèses officielles disparaissent. On évoque bien le déclin historique (et réel) du Parti communiste thaï mais jamais les dictatures implacables de Sarit et Kittikachorn, les victoires de l'armée mais non les vraies raisons qui mirent fin au gouvernement des militaires en 1973, les atrocités vietnamiennes au Cambodge plutôt que l'atroce répression des émeutes estudiantines de 1976 ou le soutien apporté par le roi aux étudiants. Comme si en finir avec ce nationalisme étroit et guerrier avait ôté quoi que ce soit à la grandeur de la Thaïlande et comme s'il avait fallu à toute force transformer ce pays de haute spiritualité en puissance conquérante et glorieuse d'un reluisant passé de massacres et d'ordre impérialiste.

Le gamin joue avec les poils de son avant-bras, apprivoisé désormais. Santerre laisse faire, en songeant qu'au-delà de la propagande officielle survit la nation thaïe, et son roi, loin des images d'Epinal et des clichés politicards ou militaires, demeure l'ultime point de fuite où tout s'ordonnera lorsque les choses seront devenues intolérables. Refrénant son envie de caresser la tête de Jiap — une insulte en Thaïlande —, il lui sourit et va s'asseoir sur le grand lit qui trône dans un coin de la chambre. Il a décidé d'attendre Somchaï.

L'enfant s'est remis au travail. Santerre, las d'examiner la pièce et son capharnaüm, attrape un journal posé au pied du lit, le *Thai Rath* du jour. Il le parcourt d'un œil ennuyé, le texte thaï est absolument hermétique. Heureusement, il y a les photos ; comme les lecteurs sont friands de faits divers, elles montrent le plus souvent des cadavres entourés de policiers ou des véhicules réduits à l'état de carcasses après des carambolages monstrueux. Il s'apprête à reposer le journal lorsqu'un cliché le fait sursauter.

Une vieille femme, sans doute de la famille royale à en juger par le respect dont on semble l'entourer, serre la main d'un grand falang à l'allure distinguée qui s'incline légèrement. Le Français n'a aucun mal à reconnaître l'ambassadeur des Etats-Unis. Mais ce qui l'intéresse au plus haut point, c'est la personne qu'on aperçoit à l'arrière-plan, une jeune femme très belle dont le visage est parfaitement visible entre les deux personnages principaux. Il ferme les yeux avant de regarder à nouveau la photo : pas d'erreur, c'est Wanee ! Il bondit du lit et demande à Jiap de lui traduire la légende. A peine a-t-il parlé qu'il se souvient que le gamin ne connaît pas l'anglais et encore moins le français.

C'est à ce moment que Somchaï entre dans la pièce, l'air évidemment courroucé. Le Français n'y prête aucune attention, jamais il n'aurait cru pouvoir être aussi heureux de revoir ce petit journaliste plein de bile. Il s'avance vers lui avec un sourire à faire fondre un cœur de midinette.

— Khun Somchaï, je vous dois des excuses... mais pourriez-vous, avant tout, me traduire cela ? lui demande-t-il en désignant la légende.

Dans l'embrasure de la porte apparaît la face crispée du serviteur que le Français avait bousculé sans ménagements. Un sourire à son adresse, puis il tend le journal à Somchaï en lançant avec désinvolture :

— Mille excuses, mille excuses ! Cela ne se fait pas !

Le journaliste, étonné par le culot du falang, attrape le *Thai Rath* d'un air furieux et commence à lire. Il traduit avec la mine incrédule et vaguement inquiète de quelqu'un qui se trouverait devant un fou dangereux :

— Il s'agit de Sa Majesté la tante du roi qui serre la main de l'ambassadeur des USA lors d'une cérémonie de charité... Le texte ajoute que l'on peut voir, à l'arrière-plan, l'interprète du palais, Mlle Wanee Rajadon... mais, vous, qu'est-ce que vous faites chez moi ?

Santerre a blêmi.

— Vous pouvez me répéter ça ?

Derrière Somchaï, le serviteur s'est discrètement rapproché. Il a vu l'altération des traits du falang, ils ne seront peut-être pas trop de deux pour le maîtriser...

— Qu'est-ce que vous faites chez moi ?

— Mais non, pas ça ! hurle Santerre en faisant un grand mouvement circulaire du bras, la traduction ! ! !

Le journaliste relit le journal d'un air surpris avant de répéter mécaniquement :

— La tante du roi saluant l'ambassadeur des USA ; à l'arrière-plan, l'interprète du palais, Mlle Wanee Rajadon.

Santerre lui arrache le journal. Le serviteur se demande s'il ne ferait pas mieux d'appeler la police.

— Vous n'allez pas me dire, crie-t-il, que cette femme — il désigne d'un index furieux la personne qui apparaît entre la tante du roi et l'ambassadeur — est...

Quelque chose comme un sanglot, une lame de fond venue de très loin lui casse la voix. Il ferme les yeux pour faire barrage à l'écroulement qui se prépare en lui, mais il a beau faire, Wanee n'est plus que l'interprète du palais. Il rouvre les yeux sur un jour affolant de vérité. Somchaï a l'air plus hostile que jamais, Jiap s'est réfugié auprès du serviteur et a caché sa tête entre ses cuisses dès les premiers cris du falang. Santerre ne pense plus, étourdi... Hier, la tante du roi rencontrait l'ambassadeur des USA et Wanee traduisait ! Il peut à peine respirer, l'air s'échappe en sifflant d'entre ses dents serrées ; et elle se disait princesse ! oh ! si jamais femme sut mentir ! ! ! La substance même de sa vie depuis des semaines vient de se dissiper. Il y avait, il le voit bien à présent, de l'amour donné et des mensonges rendus, des rêves fabuleux et le rire — il l'entend presque, ce rire ! — de celle qui les avait fait naître, une formidable espérance née d'une tromperie. Il y avait ce couple monstrueux, lui, qui s'était donné avec une sincérité absolue, et ... une interprète mythomane. Il s'était brûlé à ses jeux de grande prêtresse et elle l'abandonnait désormais, cette Wanee Rajadon, ni d'Ayuttayah ni de nulle part, une menteuse comme il en est tant, et qui l'avait si bien berné... Il subsistait pourtant comme un parfum de grandeur, un rêve plus tenace que la réalité, une illusion qui lui était chère, en dépit d'elle...

Somchaï commence à s'impatienter.

— Vous allez m'expliquer ce que vous faites ici !

— Je venais vous apporter la parole d'une princesse.

Il a parlé d'une voix à la fois mélancolique et souriante, en homme qui sort d'une longue nuit.

— Les princesses de mon pays ne parlent pas à des gens comme vous !

— Je venais vous dire que vous aviez raison, quelque chose nous divise, Nang Loy... elle ne mentait pas pour tout...

Il renonce. Le journaliste sait tout cela bien mieux, il vit dans la réalité, lui. Un goût amer lui emplit la bouche. Il n'a plus qu'une envie, être seul. Il contourne Somchaï et court vers la fenêtre. Là, il fait signe à l'une de ces pirogues-taxis qui étaient apparues dès que la ville était devenue impraticable en voiture. Au moment où son embarcation s'éloigne, il entend Somchaï le railler :

— Le Bangkok Intercontinental a été englouti, monsieur Santerre, nous n'avons plus besoin de vous. Souvenez-vous du Moine : le peuple thaï progressera *seul*. Retournez donc dans votre pays, là où se couche le soleil !

Santerre n'a pas la force de répondre. A l'homme qui lui demande du regard où il veut aller, il murmure « Patpong », le lieu de la prostitution, des cabarets où des mineures en maillot de strass dansent pour exciter de vieux falangs, et des massages thaïlandais (connus ici sous le nom de massages turcs). Non qu'il éprouve une quelconque envie sexuelle, mais il est des moments où les endroits les plus noirs s'accordent à votre humeur.

La lune, voilée de nuages, fait une moire discrète sur les eaux. Les seuls bruits qui résonnent dans la nuit sont le clapotis de la pagaie et les paroles gutturales entrecoupées de rires des familles qui se retrouvent. Dans chaque foyer, la télévision est allumée mais personne ne la regarde, tous les Thaïs prennent le frais au bord de leurs fenêtres-portes et contemplent les enfants qui s'amusent à nager. A une boutique, Santerre, qui n'a pas faim mais se sent seul, achète quelques bananes en souriant à la vieille femme qui lui tend les fruits. Elle a la bouche et les dents sanglantes des mâcheurs de bétel. La pirogue repart vers Patpong, à l'autre bout de la ville, une longue course dans la pénombre noyée de Bangkok. Le plus difficile pour Santerre est d'imaginer Wanee dans sa modeste demeure, comme tous ces gens.

Soudain, les émissions de télévision qu'il observait dans les maisons s'interrompent. A leur place, une photo du roi accompagnée de l'hymne royal, musique à la fois volontaire et mélancolique. Chacun règle le son afin de mieux entendre. Une nouvelle importante sans doute. Le visage tendu d'un speaker apparaît, il lit un texte bref et c'est un immense cri de douleur dans toute la ville. Des quatre coins de l'horizon montent des plaintes funèbres. A l'avant de la pirogue, le pilote s'arrête de pagayer, s'agenouille comme il peut et commence à prier. C'est la nuit tout entière qui semble pleurer, cris de vieillards qui ont trop vécu, pleurs d'enfants effrayés, aboiements d'hommes ivres de douleur, un concert abominable de la désolation universelle. Bouche bée, Santerre assiste sans comprendre à la folle déploration. Il reste assis, stupidement, tandis que le pilote unit sa prière aux gémissements de la ville. Quand enfin il se relève, le Français lui demande à mi-voix :

— What happens ?

L'autre lui répond, les larmes aux yeux :

— King dead, king dead !

Le roi est mort ! Wanee avait donc raison ! Il lève les yeux vers la lune cachée par d'épais nuages. Rama IX, le symbole qui assurait l'unité du pays, vient de disparaître. Partout, le spectacle doit être le même, ces hommes et ces femmes, dont le moindre geste semble pénétré de l'idée de noblesse humaine, enfouissent leur visage dans leurs mains et gémissent comme des enfants abandonnés. Il compatit, mais, comme chaque être n'est entièrement dévoué qu'à sa propre douleur, il pense à Wanee : que peut-elle bien faire en cet instant ?

VIII

Après un voyage extrêmement discret par les ruelles les plus secrètes de Bangkok, Udom et Finn arrivent à l'immeuble de Perrin. Ils vérifient une dernière fois que personne ne les suit avant de s'engouffrer dans les escaliers bleu électrique. Finn connaît le chemin, ils parviennent très vite au troisième étage.

Ils sonnent plusieurs fois en vain. Ils se regardent, inquiets ; depuis leur fuite, ils imaginent les choses les plus folles au moindre événement un peu bizarre. Udom, qui craint toujours de voir déboucher dans son dos les tueurs de Khun Cheen, essaie la poignée. Elle tourne et leur livre l'accès de l'appartement. Ils entrent sans plus attendre. Aussitôt, ils aperçoivent les deux cadavres.

Elle se mord la main pour ne pas hurler. Perrin est allongé sur le dos avec au cou une plaie béante ; en dessous, le tapis est rouge foncé. L'autre est sur le ventre, une énorme tache sanglante continue de s'élargir à la hauteur de son estomac. Le premier réflexe d'Udom a été de reculer, mais, se ravisant, il a fermé la porte afin que personne ne les surprenne. « Narong », dit-il en désignant le corps recroquevillé par la souffrance. D'un coup de pied, il le retourne, le corps bascule dans un bruit mou, Narong a les yeux révulsés, la surprise peut-être, sa bouche s'ouvre comme celle d'une carpe. Udom respire : le tueur est sans aucun doute possible mort. Lorsqu'il s'approche du cadavre du falang, il entend Finn gémir :

— C'est Laurent, c'est mon ami.

La tête fait un angle impossible avec le corps. En évitant de regarder la plaie par où le sang s'écoule doucement, Udom lui prend le pouls. Encore tiède, mais aucun battement n'est perceptible. Il se relève.

— Mort, petite sœur.

Elle enfouit son visage dans ses mains pendant quelques secondes, puis elle regarde Udom, les yeux brillants.

— Ça vient de Khun Cheen !

Il a déjà pris sa décision :

— Tu avais raison, il nous retrouvera toujours. Il n'y a qu'une solution : avec l'argent que j'ai récupéré chez moi, je vais essayer d'aller le voir et d'acheter notre liberté. Il acceptera peut-être de nous laisser partir si nous le payons bien...

Elle hausse les épaules.

— Et s'il refuse ?

Il hésite, les deux cadavres qu'ils ont sous les yeux ne l'incitent pas à imaginer ce qui se passerait en cas d'échec.

— Je saurai le convaincre ! D'ailleurs, nous n'avons pas le choix...

— Tu es fou, Udom ! mais j'aime ta folie...

— Si je ne reviens pas, réfugie-toi auprès de cette femme que tu connais au palais, Nang Wanee. D'accord ?

— Embrasse-moi !

Au dernier moment, Udom a une hésitation :

— Tu ne devrais peut-être pas rester ici, s'ils reviennent...

— Qui « ils » ? Narong est mort, il était seul comme d'habitude. Et puis je veux rester avec Laurent.

Il sort vite, laissant Finn dans l'appartement. Elle s'agenouille près du corps de Perrin, lui ferme les yeux et lui pose la tête sur ses genoux. Elle lui caresse doucement les cheveux en pleurant : « La prochaine fois que je ferai l'amour, ce sera avec toi, je te le jure, Laurent. »

Ses larmes tombent sur le visage hagard du Belge. Elle les regarde rouler le long des joues blêmes. Elle n'est pas même surprise de tout ce qui arrive. Khun Sombat, qui l'avait aimée comme son enfant, lui avait dit que des choses étranges adviendraient à la ville, « Bangkok n'est pas la Thaïlande, lui avait-il rappelé un jour, si elle périt, ce sera peut-être mieux pour le peuple ». Avant tous les autres, il avait su que les falangs seraient chassés par la maladie, l'eau, les gens, et qu'ils ne parviendraient pas à achever leurs entreprises ici. Il avait parlé d'un pouvoir qui les supplanterait et guiderait à nouveau les Thaïs et il lui avait demandé qu'à ce moment, lorsque tout serait consommé et qu'il n'y aurait plus ni falangs ni puissance capable d'empêcher les eaux de submerger la cité, elle allât se réfugier auprès de Nang Wanee. « Elle est proche du pouvoir royal, avait-il ajouté, tu lui obéiras en tout. » Maintenant, Finn pleure davantage. Sur Khun Sombat, sur son ami falang, sur Bangkok ; ses larmes tracent des sillons le long du visage du mort. Elle pleure sur tout ce qui s'est perdu dans sa vie, Nang Wanee devra être si forte pour effacer tant de pertes.

Dans la pirogue qui l'emporte vers la ville chinoise, Udom s'interroge avec angoisse. Le Chinois ne va-t-il pas tout simplement le faire exécuter ? « Bah ! tout plutôt qu'une existence de perpétuel fuyard ! Je m'en remets à mon karma. » Au moment où il débouche sur Petchburi, un immense cri de douleur retentit de par la ville. Au sortir du pont, il entend une vieille femme édentée vociférer avec un fort accent du Nord-Est : « Le roi est mort, le roi est mort ! »
D'instinct, il touche la médaille du Bouddha qu'il porte au cou et adresse une prière muette aux dieux pour qu'ils protègent le pays des déchirements qui le menacent. Il a soudain moins peur d'aller voir Khun Cheen, celui-ci aura d'autres problèmes, bien plus graves, à traiter. Un sourire, le premier depuis leur fuite, il pourrait bien retrouver Finn après tout.

« Il n'y a rien, il n'y a jamais rien eu ! Pas d'hôtel beau à pleurer, de fantôme courant sur le chantier de l'hôtel ni d'ouvriers pissant de trouille devant les *esprits* ! » A l'ouest de la Thaïlande, près de la frontière birmane, Fournier se fraie un difficile chemin dans la jungle de Kanchanaburi, en maudissant ciel et terre. D'un geste rageur, il écrase le dix-millionième moustique qui tentait de boire son sang, « trop bouillant pour toi, microbe ! ». Dans le vert intense et harassant de la forêt, il se parle à mi-voix, d'un ton rogue : « Il n'y a pas de roi, de reine, de mort de roi ! » Tous ses gestes sont ralentis par la chaleur, dense, épaisse comme du coton ; il doit lutter à chaque seconde pour conserver à son corps son mouvement régulier, sa progression vers le but qu'il s'est fixé. La sueur lui coule dans les yeux, ses oreilles bourdonnent de fatigue, mais une seule chose compte : « Je le trouverai ce salaud, je le tuerai ! »

Il marche depuis le matin dans cet enfer végétal où les plantes et la chaleur tissent une toile qui s'épaissit de sa fatigue et devient plus solide d'heure en heure. Il a laissé sa Rover dans un des villages les plus perdus du pays, à l'ouest du fameux pont de la rivière Kwaï. Dans la nuit, il a réussi à forcer les barrages de police qui isolent la région depuis que la nouvelle s'est répandue : un éléphant blanc, animal sacré des bouddhistes, a été aperçu par des villageois. Il est là pour accomplir la mission qu'il s'est donnée rageusement il y a deux jours, après le naufrage du Bangkok Intercontinental, tuer ce sacré animal.

Il ne lui reste plus rien. Pas la peine de faire de bilan : l'hôtel est englouti à tout jamais dans cette ville au sous-sol pourri. Par la faute des Thaïs, parce que rien ne l'empêchera de penser qu'on aurait pu faire quelque chose si ces imbéciles n'avaient pas arrêté de pomper l'eau qui inondait le bâtiment. Seulement voilà, il avait suffi d'un clown venu accomplir son numéro pour les faire détaler comme des lapins ! Il s'assied sur l'énorme racine d'un arbre centenaire pour se reposer. Comme aux pires instants de sa vie, son enfance lui revient, sous la forme d'une histoire qui le hante depuis la nuit dernière. Un vieil ivrogne de la vallée de Chambéry qu'il avait aperçu un soir, alors qu'il sortait du café en titubant. Complètement saoul, il avait vu le gamin le regarder avec insistance. Ça ne lui avait pas plu. Il s'était dirigé vers Fournier et lui avait attrapé la tête de ses grosses mains aux veines verdâtres en ânonnant une chanson de corps de garde. Il gueulait ses obscénités en serrant, serrant le crâne du gosse. Mais Fournier avait tenu bon, il avait continué à le regarder droit dans les yeux. D'un seul coup, le pochard avait arrêté de chanter. Il avait contemplé l'enfant en silence, de ses yeux chassieux, consternés, l'air de découvrir que le monde était plus dur que l'alcool ne le laissait croire. Enfin, il était reparti, sans plus tituber, comme s'il avait deviné que l'enfant l'observait et qu'il était prêt à le mépriser à la moindre défaillance de son corps de lourde éponge... et il avait réussi, le vieil alcoolo, il avait marché sur cette route glacée, pleine de masses de neige durcie, comme s'il n'avait jamais bu de sa vie. Le gamin avait simplement haussé les épaules.

On avait retrouvé le vieil ivrogne deux jours plus tard, au bord d'un chemin ; il s'était endormi là et avait gelé. Fournier se demande aujourd'hui s'il est capable de ce courage. Mais trêve de questions oiseuses ! il se relève, la chasse doit continuer.

Il a suffi d'une bande de naïfs pour tout gâcher ! Ses pas se font plus nerveux, il casse une branche qui le gêne. Comment accepter cette confrontation idiote ? D'un côté, la plus formidable réalisation technologique du monde, de l'autre, des croyances vagues, issues de l'âge de pierre. Devinez qui a gagné ! ! ! Il suffit donc de si peu pour faire crouler les empires ! à quoi sert la vie alors ? Ce serait là le grand secret, la difficulté de faire les choses et la facilité puérile avec laquelle elles se dénouent ? Amère vérité pour lui, qui appartient au clan des bâtisseurs. Il est de ceux qui plient les hommes aux tâches qu'ils décident d'entreprendre, mais il voit à présent combien ceux qui défont ont la part belle. Le Bangkok Intercontinental n'a pas pesé lourd contre les croyances des Thaïs.

Ces gens se créent des dieux qui ont le pouvoir de changer le réel, ils font de leur idiotie une puissance, tout comme l'extrême faiblesse d'un enfant devient une force contre laquelle aucun adulte ne peut aller sans risque. Il le sait bien, il faut faire comme le vieil ivrogne, s'éloigner sans trop perdre la face. Aller vivre en désabusé, à l'écart de ces crédules qui refont candidement le monde. Il s'est ainsi arraché à cette ville noyée, sillonnée de processions religieuses, assourdie par les prières constantes et les gongs des temples, et où le temps des magiciens et des prophètes est revenu.

Il n'a plus qu'une tâche à accomplir, la vengeance. Pour les habitants de Bangkok, « les petits bang-coquets », l'apparition d'un éléphant blanc est le signe d'un règne prospère. Il n'a pas hésité quand il a entendu la nouvelle ; cette ville de boue et de putains malades — « le seul mot qui rime bien avec Bangkok est gonocoques » — ne mérite pas la liesse qui va éclater dès qu'on aura capturé l'animal. Ils croyaient que le successeur de Rama IX serait capable de faire le bonheur de ses sujets avec un tel signe. Il ne leur laisserait pas cette chance. Il suffisait de tuer l'animal pour transformer le présage en malédiction, leur superstition se retournerait contre eux, elle leur ferait tellement croire au malheur qu'il s'abattrait vraiment sur eux. L'histoire de la Thaïlande continuerait alors de ressembler à ce mot, qu'il était fier d'avoir trouvé, « un Rama-ssis, ah, ah, ah ! ! ! »

Arrivé dans une petite clairière où la lumière rasante éclaire les troncs jusqu'à environ un mètre du sol, il aperçoit enfin ce qu'il cherche depuis le matin. Des traces de piétinements impressionnantes attestent le passage récent d'un troupeau d'éléphants. Soudain, un bruit de branches cassées, à sa droite. Il s'accroupit et s'immobilise, explorant du regard l'opacité de la forêt. A la bordure de la clairière, certains troncs moins solides que les autres sont inclinés comme si d'énormes animaux s'y étaient frottés. Il ne peut pas voir plus loin, il attend en vain que le bruit se renouvelle. Celui-ci était trop léger pour qu'il s'agisse d'éléphants. Il se glisse silencieusement jusqu'à un tronc qui pourrit à l'extrémité de la clairière. La lumière, plus faible qu'il y a quelques instants, ne permet pas vraiment d'apercevoir l'intérieur de la jungle. Il ne distingue qu'une masse sombre et immobile percée en de rares endroits de flèches de lumière orangée. Tout est redevenu silencieux, trop silencieux ; un animal est embusqué à proximité. Il n'hésite pas. Le troupeau d'éléphants est trop proche pour utiliser son fusil, il le pose dans l'herbe, dégaine son large poignard et bondit. Il lui suffit de trois enjambées pour rejoindre la pénombre de la forêt mais il a le temps de réaliser son imprudence. Et si ce bruit léger était le fait d'un tigre — l'un des derniers de Thaïlande — ou d'un buffle égaré ? Momentanément aveuglé par le brusque passage de la lumière à une relative obscurité, il s'en veut de s'être placé dans une situation aussi vulnérable. Il sursaute : un froissement sur sa droite, comme si l'animal s'enfuyait. Son instinct l'avertit, il se lève brutalement et court, le couteau à la main, vers les arbres qui lui semblent abriter la bête. Il les contourne rapidement, prêt à toute éventualité. Son bras gauche s'écorche contre un tronc qu'il a serré de trop près, la légère brûlure qui en résulte décuple sa rage d'en finir avec cet adversaire qui se dissimule.

Il s'arrête net.

Devant lui, une silhouette grêle, paralysée par la peur. Stupéfait, il lève son poignard. Il s'attendait si peu à ces deux yeux intelligents, exorbités par l'effroi, qui se posent sur lui. Il regarde stupidement l'homme qui se recroqueville dans le trou où il était caché. Un Thaï !... qui l'a probablement suivi depuis le village. Sa main se crispe sur le poignard. Aucun Thaï ne le laisserait tirer sur l'éléphant blanc, celui-là pas plus que les autres. D'un autre côté, s'il lui permet de partir, il va prévenir ses congénères afin qu'ils traquent le sacrilège qui veut tuer leur idole. Il n'a pas le choix... Il avise le cou de l'homme, la carotide palpitante : deux bonds et un large mouvement circulaire du poignard... surtout ne pas le laisser parler, ne pas lui donner une chance de signaler qu'il s'agit d'un assassinat. Il suffit de deux pas...

Mais, déjà, l'indigène a compris. Les yeux rivés sur le poignard, il s'est à demi relevé. Il voit les jambes du falang, prêtes à bondir, il surveille l'instant où elles vont se tendre et le projeter vers l'avant. C'est alors, à l'instant précis où le couteau jaillit vers son cou, qu'il effectue un court saut de côté. Tandis que Fournier s'écroule lourdement sur le tapis de feuilles séchées qui couvrent le pied de l'arbre, il semble réfléchir un instant, puis s'élance vers l'ombre protectrice de la forêt, là où l'autre n'a aucune chance de le rejoindre.

Fournier se relève en un éclair. Trop tard ! Le Thaï vient de disparaître dans l'épaisseur de la jungle. Le Français repart en grognant vers la clairière. Il sait que le temps lui est compté. Il faut qu'il rattrape l'éléphant avant la fin du jour, car les macaques commenceront à le traquer dès qu'ils auront été prévenus de sa présence. Il reprend rageusement son fusil, examine la direction des empreintes et s'enfonce dans la forêt. Toute sa fatigue est oubliée, c'est la fureur qui revient, « cette fois, ils ne m'empêcheront pas de réussir ! ».

Au bout d'une heure environ, au moment où l'obscurité s'apprête à tomber sur la forêt, il entend les énormes craquements et froissements qui décèlent à coup sûr un troupeau d'éléphants. Il avance en retenant son souffle. Dans le jour finissant, il lui est difficile de voir à plus de quelques mètres. Il progresse d'arbre en arbre en essayant de faire le moins de bruit possible. Son approche est favorisée par une troupe de singes qui fait un beau tumulte au-dessus de sa tête. Vingt mètres plus loin, il s'arrête brusquement, à quelques pas seulement d'un éléphant qui se frotte contre un tronc d'arbre. Dans l'obscurité qui s'abat sur la jungle, il n'a pu le voir qu'au dernier moment. Pour un peu, il se heurtait à l'énorme animal. Il bat en retraite derrière un fourré et observe la scène.

Ils sont au nombre de dix, six adultes et quatre jeunes éléphants, plus petits que leurs cousins africains mais d'une taille néanmoins imposante. A l'exception de celui qui se gratte, ils boivent tous dans un cours d'eau situé en contrebas. A l'extrême droite de son champ de vision, il l'aperçoit, près d'une grande femelle qui doit être sa mère. Il n'est pas blanc, bien sûr, comme se l'imaginent les naïfs d'Occident. Sa peau est brun-roux comme celle de tous les albinos de son espèce ; seuls les oreilles, le sommet de la trompe et les ongles sont blancs. Grand chasseur devant l'éternel, Fournier avait souvent rêvé du fabuleux animal devant la description qu'une gouvernante anglaise de la cour du Siam en avait faite : « Les yeux bleu clair entourés d'une chair saumon, le pelage fin, doux et blanc, le teint rose-blanc, les défenses semblables à de longues perles, les oreilles comme des boucliers d'argent, la trompe comme une queue de comète, les jambes comme les colonnes du ciel, les pas comme le tonnerre, l'air d'un sage en méditation, l'expression tendre, la voix d'un guerrier puissant, la démarche semblable à celle d'un illustre monarque. » Une proie digne des meilleurs chasseurs, d'autant plus que l'éléphant siamois a la réputation d'être plus intelligent que les autres. Alors, quand s'y ajoute le plaisir de la vengeance...

Il ôte la sûreté de son fusil et tente de mieux se placer en rampant vers le cours d'eau. Tâche difficile. Ils ont immédiatement redressé la tête, inquiets. Les singes se sont tus et le moindre bruit résonne dans le silence qui s'est creusé. Il s'immobilise, n'osant même plus respirer ; s'ils allaient s'enfuir... A sa gauche, le grand mâle s'approche des autres, Fournier sent le sol trembler. Est-ce qu'il va leur faire signe de partir ? Il baisse la tête, comme pour ne pas assister au spectacle de leur fuite, à la déroute de ses projets, car, s'ils s'en vont, il ne les retrouvera plus dans la nuit qui tombe. Et demain, les indigènes seront ici... Des images de la folle course dans l'hôtel lui reviennent en cet instant précis, comme autant de flashes qui éclairent agressivement cette nuit de traque. Santerre courant comme un fou vers les fenêtres le long desquelles la terre monte lentement, le refus têtu de Somsak. Le sens de cette chasse est retrouvé, la douleur et la rage de découvrir en lieu et place du chef-d'œuvre qu'il construisait une énorme brèche dans le sous-sol de Bangkok. Il tient là le meilleur moyen de se venger des Thaïs.

Lorsqu'il relève la tête, l'éléphant blanc suit sa mère qui s'éloigne vers l'ombre épaisse de la forêt. Il est placé beaucoup trop à gauche, il n'a qu'une chance sur dix de le tuer ou de le blesser grièvement en se redressant soudain et en tirant très vite, mais cette chance, oh, comme il va la saisir ! Il jaillit du fourré avec l'énergie d'un homme qui lutte pour la vie, il épaule en un dixième de seconde et tire au moment où les animaux prennent le galop en hurlant : « Prends ça, salaud, rejoins-le, ton nirvana ! ! ! » Il tire trois fois, dans l'épaisseur des arbres, sans plus rien voir mais pour se délivrer. Lorsqu'il ne perçoit même plus le bruit de leur fuite, il s'assied sur un tronc à moitié pourri et jette son fusil, découragé. Une réflexion, devenue si familière ces derniers jours, lui monte spontanément aux lèvres : « Tant d'efforts pour rien ! » Dans le silence subit de la jungle, sa voix l'effraie presque. Quelque chose d'anormal vient de se produire, la vibration intense qui accompagnait la fuite du troupeau a disparu. Il ne sent plus le sol trembler, comme si les éléphants s'étaient déjà arrêtés !

La nuit est complète à présent. Il se lève et se met à chercher fébrilement son fusil. Si ces damnés animaux étaient aussi rusés qu'on le raconte ! Les derniers singes se sont tus, le vent a cessé, le silence lui fait bourdonner les oreilles. Et ce fusil qu'il ne retrouve pas ! Il trébuche à chaque pas, il ne voit absolument rien, si ce n'est, en levant les yeux, le ciel balayé d'énormes troncs et de feuillages proliférants.

Il ne ramasse que des branches ! Il essaie de se souvenir, dans quelle direction l'a-t-il lancé ? avec quelle force ? Il ne se sent pas en sécurité, les éléphants auraient dû courir beaucoup plus longtemps s'ils avaient été réellement effrayés. Les sales bêtes sont peut-être encore là, est-ce qu'elles peuvent voir dans la nuit ? Son fusil le rassurerait.

Brutalement, la masse des ténèbres se déchire sur sa gauche, un galop énorme ébranle le sol. Il n'a pas le temps de se redresser, un lourd serpent rugueux s'enroule autour de son torse et l'arrache de terre. Il tournoie un instant dans l'air à une allure vertigineuse avant de venir s'empaler sur une défense brillant faiblement dans l'ombre alentour. Il a le temps de sentir un souffle profond et nauséabond avant d'être arraché à l'épée d'ivoire. Une voix puissante comme un orgue et douloureuse comme l'agonie retentit, tout près de lui. Projeté contre le sol, il perd conscience un bref instant avant que la souffrance ne le réveille. Elle lui vrille tout le côté droit, il sent qu'un liquide lui coule le long du bras. A peine a-t-il compris qu'il s'agit de son sang s'échappant à fortes saccades que deux lourdes colonnes aux ongles cassés s'abattent sur lui à une vitesse fulgurante et l'écrasent dans la mort.

IX

Khun Cheen se lève brutalement de son trône et parcourt la pièce, les mains derrière le dos et le souffle court. Il essaie en vain de se contenir. En face, son subordonné le regarde d'un œil inquiet, il n'a encore jamais vu son chef dans cet état, il sent qu'une colère épique se prépare, et c'est sur lui que ça tombe ! Le Chinois s'arrête soudain de tourner comme un lion en cage et lui lance d'un air courroucé :

— Il n'en est pas question !

Le tueur écarte les bras en signe d'impuissance. Que peut-il faire, lui ? Depuis que Narong est parti en mission, il est responsable des cabarets de Patpong, une besogne à embrouilles : les querelles entre les filles, les gérants qui détournent les fonds, les rixes de clients qu'il faut calmer, de quoi y perdre son pali. Et voilà qu'aujourd'hui, pour compliquer encore ce sac de nœuds, les filles sont venues lui demander si elles pouvaient arrêter le travail une demi-heure ce soir, pour une petite cérémonie d'hommage au roi qui vient de mourir. Lui n'a rien contre, ça part plutôt d'un bon sentiment, mais le patron a l'air fâché avec les bons sentiments.

— Qu'est-ce que je fais, maître ? demande-t-il d'une voix blanche.

— Tu le leur interdis, hurle Khun Cheen, il n'est pas question que mes prostituées s'arrêtent ce soir pour leur stupide cérémonie !... Sortir dans la rue et chanter pour le roi mort ! je vous demande un peu !

Le tueur est de plus en plus inquiet ; à mesure qu'il parle, le Chinois s'énerve, où cela finira-t-il ?

— Elles ont déjà fait ça pour son anniversaire, ça suffit. Et puis, à quoi ça peut bien l'avancer, Pra Rama IX, maintenant qu'il est mort ? Les recettes baisseraient, pour ce que les affaires sont brillantes en ce moment !

Le Chinois est absolument furieux. Cette cérémonie l'irrite au plus haut point, jusqu'à lui faire transgresser l'un de ses plus vieux principes, ne jamais s'emporter devant les subordonnés. Il n'ignore pas qu'il est en train de perdre la face, mais l'idée des filles, si saugrenue dans un moment aussi grave, l'indigne.

— Dis-leur, dis-leur bien ! que si elles faisaient cela, c'est comme si elles niaient mon autorité. Je ne le pardonnerais pas. Maintenant va-t'en !

Le tueur ne se le fait pas dire deux fois, il s'en sort bien, peu d'hommes peuvent se vanter d'avoir vu Khun Cheen courroucé et d'être encore en vie. Il ouvre la porte blindée grâce à une commande qui se trouve à droite de celle-ci, juste à côté d'un levier que le Chinois vient de faire installer. Il suffit de l'abaisser pour que toutes les digues bâties dans le couloir tombent et libèrent les tonnes d'eau qu'elles retiennent à l'extérieur. La construction de ce dispositif avait fait jaser, quel plan machiavélique le chef avait-il en tête ?

En sortant, il croise un petit homme au crâne rond. Eg entre dans la pièce d'un pas martial, la bouche crispée par la colère. Le tueur s'éloigne vite en songeant aux étincelles que ces deux-là vont produire.

— Où est Finn ?

Khun Cheen se rassied sur son trône de pacotille et s'efforce au calme. Il faut jouer serré, il n'a plus d'autre moyen de pression sur le policier que l'argent, reste donc à temporiser, en espérant que Narong ne va pas trop tarder à mettre la main sur les deux fuyards. Il tente de biaiser :

— Voilà une entrée bien brutale, khun Eg, et bien peu

courtoise pour un associé, car nous sommes associés, n'est-ce pas ?

Eg ne répond pas, il réitère sa question sur un ton autoritaire. La disparition de Finn l'a rendu fou furieux, il se moque des risques qu'il court, il veut savoir ce qu'est devenu son amour.

Khun Cheen comprend qu'il n'a pas le choix, il ment :

— Elle est en province, chez ses parents.

Eg blêmit.

— Vous osez ! Vous vous imaginez que je suis un enfant ? Vous l'avez laissée échapper, Khun Cheen, c'est cela?

— Provisoirement, khun Eg, provisoirement. Mon meilleur homme est sur sa piste...

— Votre meilleur homme ! ricane Eg. Un tueur même pas capable de garder une femme ! Vous n'êtes plus qu'un truand comme les autres, un ennemi de la police aussi faible que les autres !

Le Chinois, dont les nerfs ont déjà été mis à rude épreuve, fait un effort extraordinaire pour se contenir. Il pourrait faire tuer sur place le petit policier qui a le front de l'insulter, mais cela ne serait d'aucune utilité. Un meurtre ne doit servir qu'à deux choses, ou bien supprimer un danger immédiat, ou bien constituer un moyen de dissuasion. Or, il n'y a ici ni témoin à dissuader ni danger de mort.

— Les insultes ne déshonorent que leur auteur. Gardons le cœur froid, khun Eg.

Le policier écume, cet imbécile a laissé échapper la femme qu'il aime, il n'a probablement aucun moyen de la retrouver et il lui parle de cœur froid ! Les Chinois sont tous les mêmes, ils reviennent aux coutumes thaïes quand elles les arrangent.

— Vous ne croyez pas que je vais accepter ça ! Je n'acceptais d'être votre associé qu'à cause de Finn. Maintenant tout est dispersé, en désordre. Nous sommes à nouveau ennemis.

— Nous pourrions discuter de ce que vous recevez ; je suis prêt à augmenter votre part...

— Assez ! mes hommes ne fermeront plus les yeux sur vos trafics. Vous avez été assez négligent pour la laisser partir, vous n'êtes plus rien. Je me souviendrai de la loi à l'avenir !

Le Chinois comprend qu'il a perdu, il le laisse sortir sans s'abaisser davantage à le prier. Demain, certains de ses cabarets seront fermés par la police, des filles arrêtées, des réseaux de drogue démantelés. Mais tuer Eg mènerait au pire, toute la police de Bangkok se mobiliserait contre lui. Mieux vaut lui laisser le temps de se calmer, s'il se calme...

Dans l'eau qui a encore monté, il va s'agenouiller devant l'urne de sa femme. Que faire maintenant ? Il ne prie pas, il demande conseil à la morte. La photo ne lui renvoie que des souvenirs : ni belle ni laide, sauvée du vieillissement par la mort. Elle avait conservé la grâce de la jeunesse. Il en avait tant vu de ces filles qu'on lui amenait des campagnes pour les prostituer. Finesse, légèreté, joliesse, puis, dès qu'on les déshabillait, des boutons, des taches de peau, oh, pas grand-chose ! des détails, mais assez pour vous convaincre que la perfection n'est pas de ce monde. Un soir où il avait bu plus que de coutume, il avait parlé femmes avec l'une de ses relations — car il n'avait pas d'amis —, il n'aimait pas ce genre de conversation mais une phrase de son interlocuteur l'avait marqué. Il avait évoqué la rapidité avec laquelle tout se fane, comment la ligne pure d'un sein se transforme vite en mamelle de mère de famille nombreuse. Le Chinois ne lui avait pas dit alors qu'il connaissait une femme sauvée pour toujours de la laideur, sa morte de trente ans.

Qu'aurait-elle fait en ce moment, avec la sagesse sans expérience — mais ô combien plus précieuse que la seule expérience, qui rend amer, blasé ou désespéré mais jamais sage — des jeunes gens ? Elle aurait souri des problèmes qui surgissent de toutes parts, car la jeunesse a la force de rire des obstacles qui font trébucher les vieillards. Mais il ne peut en faire autant. Toutes ses affaires vont péricliter. Le nombre des falangs à Bangkok ne cesse de baisser, ils s'enfuient, terrorisés par cette maladie des yeux qui ne touche qu'eux et par cette ville noyée, hérissée de gratte-ciel au pied desquels grouillent les misérables. Ils voient avec effroi la masse des fidèles grossir dans les temples et les statues saintes se couvrir de feuilles d'or, ils assistent impuissants à la destruction de leurs bâtiments, comme l'inimaginable catastrophe qui a englouti le Bangkok Intercontinental. Plus rien désormais ne les retient, et avec leur départ, c'est l'économie de la prostitution tout entière qui s'écroule, l'un de ses principaux revenus. Il sent le découragement le gagner, comme un signe envoyé par sa femme.

Quant à Eg, il va devenir un ennemi désormais, et avec lui tous les policiers du quartier de Patpong qui laissaient faire jusque-là, par crainte de leur lieutenant. Le combattre ? Possible, bien sûr... il regarde la photo : on ne saisit jamais vraiment les sentiments des êtres photographiés, la peinture est moins menteuse. Que ferait-elle, maintenant ?... Une question fort peu chinoise s'impose à lui peu à peu : « A quoi bon ? » Il tente encore de résister, mais Narong, le vieux compagnon, le fidèle chien de garde, n'est toujours pas rentré, Udom et Finn sont en fuite, tout est dispersé, comme l'a dit Eg. Alors, à quoi bon résister au désespoir ? Il courbe la tête devant l'urne, envahi par ces doutes sur l'avenir qui sont la malédiction de l'homme. Il ne refuse pas d'avancer, il ne le peut plus, étouffé par la masse des choses qui s'est resserrée autour de lui.

Le pays ira à vau-l'eau après la mort du roi : gouvernement platement occidental avec ses jeux de parlement alternant avec des dictatures militaires. Ce sera la loi du plus fort, il est trop vieux pour jouer à ces gamineries mortelles. Le chaos ne lui profitera pas ; en Chinois avisé, il est fait pour les états de solide équilibre, les moments où tout se définit strictement sans qu'il soit possible de contester les grandes valeurs. La précarité l'effraie, il serait trop en retrait ou trop en avant, toujours sur le point de basculer.

L'espace l'éblouit, comme ces rapaces nocturnes qui sont aveugles dès qu'on les entraîne dans la lumière. A quoi bon ? Du fond de son passé, la question est lancée avec la voix de son épouse et submerge une à une les barrières d'indifférence qu'il s'était construites pour vivre en homme fort.

Un craquement dans l'interphone. Le garde lui annonce qu'Udom est là. Udom ! Narong a donc échoué... il se rassied sur son trône et ordonne de laisser le jeune homme entrer.

Udom s'agenouille devant lui. Khun Cheen comprend à ce geste qu'il est bien tard. Son pouvoir lui répugne parce qu'il lui apparaît soudain comme la pire des autorités, l'immobilisme des vieillards pesant sur la jeunesse. Le souvenir de sa femme encore, comme la dernière vague avant le naufrage, « être sauvé par la mort ». Il n'a plus qu'à céder, la devise revient, familière et colorée de tons funèbres, « l'herbe se courbe selon le souffle du vent ».

— Je ne t'en veux plus, Udom ; à quoi bon se fâcher contre les nuages qui annoncent l'orage ?

Il n'a plus rien à dire que les mots puissent transmettre. Il y a la Loi, mais Elle ne se dit pas, les gens existent sous Elle, tout au plus peut-il La traduire bien imparfaitement : il doit mourir et Udom vivre. Mais ce n'est pas même exactement cela, tout se réduit à ce nom : « mort », qui s'abat sur lui avec la force des commencements. Il ne peut pas en parler avec suffisamment de précision, alors, il choisit de ruser avec les mots, son dernier stratagème :

— Je veux te parler de l'ancienne Bangkok... Lorsqu'une nouvelle porte était percée dans ses murailles, trois victimes innocentes devaient être sacrifiées. On procédait ainsi : un officier était envoyé en secret par le gouverneur à l'emplacement choisi. Il faisait semblant d'appeler quelqu'un et, de temps en temps, disait le nom qu'on allait donner à celle-ci. Bien sûr, des passants étaient attirés par ce bruit, ils s'approchaient sans penser à mal, et on saisissait les trois premiers. Au jour du sacrifice, un magnifique banquet était donné en leur honneur, puis on les conduisait devant la porte. Le gouverneur venait les saluer et les chargeait de bien assurer la garde qu'on allait leur confier, ils devraient prévenir en cas d'approche ennemie. Ensuite, on coupait les cordes qui retenaient le pont-levis et tous trois étaient écrasés par la lourde masse qui s'abattait sur eux. On croyait qu'ils étaient transformés en génies qui défendraient la ville contre ses agresseurs.

» Un soir, mon père m'a dit que l'officiel à qui on avait confié cette besogne dont personne ne voulait, était un Chinois enrôlé dans l'armée siamoise. A chaque porte de la ville, les génies protecteurs le maudissent, lui et tous ses descendants ; ils défendent bien Bangkok, inspirés par la haine qu'ils vouent à tous ceux de son sang. C'est ainsi que mon père avait coutume d'expliquer pourquoi les chiens aboient plus que partout ailleurs lorsqu'ils errent dans les ruines qui bordent la cité. Tu ne devines pas la suite ?...

» Un autre soir, il m'a avoué à demi-mots que cet officier appartenait à nos ancêtres...

Le Chinois chuchote maintenant, comme s'il craignait que quelqu'un ne surprenne ses paroles.

— Je n'ai jamais osé approcher de ces portes où les génies enragent contre moi. On m'a dit que les chiens y hurlent à la mort et que les chats grognent à s'en déchirer la gorge sans que personne comprenne pourquoi. Moi seul sais que de l'ancienne cité, la minuscule Bangkok d'autrefois, ne survit que cette haine des esprits envers leur bourreau et ses descendants.

Un long silence.

— Les génies vont pouvoir s'apaiser maintenant. Je vais mourir et mon fils a appris en Occident à me mépriser.

Sa voix s'est cassée malgré lui sur les derniers mots. Udom baisse la tête. Il retrouve dans ces paroles la Bangkok dont lui parlait son frère, celle où le ciel est plus vaste qu'à aucun endroit de la terre. Mais, alors que Duang souriait en évoquant cette grandeur, Udom s'était senti écrasé par l'immensité de la ville. Le Chinois reprend de sa voix de vieux rapace épuisé :

— En sortant, abaisse le levier près de la porte et pars vite en laissant la porte ouverte. Souviens-toi, je n'ai cédé qu'à la Loi.

Dès que le levier est parvenu au bout de sa course, Udom entend un énorme craquement dans le couloir. Le niveau de l'eau monte brutalement. Il se retourne, Khun Cheen s'est levé et se dirige vers l'urne de sa femme. Il s'en empare et la lui lance. Udom l'attrape et sort rapidement.

Quand il entend la deuxième digue craquer, malgré la peur de mourir englouti dans le sous-sol, il se retourne à nouveau. Après avoir fait signe à ses hommes de le laisser, le Chinois, assis sur son trône, le regarde emporter les restes de son épouse. Pas un pli de son visage ne bouge, l'eau lui arrive à la poitrine, pourtant il a l'air aussi calme qu'à l'ordinaire. Udom recommence à courir, l'eau qui s'engouffre rend sa progression difficile. La troisième et avant-dernière digue s'écroule, il ne peut s'empêcher de jeter un coup d'œil. Toujours la même immobilité de pierre, l'eau arrive au cou de Khun Cheen mais il demeure impassible. Le jeune homme se précipite vers la porte et l'ouvre brusquement. Il manque être renversé par l'eau qui jaillit de l'extérieur. Il se raccroche à la poignée. Il voit l'eau monter jusqu'aux yeux du Chinois qui restent fixés sur l'urne qu'il a failli relâcher, un regard pétrifié sur lequel la mort n'a pas de prise. A l'instant où il met le pied dehors, il entend un ultime craquement, la digue du fond.

Le vent tiède de la nuit lui balaie le visage, contrastant singulièrement avec l'air glacial du couloir. Il regarde l'urne. Khun Cheen ne lui a pas dit ce qu'il fallait en faire. « Nous sommes libres ! » se rappelle-t-il soudain. Il parcourt le ponton à grandes enjambées joyeuses. Soudain il s'arrête, un falang atteint de la maladie des yeux marche lentement en criant : « Où suis-je ? » Un gosse en haillons, adossé à un mur, sourit au malheureux. Udom se détourne et fait signe à une pirogue-taxi. Il faut aller retrouver Finn, puis se réfugier auprès de cette Nang Wanee dont elle lui a parlé avec une telle confiance.

Quand il pénètre à nouveau dans l'appartement de Perrin, Finn a procédé à une mise en scène macabre. Elle a transporté le cadavre du Belge dans le salon et l'a assis sur le sol en l'adossant à un fauteuil. Les yeux se sont rouverts et commencent à devenir vitreux ; autour du cou, pour masquer la plaie hideuse, elle a noué un foulard de soie bleue. En face, elle a posé un matelas à même le sol.

Dès qu'elle l'aperçoit, elle l'interroge du regard. Il sourit.

— Khun Cheen est mort, noyé dans son trou. Voilà l'urne funéraire de sa femme. Il me l'a donnée juste avant de mourir.

— Vraiment ?

Elle l'embrasse vite, trop vite à son goût, et sans même avoir cet air de stupéfaction qu'il s'était plu à imaginer en revenant. On dirait qu'elle est absorbée par une tâche importante. Elle ne lui demande même pas de détails sur la nouvelle sensationnelle qu'il vient de lui annoncer. D'un air grave, elle prend l'urne, s'approche du cadavre et lui déverse les cendres de la morte sur la tête.

— Mais ! ! !

Elle ne lui laisse pas le temps de protester. D'un ton sans réplique, elle lui demande :

— Déshabille-toi, veux-tu ?

Déjà, elle a commencé d'ôter ses vêtements et se trouve bientôt complètement nue. Elle a cet air d'impudeur souveraine qu'il aime par-dessus tout. Devant l'air médusé de son compagnon, elle ajoute :

— C'est une promesse que j'ai faite.

Tandis qu'il se déshabille en râlant un peu, elle allume la chaîne stéréo de Perrin et fouille parmi les cassettes qui se trouvent là. Elle en extrait celle qu'elle cherchait : *Songs for making love,* et la passe à tue-tête. Puis elle demande doucement à Udom de s'allonger sur le matelas et sur le dos, la tête du côté du cadavre. Il s'exécute, l'air ahuri, assez sagace néanmoins pour ne pas provoquer par ses questions une explication qui le blesserait sans doute. Il perçoit la présence du cadavre derrière lui, à un mètre cinquante, une odeur de sueur et de sang.

Elle doit le sucer longtemps car l'atmosphère morbide de l'appartement ne l'inspire guère. Mais elle s'acharne, avec une infinie douceur. Enfin, quand son érection est suffisante, elle s'accroupit sur lui et engloutit son sexe dans son ventre chaud et mobile en regardant fixement Perrin. Elle va et vient nerveusement au-dessus de lui, le regard rivé au visage de son ami mort. Udom ferme les yeux, par pudeur. Au bout d'un moment, elle a assez de force pour jouir. Elle commence à gémir, comme Perrin aurait voulu l'entendre, de petits cris qui ne permettent pas de distinguer entre le plaisir et la douleur.

X

Que restait-il à présent ? Wanee n'avait jamais été princesse et le roi venait de mourir, coïncidence si étrange que Santerre refusait d'y croire. Dans la nuit sans lune, Patpong est sinistre, lieu d'orgies noyées où se prépare un étrange spectacle. Toutes les filles sortent des bars, une bougie à la main. Elles montent dans des barques qui les attendent et se dispersent le long des deux rues au son des gongs qui résonnent dans tous les temples de Bangkok.

Il contemple les curieux apprêts en silence, avec un sentiment de gratitude étonnée pour le hasard qui le fait assister à une scène si bien accordée au funèbre du soir. Bientôt, debout dans les barques, elles allument les bougies qu'elles tiennent contre leurs paumes, et, quand les lueurs vacillantes forment deux rangées parallèles aux façades, elles entonnent l'hymne royal, le fredonnant sans ouvrir la bouche, comme si elles chantaient pour elles seules. Leurs voix sont douces comme le murmure de la nuit. Il ferme les yeux pour mieux entendre. Mais les éclairs froids du néon l'atteignent quand même, leurs lettres énormes, leurs formes grotesques clignotent mécaniquement et lui rappellent les fêtes révolues qu'elles illuminaient naguère. Elles n'éclairent plus qu'une eau noire, souillée du rebut dont Bangkok fait son ordinaire. La mélopée des filles passe au-dessus sans s'y salir. Il rouvre les yeux. Un peu à l'écart, une chienne pelée, aux mamelles distendues, est allongée sur une étroite plate-forme cernée par les inondations. Elle n'ose pas plonger pour rejoindre quelque abri, maison ou hangar. Elle meurt de faim sur son îlot de béton en regardant les flammes des bougies sans comprendre.

Sur les fils électriques, les oiseaux s'endorment en grappes compactes. Ils ont toujours été attirés par ce quartier plus que par aucun autre de la ville. Les âmes des prostituées mortes, plaisante la rumeur publique. Les yeux de Santerre s'habituent à l'obscurité, il commence à apercevoir les tenues fantaisistes des filles, maillots de bain de strass, saris de carnaval, costumes pailletés ou « panthère », vêtements lamés clignotant au gré des néons. L'excentricité qui caractérise les minuscules bars de Patpong s'est répandue dans les rues, pudiquement dérobée aux regards par la nuit sans lune. Le vent agite légèrement les longs plis des robes du soir, révélant le galbe d'une cuisse ou l'arrondi d'une gorge, une rafale décoiffe Santerre. Un trompettiste accompagne doucement le chant des filles et ajoute au poignant de leur murmure la sonorité chaude et royale de son instrument. Santerre mesure ce qu'il y avait d'orgueil dans le rêve qu'il avait fait.

Ce que les filles chantaient, c'était le respect, la confiance qu'elles avaient donnés à Rama IX et qu'elles accordaient par avance à son successeur. Elles célébraient le symbole vivant chargé de leur réfléchir la grandeur de leur histoire. De là était venue la fascination de Santerre. Européen né sous le précieux régime de la démocratie, il n'avait jamais pensé qu'un homme pût être attaché par un lien spirituel au gouvernement de son pays. Tous les hommes politiques qu'il connaissait étaient des représentants, pas des symboles. Ils avaient bâti des carrières en prétendant atteindre à l'Histoire, mais aucun ne pouvait incarner « l'âme » (y avait-il d'autre mot ?) de son peuple.

Oh ! certes, le roi de Thaïlande n'avait peut-être pas été l'exemple le plus éclatant. Gandhi, voire de Gaulle lors de l'Occupation allemande, constituaient des images autrement dramatiques. Mais c'est le peuple qui se donne ses symboles, et les Thaïlandais avaient créé Rama IX ; comme la

Résistance avait fait de Gaulle et comme l'Inde colonisée avait fait Gandhi. Ces incarnations de l'histoire d'une nation ne supportent pas le contact de la réalité ; de Gaulle, après la Libération, était devenu un politicien comme les autres ; il n'y avait que Gandhi et Rama IX pour n'avoir pas gouverné. Ils n'étaient pas faits pour le pouvoir : Gandhi n'était pas Nehru et Rama IX ne pouvait soutenir les dictatures militaires qui réapparaissaient trop souvent en Thaïlande. Ils étaient les références nécessaires par lesquelles se juge le présent d'une nation. Santerre voyait en eux les signes d'une grandeur passée dont l'action actuelle ne pouvait se couper sous peine de déchoir.

Mais il n'avait pas approché Rama IX.

Pourtant, il y avait ces chants adressés à la nuit, cette ferveur dispersée dans l'obscurité en minuscules flammes tremblantes, la fièvre de ces voix grêles passée en lui grâce à Wanee. Il y avait ce mort capable de transformer la nuit en immensité où les plaintes et les espoirs humains se faisaient entendre, petits, faibles, mais tenaces.

Le roi n'avait jamais eu de pouvoir, Wanee non plus d'ailleurs. Restait l'essentiel ; cette femme qui se couvrait le ventre en faisant l'amour et jouissait les yeux clos pour ne rien révéler d'elle. Restaient l'illusion et l'émotion qui l'avait soutenue, une mascarade sans pareille à laquelle il avait cru jusqu'à en vivre ces dernières semaines. Il n'y a pas de pouvoir, il n'y en a que les apparences. Ce n'est que pacotille et théâtre éblouissant les fous. A la dernière note, toutes les filles soufflent leurs bougies. Santerre ferme les yeux : « Elle m'a donné la vérité sous ses airs de mensonge. »

Plus tard, à une heure indistincte de cette nuit où tout vacille, Santerre s'est rendu chez Anders. Le consul est atteint de cette étrange maladie qui frappe les falangs. Dans son lit, une épaisse bande de gaze sur les yeux, il accueille son ami avec le bizarre sourire des aveugles qui semblent se moquer de l'absurde des choses. Il sait qu'il n'en réchappera pas plus que Bower ou les autres, tous les Occidentaux déjà tombés, victimes du virus. Sa vieille compagne, l'ironie, ne l'a pas abandonné.

— Mourir aveugle, quelle plus belle image de la vie ? L'enfant qui naît est ébloui, l'homme qui meurt est aveuglé par ce qu'il a pu voir. On ne comprend pas plus qu'au premier jour mais la nausée est venue. Je voudrais mourir comme on vomit, pour me soulager.

Santerre se tait. Il a soin d'épargner au consul les plaintes et les sermons d'usage. Nathalie lui a déjà dit qu'il n'y avait plus d'espoir et qu'Anders semblait le deviner.

— René, je voulais être franc, complètement, à présent... je...

— Nathalie ? Elle me l'a avoué, enfin, elle me l'a déjà dit... Je me refuse à vous en vouloir, pas plus qu'à vous donner je ne sais quel pardon. Vous avez déjà couché avec des Thaïes ? Vous avez observé leur visage au moment où elles jouissent ? Aucun masque ne pourrait donner une telle impression d'éloignement. Il n'y a qu'elles pour lier ainsi le sexe et la mort. En les regardant, j'ai compris combien chacun de nous est muré dans sa solitude, jusqu'au bout... Non, Christian, elle ne m'a pas « trompé », le plaisir est toujours solitaire.

— Grâce à lui, parfois, il m'a semblé approcher la... vérité d'un être.

— La vérité est-elle si souhaitable ? J'ai connu pas mal de ces Occidentaux qui ont passé les trois quarts de leur vie en Asie. Ils consacraient tout à la volupté. Je me demande si je n'aurais pas aimé vivre comme eux, en fin de compte. Le mensonge de la chair, vous comprenez...

Les derniers mots rappellent Wanee à Santerre. Il tente de saisir le fil de ses pensées, mais Anders poursuit, d'une voix légèrement voilée :

— Le barrage de la Chao Praya, près de Chaiwat, et le Rama IV, sur la rivière Pasak, vont bientôt céder... Nouvelle qui sera officielle demain : le gouvernement a décidé l'évacuation de Bangkok pour une période indéterminée. Il va falloir abandonner la ville, mon cher Christian. Et peut-être pour toujours...

La raison de ce brusque changement de conversation n'a pas échappé à Santerre : quoi qu'il en dise, le consul n'aime pas parler de sa liaison avec Nathalie. « La jalousie n'épargne personne, pas même les plus lucides. »

— Les obsèques du roi auront lieu demain, avant l'évacuation de la ville. Une cérémonie sans aucun doute grandiose. Tant pis pour moi !

A ces mots, il pose la main sur le bandeau de gaze qui lui couvre les yeux . Santerre voudrait lui prendre la main, la serrer, « que de gestes manquent à l'amitié virile ! ». Brusquement, Anders se redresse et lui demande :

— Vous avez entendu le cri de douleur de la ville au moment où on a annoncé la mort du roi ?

— J'étais à Patpong quand les filles sont sorties et ont chanté pour sa mémoire. Il y avait tout dans cette cérémonie impromptue, on sentait qu'elles ne chantaient pas pour un homme mais pour quelqu'un qui aurait abdiqué toutes ses exigences de vivant et serait devenu une force dans l'Histoire.

— J'y vois la misère du tiers monde, dit le consul, ces gens ont besoin d'une spiritualité pour s'en sortir. Nous, les privilégiés, pouvons vivre en démocratie, eux ont tant de difficultés à vivre qu'ils ne le supporteraient pas sans donner un caractère idéal au pouvoir. Leur gouvernement ressemble trop à ceux d'Europe, il est loin du quotidien. Le roi seul réalise la fusion du bouddhisme et du caractère thaï.

Santerre souffre de se souvenir que l'homme qui exprime si bien ce qu'il ressent va bientôt mourir. « On ne pleure que les morts qui continueront à vivre en vous. »

— Ce qui m'aura fait le plus de mal, c'est de voir à quel point l'Occident aggrave le poids de misère morale de ce peuple. Nous avons presque réussi à convaincre les jeunes Thaïs qu'ils avaient tort d'être thaïlandais !... Enfin ! nous avons peut-être assisté au dernier chapitre de ce cirque avec l'engloutissement du Bangkok Intercontinental, cette machine à fasciner les Thaïs. Savez-vous que Fournier est introuvable depuis ?

Il doit reprendre son souffle. La moindre parole le fatigue désormais. Il se souvient de Bower, l'Australien avait rusé avec l'épuisement qui précède l'agonie et avait réussi... « donner à chaque parole une chance d'être définitive, tenter un testament oral ». Dans la nuit qui est la sienne, les sons acquièrent une importance capitale, encore accrue par le défilement désormais accéléré de sa vie.

— Notre société est sans doute celle qui peut tenir avec la plus grande efficacité le rôle de modèle... pour une simple raison : elle a pris l'ego, le moi, pour valeur centrale. Tout individu qui a subi le poids de la collectivité traditionnelle est attiré par un monde où domine l'individualisme... à tort. Les Thaïs disent que la solitude éveille les vieux démons de l'homme. Franchement, à considérer l'Occident, n'ont-ils pas raison ? Je me suis longtemps posé cette question : une chose que je suis le seul à désirer peut-elle avoir une importance quelconque ? Non, évidemment... Inutile de vous dire que je n'ai ni la religion du communisme ni celle de la tribu. Simplement, je ne crois pas aux apocalypses solitaires dont paraît se gaver notre monde.

» Dans ce pays, l'empire — tout relatif — que la collectivité exerce sur la vie individuelle me paraît positif. Il permet aux miséreux de supporter leur misère, chose qui serait impossible dans une société aussi individualiste que celles d'Occident. N'allez pas croire pour autant (mon Dieu, que ces précautions oratoires sont dérisoires !) que j'en oublie la détresse du tiers monde. La famine est une ignominie, surtout en Thaïlande où elle existe non parce que la nourriture manque mais parce que les gens n'ont pas les moyens d'en acheter. Pas de pire injustice... mais ceux qui disent cela prêchent dans le désert...

» L'Europe, Christian, n'est pas ce vaste cimetière plein de conquérants morts qu'on a célébré en de grandioses oraisons funèbres. Les conquérants d'aujourd'hui vivent dans et du tiers monde. L'Occident est plus vivant et dominateur qu'à aucun âge de son histoire. Ses conquêtes sont pacifiques mais plus dévastatrices qu'aucune guerre.

Il s'interrompt. Non loin de la villa, des femmes gémissent puis commencent à psalmodier la funèbre mélodie royale. Anders songe à cette ville en deuil où, aux quatre coins de l'horizon, des bougies sont allumées pour être subitement soufflées en signe de douleur et de regret. Les flots noirs montent lentement, s'apprêtant à submerger Bangkok et à en chasser les gens. Les prophètes hurlent leurs messages d'épouvante devant des policiers qui n'osent plus les arrêter tandis que sur le Mont d'Or, on construit le bûcher funéraire du souverain. Dans toutes les administrations, la nouvelle est murmurée, commentée, puis hurlée dans la stupéfaction générale : Bangkok sombre, Bangkok va être abandonnée ! ! ! Les mots lui viennent spontanément aux lèvres, ils sont le dernier refuge contre le désespoir de cette nuit. Il sent la tension de Santerre qui attend ces paroles, prêt à s'y accrocher comme à une ultime chance.

— Lorsque le prince Siddharta naquit, les astrologues prédirent à son père que, s'il acceptait de lui succéder sur le trône, il deviendrait le conquérant de l'univers, mais que, s'il devenait prêtre, il serait l'Illuminé, le Bouddha. Vous connaissez la suite... Eh bien, la Thaïlande est le dernier royaume bouddhiste du monde...

— Que vont-ils devenir ?

— Je ne suis pas inquiet pour eux. Au long de leur histoire, ils ont manifesté un esprit extraordinaire pour résister aux puissances étrangères. Ils ont quitté Sukhotaï pour échapper aux Khmers et Ayuttayah pour fuir les Birmans. Notre civilisation n'a fait que changer la situation : aux intentions belliqueuses des colonisateurs, elle a substitué ses prétentions de société modèle. Les armes sont technologiques et médiatiques maintenant. Les Thaïs n'ont pratiquement rien à y opposer si ce n'est ce noyau de traditions et de spécificités dont la royauté est le centre... et ce noyau est dur... il faudra quelqu'un (on parle d'une femme) pour succéder au roi et partir à nouveau. Après Sukhotaï et Ayuttayah, Bangkok devra bien être abandonnée. Mais Thaïlande signifie « pays des hommes libres », ils survivront.

Santerre revoit Wanee jouissant sans rien donner ni céder, comme le Moine ne donnait rien à la douleur. « Le pays des êtres pour toujours hors d'atteinte. » Anders s'est endormi, terrassé par les efforts qu'il vient de faire. Il sort de la chambre.

Dehors, elle l'attend, l'air anxieux. Nathalie Anders, avec ses airs apprêtés et ses craintes de vaudeville.

— Qu'est-ce qu'il t'a dit sur nous ?

— Rien, il ne nous en veut pas. Tu as bien fait de lui avouer.

Il lui parle comme à un enfant auquel il faut cacher les choses pour éviter des explications qui n'en finiraient pas. Il recommence à jouer la comédie, déjà, à la porte de la chambre où son ami agonise. Aucune parole, aucun geste ne peut tenir en face de la mort. Il faut continuer, faire *comme si,* en sachant que l'essentiel se joue ailleurs et joue à nous échapper. Il a envie de pleurer, sur lui, comme les adolescents qui s'aperçoivent qu'ils vieillissent.

Avant qu'il n'ait eu le temps de protester, elle l'a entraîné dans la chambre d'amis. Là, elle commence à l'embrasser passionnément et à le déshabiller. Il lui saisit brutalement la main.

— Non !

— J'en ai besoin, besoin ! ! !

Elle a hurlé. D'instinct, il se tourne vers la porte, comme si le consul pouvait avoir entendu et arrivait pour voir ce qui se passait. Elle le caresse nerveusement. Elle tremble presque et son souffle est court. Surpris, il l'observe sans bouger. Elle s'agenouille en continuant de le dévêtir. Elle le fait avec maladresse, ses mains glissent le long du tissu et le griffent au passage. Chaque fois, elle pousse un petit cri rauque et reprend sa tâche avec plus de hargne, il lui faut cet homme, parce qu'elle souffre. Il cède à sa frénésie dans l'espoir que l'érotisme pourra s'opposer au tragique de la nuit. Il la relève et commence à se déshabiller seul. Bientôt, ils sont nus, enlacés sur le lit.

Le plaisir de Nathalie fait mal à voir. Son corps tourne, bat et rebat, s'enroule autour de Santerre, se détend puis se raidit en aspirant le sexe de son amant. Il lui oppose la masse inerte de son corps, soixante-dix kilos de chair pas du tout décidée à jouir. Parmi le conglomérat de cheveux, de cris, de griffures, d'attouchements appuyés et de morsures, il voit le front cramoisi de sa maîtresse, ses joues où tout le sang paraît s'être rassemblé et sa bouche qui se crispe et a l'air de ricaner. Des rides sillonnent son cou et un pigment rouge et blanc recouvre la peau de ses salières. Il n'a pas envie d'elle, son érection l'étonne même ; au fond du vagin de Nathalie, son sexe est froid et sec. Il se soulève un peu sur les coudes et aperçoit le pubis de poils blonds qui se trémousse autour de son phallus. Au-dessus, le ventre a des plis graisseux qui dissimulent presque le nombril ; les seins, doux et tendres, sont un peu tombés avec les années, il n'a jamais aimé leurs mamelons noirs avec leurs aréoles trop larges. Et puis, cette trace rouge au-dessus des seins, cette congestion de la peau, comme le signe d'une jouissance trop intense.

A peine a-t-il eu cette pensée qu'il se la reproche. Pourtant, ces cris rauques et brefs, ces soupirs qui indiquent qu'elle a du mal à reprendre son souffle, ce plaisir légèrement fané, tout lui rappelle la vieillesse. Il faut qu'il pense à Wanee pour conclure leur séance d'amour frénétique.

XI

À l'aube, sans avoir vérifié si Anders était déjà mort, Santerre sort de la villa et se dirige vers le temple du Bouddha d'émeraude d'où doit partir le cortège funèbre du roi. Il voudrait apercevoir cette femme dont lui a parlé le consul, celle qui succédera sans doute à Rama IX, et qu'il ne peut imaginer autrement que sous les traits de Wanee. Il fait signe à un bateau-taxi.

Dans le gris du petit matin, les contours des maisons se diluent, la brume estompe la misère poussiéreuse des bâtiments. Bangkok se transforme en une ville fantôme prête à le hanter, comme ces cités où l'on marche des heures sans rien en connaître d'essentiel. Elles fuient à mesure qu'on les parcourt, et c'est alors qu'on commence à les porter en soi, à en rêver chaque parcelle avec regret comme si déjà on les avait quittées. Mais lui n'y prête guère attention, « revoir Wanee, une dernière fois, glisser sur ces eaux grises, mais vers elle ».

Partout, l'évacuation de la cité a commencé. Toutes les familles entassent leurs misérables possessions sur des barques pourries qui croulent sous la charge. Au détour de chaque ruelle, le même spectacle attriste Santerre, les mêmes gestes pressés et maladroits des misérables qu'on déloge, les vieillards qu'on installe avant tout le monde en les bousculant, les soldats qui prêtent main-forte aux plus faibles et les vedettes militaires qui quadrillent les quartiers. Eternelle misère des exodes avec ces véhicules chargés d'objets dérisoires et précieux pour qui les emporte, ces cartons perforés pleins jusqu'à la gueule et ce linge qui flotte dans les ouvertures des valises comme un espoir laissé en suspens. On abandonne Bangkok.

Dans les eaux qui montent rapidement, de violents courants se font sentir, tourbillons noirâtres, lames issues de fonds douteux, bouffées grises et soudaines qui font dériver la barque de manière inattendue sans que le pilote de Santerre puisse s'y opposer. Les embarcations se croisent, entrent en collision, accostent aux façades des maisons dans un silence extraordinaire qui donne à la ville l'aspect d'un immense temple noyé. Les gens baissent les yeux vers leurs ballots ou vers l'eau irisée d'essence où flottent des détritus de toutes sortes. Ils regarderont l'horizon tout à l'heure, au moment de quitter la ville, quand sera venu l'instant d'espérer.

Dans de petites barques postées au coin des rues, des groupes distribuent des tracts à tous ceux qui passent. Tâche malaisée en raison des courants mais qu'ils accomplissent avec une patience et une efficacité remarquables. Santerre demande à son pilote de s'approcher, mais lorsqu'il fait signe qu'il veut un tract, personne ne bouge. Sourire thaï et geste gracieux, le falang n'aura rien. Perplexe, il ordonne de continuer, « de toute façon, je n'aurais rien compris ». La traversée de la cité noyée se poursuit ; à mesure qu'ils approchent du temple du Bouddha d'émeraude et de la place Sanam Luang, l'encombrement s'accroît. Dans les avenues transformées en rivières, il faut des trésors d'habileté pour se frayer un chemin parmi la masse des bateaux.

A Sanam Luang, on n'aperçoit plus des grands arbres qui bordaient la place que leurs feuillages. La muraille du temple du Bouddha d'émeraude elle-même est presque entièrement submergée, seuls ses créneaux blancs émergent encore et, derrière eux, la féerie laquée et dorée des toits et des prangs du plus beau bâtiment de Bangkok. L'eau a recouvert tout le reste, donnant à la place un air de fin du monde. Santerre observe que deux groupes sont massés de part et d'autre du vaste espace noyé. Devant le fronton de ce qui fut la porte du palais, là où bientôt apparaîtra le cercueil escorté par les membres de la famille royale, se tient une centaine de nobles et de militaires de haut rang, reconnaissables à leurs uniformes d'apparat blanc et doré. A l'autre bout, le long de l'avenue Ratchadamnoen Klang, des milliers de barques où sont assis les gens du peuple de Bangkok. Ils sont également vêtus de blanc, la couleur du deuil en Asie. Ainsi disposés, les deux groupes paraissent s'affronter dans une joute où la dévotion aristocratique s'oppose à celle, plus massive et moins ordonnée, du peuple.

Dans un anglais de cuisine, le pilote explique à Santerre que le cercueil du roi sortira du palais et longera l'ouest de la place, suivi par les membres de la famille royale, les nobles et les militaires assemblés devant le fronton. Il sera rejoint, près du pont Prapingklao, par le grand char funéraire venu le long de Ratchadamnoen Klang. Là, il sera transféré sur celui-ci pour être acheminé vers le bûcher funèbre, Pra Meru, accompagné de l'ensemble des habitants de Bangkok, aristocrates et peuple mêlés. Après avoir hésité un instant, Santerre demande au pilote de se diriger vers le palais, laissant Ratchadamnoen Klang et la foule à sa gauche. Peut-être Wanee sera-t-elle là.

La barque longe la file des pauvres embarcations où sont entassés hommes, femmes, enfants, vieillards avec leur teint cuivré qui ressort vivement sur leurs vêtements immaculés. Certains fredonnent l'hymne royal à un rythme funèbre, d'autres ont le visage dans les mains ou s'affairent autour de leurs paniers pour ne pas montrer leur peine. Personne ne parle. Et toujours cette étrange distribution de tracts qui, selon toute vraisemblance, traitent de la mort du roi. Les rois n'ont pas le privilège de mourir seuls. « C'est quand leur personne agonise que le symbole grandit et se nourrit pour ainsi dire du trépas. » La barque oblique enfin vers le palais, au soulagement de Santerre que le silence de la foule mettait mal à l'aise.

Près du Lak Muang, le pilier de la ville, il aperçoit Jiap, le fils de Somchaï. Le crâne rasé, l'enfant distribue aussi ces curieux tracts. Santerre lui adresse un waï respectueux et lui réclame l'un de ses libelles. Le garçon rougit, hésite, puis, l'air consterné, en tend vivement un au Français. Santerre n'y comprend évidemment rien ; à peine reconnaît-il, dans le titre, les caractères qui signifient Nang Loy. Lorsqu'il relève la tête, la pirogue de Jiap a déjà tourné au coin du bâtiment et a disparu. Il fait signe au pilote de le suivre. L'enfant continue sa distribution devant la façade aux trois quarts engloutie du Lak Muang. Dans la lumière un peu plus forte, Santerre voit qu'on a ôté le précieux tronc d'arbre de l'intérieur du bâtiment. On a transporté le pilier chargé de maintenir le ciel au-dessus de la cité en lieu sûr, à moins qu'il ne soit un élément obligé des funérailles royales. Jiap, qui a vu Santerre, se remet à pagayer en direction du groupe des nobles et des militaires.

Arrivé à proximité, le jeune Thaï hésite un court instant avant d'amener résolument son embarcation près des barques flambant neuf. Mais, dès qu'il fait mine de tendre ses tracts, il est chassé dédaigneusement. Certains gradés s'irritent de son insistance et le repoussent en proférant des injures. Santerre intervient alors ; il s'interpose entre les aristocrates et le gamin, dans une attitude très paternelle, note-t-il avec un sourire. Déjà, il est prêt à recueillir Jiap dans sa barque et à s'en constituer protecteur, mais il est vite déçu. Nullement reconnaissant, l'enfant s'éloigne rapidement et regagne le bâtiment du Lak Muang sans un regard pour son défenseur.

Lassé, le Français hausse les épaules et choisit de se mêler au groupe des nobles, qui, au moins, l'accueillent avec déférence. L'un d'eux, un jeune homme doté de cet air méprisant qui passe si facilement pour aristocratique, le salue en anglais. Santerre en profite pour lui demander de quoi parlent les tracts.

— Trois fois rien ! la légende de Nang Loy, énième version, pour les naïfs, les attardés et les séditieux. On demande au peuple de se tenir prêt à quitter Bangkok... pour une nouvelle capitale. Ridicule !

L'ironie du nobliau déplaît au Français. Il est trop lié à cette légende pour en rire. Mais l'autre, indifférent à la mine de son interlocuteur, poursuit à seule fin de montrer sa parfaite connaissance de l'anglais et de l'étiquette :

— Il s'agit d'une crémation accélérée, dit-il du bout des lèvres en se tournant du côté du palais royal, on n'incinère normalement les rois que plusieurs mois après leur mort. Mais, comme on doit abandonner provisoirement cette ville (où l'on s'ennuie à mourir !), la Cour a décidé de hâter les choses. Franchement, je me demande s'ils ont eu raison. La rapidité dans l'action, cela fait un peu peuple...

Un impeccable accent oxfordien donne à ses propos une note de snobisme qui les rend proprement insupportables à Santerre. « Le genre d'homme à mettre sa fierté dans la qualité de ses chaussures ou la façon dont il mange avec des baguettes. » Il baisse spontanément la tête pour regarder les souliers du Thaï : « Crocodile, j'ai vu juste ! »

— Je me suis laissé dire que le cérémonial avait été observé, mais en une nuit, ça n'a pas dû être sans mal !... Songez donc, avant même la mort du roi, on a dû le transporter dans la chambre réservée aux souverains qui vont mourir. Elle est entièrement ornée de peintures représentant des scènes célestes pour ôter au mourant toute pensée terrestre.

» Là, continue-t-il, intarissable sur le chapitre de l'étiquette, on a placé sur son corps neuf feuilles d'or où des bonzes avaient écrit des textes sacrés en pali, puis on l'a enveloppé d'un tissu blanc. Dès sa mort, les princes ont été autorisés à l'approcher. Ils l'ont couché sur le dos, lui ont fermé les yeux et la bouche avant de le couvrir d'un linceul doré tandis qu'on allumait deux bougies à son chevet. Puis ils sont passés dans la pièce attenante et ont annoncé sa mort à la Cour. C'est là qu'ils auraient dû désigner le successeur...

Il fronce les sourcils et se penche vers le Français avec des airs de conspirateur :

— ... d'obscures rivalités, des querelles de palais dont je n'ai pas encore réussi à trouver le fin mot... bref, le nouveau roi — qui pourrait être une reine — n'est pas connu. Tout cela est bien étrange... d'autant qu'on a annoncé qu'un éléphant blanc a été aperçu près de la rivière Kwaï. C'est le signe d'un règne prospère car l'animal est une âme avancée sur le chemin du nirvana... oui, très étrange, et cela fait le jeu des séditieux...

« Saint-Simon, pense Santerre, à ses pires moments. Quand la folie de l'étiquette l'emporte sur les puissances en marche dans l'Histoire. » Il attend néanmoins, légèrement surpris par cet aspect de la mort du roi et, pendant que le jeune aristocrate se perd dans la description des atours de soie, d'or et de diamants que portent les souverains mourants, il imagine Rama IX, pâle et souffrant, sur son lit d'or massif. Son visage se crispe une dernière fois, un ultime souffle, un petit geste du doigt, c'en est fini. Un bonze approche, un masque à la main. Il colle l'objet doré sur la face du roi qui va devenir Bodhisattva. Dans la bouche, il place une bague, l'obole des morts, et dans les mains, deux bougies, un lotus, symbole de pureté, et deux cornes d'or contenant chacune une noix d'arec enveloppée dans une feuille de bétel.

— ... enfin, le corps est enfermé dans une urne d'argent et conduit au bûcher Pra Meru avec toutes les splendeurs que mon père a vues aux obsèques de Pra Rama VII et qu'il m'a décrites avec soin.

Le nobliau fait un geste élégant en direction du vieillard qui se tient à l'avant de sa barque. Santerre est bien obligé de lui adresser un waï souriant. Décidément, le père a ce même air de snobisme qui donne envie de vomir. « Tout de même, Wanee n'est pas princesse, mais elle a une autre allure ! »

Lorsqu'il comprend que le jeune dandy s'apprête à lui décrire les magnificences du bûcher, il se défile poliment et fait signe au pilote de repartir vers l'autre côté de la place, en direction du pont Prapingklao où doivent avoir lieu la rencontre des deux cortèges et le transfert de l'urne, du simple palanquin escorté par la noblesse au grand char funéraire suivi par la foule. Il salue du bout des lèvres son prolixe interlocuteur, aucun des rituels exotiques dont il lui a parlé ne l'intéresse vraiment. « Wanee faisait de ces rites des signes d'espoir, non ces détails byzantins qu'il évoque avec un ennui distingué. »

A côté des arbres presque engloutis, dans des bateaux à fond plat, des Chinois prient devant de petits autels rouge et or où ils ont placé de minuscules maisons et des personnages de papier minutieusement découpés. Dès que la crémation sera finie, ils brûleront ces figurines en hommage à Rama IX et les fumées, croient-ils, rejoindront le monde céleste. L'un d'eux remet trois minces fils rouges au Français lorsque sa barque passe à proximité. Ce sont des talismans destinés à conjurer la tristesse du jour. Le visage fermé de la Chine en deuil, leurs gestes lents et précis, et, sur l'eau grise où leurs ombres se mirent en tremblant, leurs silhouettes raidies dans une éternité de souffrances muettes. Santerre pense au groupe de nobles qu'il vient de quitter, aucun n'a la dignité de ces Chinois pauvres, ils n'ont que la distinction surannée de l'Histoire qui a été.

A droite, dans le lointain, le Pra Meru, où l'on va incinérer le roi, se détache sur le jour qui vient de se lever dans une explosion de rose sale et de bleu. En raison des inondations, on a érigé la vaste pyramide octogonale sur le Mont d'Or, au pied du Wat Sraket, centre de la ville chinoise. Au sommet de la structure formée de troncs de teck tirés du cœur des forêts du Nord, Santerre aperçoit le parasol royal, composé de neuf cercles, qui surplombe le bûcher sacré. L'ensemble symbolise le mont Meru, demeure de Vichnou et d'Indra où l'esprit du roi doit séjourner. Tout autour, les gens entassent dans des barques usées le bric-à-brac qui a dormi si longtemps au fond de leurs boutiques-maisons.

Le pilote s'arrête à l'extrémité du pont, près d'une pirogue où trois enfants semblables à Jiap distribuent des tracts sur Nang Loy. A droite, au long de Ratchadamnoen Klang, un encombrement prodigieux d'embarcations s'aligne des deux côtés de l'avenue. Les gens y prient en silence ou lisent les tracts qu'on leur a distribués, les femmes s'affairent auprès des enfants dont presque aucun ne pleure. Santerre reconnaît en eux la ferveur de Wanee ; intimidé, il baisse les yeux pour ne pas les gêner en les regardant.

Soudain, la barque est prise dans un violent courant venu de la droite. Elle dérive vers le pont et le lit de la Chao Praya. Distrait par le souvenir de Wanee, le Français n'y a pas prêté attention. Il constate surpris qu'il se trouve à proximité de l'embarcadère des barges royales, à quelques mètres du pont. Le pilote tente de lutter contre le courant qui les emporte vers le fleuve. Il réussit à se rapprocher des piles et à s'accrocher à l'une d'elles, mettant ainsi un terme à leur dérive. Brusquement, l'attention de Santerre est attirée par trois barges royales qui se tiennent à couvert, dans l'étroit espace ménagé entre les eaux et le dessous du pont. A leur bord se trouvent des rameurs en costumes du *Ramakien,* comme au jour où Bangkok avait été rassemblée pour une prière collective. Le Français s'étonne, les barges ne participent nullement à la cérémonie funèbre et leur situation même — elles semblent se dissimuler — est étrange. Peu à peu, ses yeux s'accoutument à la pénombre régnant sous le pont.

Alors il l'aperçoit. A l'avant de Suphannahongs, le Cygne d'or, la plus précieuse des barges. Elle est en costume de Sukhotaï, identique à celle qu'il avait vue en rêve et qui priait au pied du grand Bouddha de pierre dans le temple de Rama Kamheng, la même dans ce matin d'adieu que dans la nuit calme et froide de Sukhotaï, sept siècles plus tôt, Wanee ! Elle a coupé ses cheveux en signe de deuil. Elle attend, les bras croisés, qu'arrive le cortège funèbre de son roi. Derrière elle, se tient un jeune homme qui, à l'exception d'un énorme grain de beauté sur la joue, ressemble étonnamment au cadavre qu'il a trouvé dans le fleuve. Il a près de lui une jeune fille d'une beauté souveraine, une Sino-Thaïe aux traits parfaits. Les quarante rameurs, qui semblent aux ordres de Wanee, attendent, immobiles, que se dénoue l'histoire de Bangkok. L'aristocrate ridicule rencontré tout à l'heure n'a plus de réalité ici, les rites pointilleux qu'il a décrits à Santerre ne tiennent pas en face de cette attente féconde. Le Français ordonne au pilote de rejoindre les barges, mais le Thaï lui fait signe que les courants sont trop violents. Il s'assied et regarde Wanee.

Encore amoureux ! Il ne peut accepter qu'elle retourne aux horizons perdus puis retrouvés grâce à elle, elle était venue de trop loin. Il lui semble qu'il faudra bien plus que ces eaux grises et violentes pour les séparer. Mais les amoureux sont présomptueux, ils rêvent d'adieux sur un lit de mort quand la vie suffit bien à les arracher l'un à l'autre.

A cet instant, le cortège funèbre, sorti du palais, s'avance vers le pont en longeant le côté ouest de Sanam Luang. Derrière la famille royale, le groupe des nobles et des militaires suit l'urne posée sur un palanquin fixé à une barque blanche. A droite, dans Ratchadamnoen Klang, le grand char funéraire, Vejayant Raja Roth, arrive lentement. Entièrement fait de teck, il a la forme d'un navire. Haut de quatre mètres, il est terminé par un pavillon surmonté d'une flèche où va être déposée l'urne royale. De multiples rangées de personnages du *Ramakien* et de serpents Naga sillonnent ses flancs, ils constituent la défense hérissée du monde des esprits contre les démons qui menacent le mort. Il est orné aux quatre coins de parasols royaux à neuf cercles. Deux barques, blanches elles aussi, le halent vers le pont.

Wanee semble toujours aussi calme. Il voudrait lui faire signe mais il craint de la distraire à un moment crucial. Que peut-elle attendre ? Dès que l'urne sera sur le grand char, le cortège repartira dans l'autre sens, vers le Pra Meru. A aucun moment, il n'est prévu qu'il passe à côté du pont.

Justement, le transfert vient de commencer. L'urne est hissée non sans mal, puis l'escorte s'organise sous la direction des vedettes de la police. Deux brahmanes se placent près de Vejayant Raja Roth. Coiffés de chapeaux de cérémonie d'où pendent leurs longs cheveux en signe d'affliction, ils soufflent dans des conques. Leur plainte est rythmée par quatre-vingts tambours qui battent le tempo solennel des marches funèbres. Derrière, dans une simple pirogue, un joueur de flûte entonne une complainte grêle et déchirante accompagnée en sourdine par quarante trompettes qui chantent à l'unisson la douleur du matin. Douze barques, où ont pris place les porteurs des parasols royaux, viennent se ranger de chaque côté du vaisseau funéraire. Suivent huit autres brahmanes, escortés par des soldats en costume d'Ayuttayah, et le patriarche de Thaïlande. La famille royale arrive ensuite, tout de blanc vêtue dans une embarcation dorée. Elle précède d'étranges bateaux aux fonds couverts d'offrandes, où sont assises des figures mythologiques de carton-pâte qui ont la taille d'un homme. Autour d'elles s'affairent des bonzes portant la triple fleur mystique qui symbolise le cercle sacré Om. On place à leur suite les nobles et les militaires, divers fonctionnaires en tenue d'apparat et, enfin, visages creusés, fatigués, gestes nerveux et faces trop mobiles, les étrangers, Africains et falangs, conviés aux funérailles. Le peuple suit comme il peut, dans un beau désordre.

Le cortège s'ébranle vers le Pra Meru. Les tambours, qui couvrent presque la musique, imposent peu à peu leur monotonie au cérémonial, pulsation aussi inhumaine que le ressac. La place est désormais noire de monde. La foule attend que la procession soit assez avancée pour s'y mêler. La distribution des tracts se poursuit, pas une personne qui n'en ait un à présent.

Santerre assiste à tout cela de loin. Il continue d'observer Wanee. Elle a délégué deux hommes pour voir où en sont les obsèques mais les barges restent dissimulées. Le pilote, qui scrute depuis un bon moment les étranges embarcations, pointe son index vers l'eau en souriant. Le Français comprend soudain. Le courant ! ce courant qui les a entraînés vers le pont avec une violence irrésistible et qui ramène obstinément vers le lit du fleuve tous les bateaux qui tentent de remonter l'avenue en son milieu. Les gens des barges attendent simplement qu'il fasse de même pour le grand char funéraire !

Mais voici que Vejayant Raja Roth entre dans le remous. Il échappe brusquement aux barques qui le halaient, tournoie un instant avant d'emprunter la direction opposée à celle qu'on lui faisait suivre. Dans le pavillon de teck, l'urne d'argent a tremblé. Les embarcations des porteurs des parasols royaux se sont écartées vivement, certains ont laissé échapper les précieux insignes qui dérivent à la suite du vaisseau. Musiciens et brahmanes se garent promptement. Par respect ou par timidité, ils n'essaient pas de le retenir. Il passe devant le patriarche puis la famille royale qui ne font pas un geste pour le reprendre au courant. Seuls les militaires et les fonctionnaires tentent de s'interposer, mais la foule les bloque volontairement. Ils hurlent en vain. Quant aux étrangers, ils n'osent pas intervenir. Vejayant Raja Roth poursuit son chemin vers le lit de la Chao Praya.

Santerre aperçoit les préparatifs fébriles des occupants des barges. Derrière Wanee, le jeune Thaï et sa compagne brandissent les signes indubitables du pouvoir, des parasols royaux à neuf cercles. Le Français comprend que les trois embarcations vont sortir de leur cachette. Vite, il ordonne à son pilote d'aller se placer de l'autre côté du pont, là où elles apparaîtront à la foule. Tandis qu'ils contournent les piles, il voit le grand char funéraire se diriger vers eux. Plus personne ne songe à contrarier son chemin.

Au moment où le cortège des personnes royales et des nobles veut suivre le vaisseau, les milliers d'embarcations jusqu'alors sagement rangées des deux côtés de l'avenue, viennent se placer derrière Vejayant Raja Roth.

Dans un silence poignant, la barque de Santerre se faufile comme elle peut parmi des pirogues surchargées où sont assis des vieillards qui attendent la fin de ce manège auquel ils ne comprennent rien. Chacun manœuvre délicatement afin de se placer dans le sillage du grand char funéraire et le Français passe dans cette foule en lents zigzags pour rejoindre Wanee.

Lorsque Vejayant Raja Roth atteint le fleuve et commence à dériver sous le ciel plombé où se forment des nuages de pluie, le silence de la foule est à son point extrême. Santerre aperçoit une vieille femme qui met les mains sur son visage pour cacher ses larmes. A l'horizon, posé contre la silhouette immaculée du Wat Sraket, le bûcher funèbre attend vainement. L'urne d'argent suit désormais le cours de la Chao Praya, vers le Sud.

L'embarcation de Santerre sort enfin de l'encombrement et glisse, libérée, vers les piles. Il devine que, sous le pont, les barges royales se préparent à descendre le fleuve et à prendre ainsi la tête du cortège. Le cœur battant, il attend leur apparition. Sur l'avenue, devant la famille royale et les aristocrates qui ont renoncé à franchir ce barrage vivant, le peuple de Bangkok est prêt à suivre le moindre signe.

Alors, avec une émotion violente, Santerre retrouve les Thaïs tels qu'il les avait toujours connus par-delà les apparences. Ces gens à l'exquise courtoisie n'avaient jamais rien cédé d'essentiel, ils n'avaient pas perdu leur intégrité à travers les sourires et le calme qu'ils donnaient à tous ceux qu'ils rencontraient. Ils étaient prêts puisque le moment était venu. Tous les objets de leur passé sont embarqués, tous les souvenirs de Bangkok effacés, ils vont partir avec la même sérénité qu'hier, comme une longue fidélité à soi-même. Le vaisseau funéraire passe lentement devant lui tandis que la pluie commence à tomber, lourde, accablante. Le Français entend le friselis de la foule derrière lui, qui déplie bâches et parapluies. Il regarde l'urne d'argent entourée de petites statues divines, les gouttes ricochent sur elle tandis qu'elle dérive doucement vers la légende. Il mesure, la gorge serrée, tout ce qui le sépare de Wanee, cette femme, capable d'aller plus loin que le mensonge et de vérifier les mythes. Elle avait raison, depuis le début ; toujours, elle avait suivi l'illusion jusqu'à la découverte de la vérité, il suffisait de l'écouter. Les poings fermés, debout dans la barque, il attend qu'elle apparaisse à la proue du Cygne d'or, donnant son guide à ce nouvel exode. Le pilote lui tend un parapluie qu'il repousse d'un geste négligent. Les images de sa vie à Bangkok lui reviennent, innombrables et irritantes comme la pluie. Dix ans de sa vie en Europe contre un seul mois de plus ici ! mais le grand char s'éloigne ; déjà, la barge royale apparaît à la foule stupéfaite.

Elle sort de l'ombre du pont pour entrer dans la lumière grise caractéristique des derniers jours de Bangkok, un ciel de plomb au-dessus d'un miroir sali. Entre eux, une femme à la beauté fabuleuse, vêtue des habits scintillants de Sukhotaï. Elle passe à quelques mètres mais il ne peut faire un geste pour attirer son attention. Il entend le long murmure d'espoir du peuple, venu du fond des corps, et ce cri l'accable. Elle a son profil altier, son air de princesse, telle qu'en elle-même enfin l'exode la change. Aucun amour ne peut tenir contre la majesté qu'elle s'est conquise.

Derrière lui, sous la pluie battante, le cortège s'ébranle doucement ; la longue procession des misérables s'apprête à descendre à nouveau le fleuve de son histoire, vers l'espérance qui naîtra plus au Sud. Ils vont poursuivre le voyage du peuple thaï sans un regard pour leur capitale abandonnée aux éléments et aux conquérants d'aujourd'hui. Bangkok, cité des anges, résidence du Bouddha d'émeraude, ville imprenable du dieu Indra, grande capitale du monde dotée des neuf précieux joyaux, ville heureuse où abondent les immenses palais qui ressemblent aux demeures célestes où résident les dieux réincarnés, cité donnée par Indra et bâtie par Vichnoukarm, est désertée par ses habitants. Elle garde ses souverains d'hier et son aristocratie décadente frustrés de leur cérémonie du passé.

Mais Wanee ! Santerre confronte les blocs de béton noyés

et l'apparat sans âge des barges royales. La comparaison lui brise le cœur. Les quarante rameurs du Cygne d'or battent régulièrement l'eau, l'éloignant chaque fois davantage de son amour. La seconde barge passe devant lui. Il connaîtrait d'autres femmes, d'autres amantes, mais jamais plus la hauteur inaccessible, l'horizon de lumière qu'elle avait fait rayonner pour lui. Des possibilités infinies d'une vie, quelques-unes seulement menaient à cette femme qui ressemblait à l'ailleurs. Elles disparaissaient, massacrées comme tant de possibles apparus au long de son existence, il ne lui restait plus qu'à rejoindre les siens. Une nouvelle vie devrait commencer, loin de ce lieu où un passé de grandeur engage la liberté de la femme qu'il aime. Une tâche demeurait à accomplir, dont les Thaïs qui partaient en ce moment lui montraient la noblesse, devenir lui-même, retrouver la fidélité à l'Histoire de son peuple. Comme eux, trouver son point extrême, sa capitale, un endroit où vivre sans concession dans l'Occident de la solitude et de l'impérialisme.

Wanee n'est plus qu'un point brillant à l'horizon brouillé de pluie. Devant lui, la lente cohorte des Thaïs en quête de leur terre promise, de l'Asie qui sera, passe sur le fleuve en crue. Il songe au devoir inévitable de tous les hommes du Nord comme lui, comprenant de quel poids de renoncements il est chargé. « Vivre sans elle, sans plus chercher à la revoir, en sachant qu'au Sud de ce qui fut la métropole la plus folle du monde, des gens attachés à se forger un destin l'ont choisie pour guide. Vivre de cette blessure et attendre... »

Il fait signe au pilote de remonter vers le centre de la ville, parmi les blocs de béton noyés et les poteaux télégraphiques engloutis, là où les militaires et les Occidentaux organisent l'évacuation méthodique de la capitale qui sombre, vers ce Nord auquel il appartient.

TABLE